КАНТА
ИБРАГИМОВ

РОМАН

Москва

УДК 821-311.3
ББК 84(2Рос=Рус)
И15

Ибрагимов, К.Х.

И15 Маршал : роман / Канта Ибрагимов (Канта Ибрагим-гар). — М.: Вече, 2021. — 512 с. — (Проза нового века).
ISBN 978-5-4484-2479-3

Знак информационной продукции **12+**

«Маршал» — по-чеченски «свобода». Это и приветствие, и пожелание всем людям Земли мира, дружбы, счастья... Это и сольный танец, и мятежный, бунтарский и независимый образ Кавказа, его иллюзорная гибкость, как непокорная мысль джигита, в конце концов, это и есть дух главного героя книги, о чьей противоречивой судьбе, как и о судьбе всего чеченского народа в XX столетии, рассказывает новый роман Канты Ибрагимова.

УДК 821-311.3
ББК 84(2Рос=Рус)

ISBN 978-5-4484-2479-3

Маршал

ПАМЯТИ МАМЫ

Уважаемый Канта Хамзатович!*

С этим письмом я высылаю вам фотокопии двух виньеток, которые, может быть, у вас сохранились, а может, и нет. Это фото после окончания первого и десятого классов.

Первое фото – 1968 год, школа № 41 г. Грозного, 1 «В» класс. Посередине наша учительница Анна Борисовна (фамилию не знаю и не помню). Справа, вторая от неё, – это я – Кобиашвили Тамара Салмановна. Вспомнили?

Второе фото – это уже 1977 год, школа № 2, 10 «В» – физико-математический класс. Здесь фамилии уже прописаны, и вы меня сами найдёте. И себя найдёте. Тогда вы были Николай, точнее, просто Коля. Хотя вы и тогда это имя не любили и всегда говорили, что вас зовут Канта. Впрочем, так вас и дома, и во дворе, и близкие в школе называли. Однако для меня вы были и остались в памяти Колей, Николаем.

Это тот Коля, с которым я в школе училась, с которым я была на ты. А сегодня – писатель. Никогда бы не подумала и не поверила бы. Хотя, если почестному, ты всегда был такой. И даже по виньеткам это видно. На фото после первого класса тебя поставили последним, в крайнем правом углу, где ты сто-

---

* В сокращенном варианте.

ишь подбоченясь. Ну а по окончании школы, хотя ты и не был отличником, только ты и Шмелькова попадаете на самый первый лист, прямо среди учителей и руководства школы. Со Шмельковой всё понятно — у неё мама была завучем школы и она получила золотую медаль, а ты?

...Коля, прости, что перешла на ты. У меня к тебе просьба. Но до этого не могу не высказать тебе давнишнюю, с самого детства, претензию, которую ты недавно вновь растормошил.

Я часто смотрю чеченское телевидение. И вот очередное твоё интервью по поводу открытия в Грозном большой физико-математической школы, которой присвоили имя твоего отца.

Ты говоришь о том, что в советской Чечено-Ингушетии, когда всё было подчинено прежде всего образованию, в республике был лишь один специализированный физико-математический класс, а теперь, когда чеченцы во главе, — целая физмат школа. И при этом ты как бы невзначай подчеркиваешь: «Я был единственный чеченец в классе».

Вот каким был, таким и остался — националистом! И никакой ты, конечно, не Коля, а точно Канта. Ты и в школе был такой же.

Помнишь, я показала тебе свой паспорт, где в графе «национальность» (в паспортах национальность указывалась) было написано «чеченка», на что ты сказал: «Ошибка природы».

И как ты стал писателем? Гуманист. На уроке русского языка и литературы тебя сажали на последнюю парту, а наша пожилая учительница, которую, кстати, все в школе боялись, — Вера Константиновна — ещё в 9-м классе прямо на уроке при всех сказала: «Ибра-

гимов, от твоего взгляда у меня вот здесь очень болит... Давай договоримся, ты не ходишь на мои уроки, а я ставлю тебе четвёрки всегда и везде».

Тогда я не знала, что она показала правое подреберье — печень (ты у меня в печенках сидишь). И до сих пор помню, как ты, радостно размахивая пустым портфелем, выскочил из класса... Однако этот договор тебя не спас. Уже в десятом классе Веру Константиновну уволили. Из-за меня.

Говорили на уроке о Сталине, и вдруг Вера Константиновна выдала, что моя фамилия Кобиашвили, может быть, в честь великого вождя народа, ведь его подпольная кличка Коба. Ничего не подозревая, я спросила об этом у отца.

Мой отец чеченец, кистин, родом из Грузии. Он рассказывал, что во времена того же Сталина всем чеченцам, проживающим в Грузии, к фамилиям приписали окончание «швили», чтобы их не депортировали в феврале 1944 года. Отец, будучи военным, среагировал на мой вопрос о Кобе по-военному, быстро и решительно. Он пошёл в школу — был скандал. Веру Константиновну уволили, а моего отца перевели служить на Чукотку... Там, по официальной версии, в результате несчастного случая мой отец погиб. Мы с матерью, к слову — эстонкой по происхождению, в то время остались в Грозном, чтобы я не прерывала учебу, закончила выпускной класс...

По русскому языку и литературе появилась новая учительница, и тебе пришлось ходить на занятия. По всем предметам у тебя были оценки «хорошо» и «отлично», кроме русского языка и литературы. Чтобы спасти «хороший» аттестат, тебе нужно было написать выпускное сочинение на «отлично». На экзамене все

списывали со шпаргалок, но ты даже со шпаргалки не мог списать без ошибок.

Я хорошо это помню, ты всегда поддевал меня, говорил, что ты такого-то тейпа, такого-то пути (некъ) и, наконец, из Ибрагим-гара*. И когда ты вырастешь и непременно станешь знаменитым, ты, как окончание фамилий у грузин, армян и азербайджанцев, добавишь к своей фамилии «гар» и будешь Канта Ибрагим-гар, чтобы идентифицировали тебя как чеченца. Первую половину своего обещания ты в моих глазах исполнил. Надеюсь, пойдешь до конца. Я это вспомнила потому, что ты дразнил меня «Эй, Коба-гора!» А когда тебе нужно было списать у меня задание по русскому языку, ты менял интонацию и мягко называл меня «госпожа Кобиа-гар».

Кстати, ты и тогда, и сейчас говоришь по-русски с акцентом. И этот акцент явно прослеживается и в твоих текстах. Но это так, старческие воспоминания. По настоящему — моё послесловие. И так много хочется сказать, есть что сказать, но, оказывается, на бумаге изложить не просто. Во всех отношениях очень сложно. Ведь это документ, а не сплетни и болтовня.

...Впрочем, возвращаясь в счастливые школьные годы... Директор школы — Лопатин — был физик, ученик и друг твоего отца. Он решил тебе помочь. Нужна была шариковая ручка, которой ты писал сочинение, чтобы все твои ошибки и недочеты исправить и вывести 5/5 и в аттестате «хорошо» по русскому языку и литературе. Интересно, помнишь ли ты это? А я хорошо помню, потому что наша классная, видимо, зная моё отношение к тебе, позвонила мне домой. Я побежала на стадион «Динамо», где ты на «опилках» футбол гонял.

---

* Гар *(чеч.)* — поколение, род.

Как обычно, ты лишь махнул рукой. Тогда побежала к тебе домой. Твоя мать достала ручку из твоего потрепанного портфеля, который всегда валялся у двери.

Откуда я знаю эту подробность? Твоя мать тогда сказала: «Канта вечно бросает портфель у порога, не хочет учиться. Говорит, что станет писателем».

Да, в школе ты писал стишки... В одном из интервью ты говорил, что по заказу старшего брата сочинял стихи и если они нравились его подругам, то он тебе платил. Мол, это твои первые и, увы, последние гонорары за литературный труд. Кстати, теперь я понимаю, что я присутствовала при твоем литературном становлении. Об этом ты, наверное, тоже не помнишь, а я напомню.

По окончании школы ты и ещё двое мальчиков из нашего физико-математического класса по итогам выступления на всесоюзной олимпиаде получили возможность быть зачисленными без экзаменов на физический факультет МГУ, что было очень и очень круто во все времена.

Однако твой отец, аспирант этого же факультета МГУ, а в то время проректор по научной работе Чечено-Ингушского госуниверситета, запретил тебе ехать в Москву, мотивируя своё решение тем, что в столице учатся два старших сына и дочь. Содержать всех в столице накладно. По велению отца пришлось поступить на физфак местного университета. Решение отца — закон и обсуждению не подлежит!

Интересно, а нынешнее поколение чеченских детей, в частности твои дети, такие же послушные или глобализация и Интернет тоже господствуют в современной Чечне? Впрочем, это так, к слову. А тогда, летом 1977 года, я помню, как ты был зол. Ведь физфак

ЧИГУ – учитель физики – это полный отстой. Не то, что конкурса нет, недобор. А чеченцы, вообще, на физфак по доброй воле не шли – учиться тяжело, да и не престижно.

Первые три экзамена – математика и физика (письменно и устно) – ты не сдать не мог. А вот последний экзамен, одинаковый для всех, – сочинение (русский язык и литература) – ты решил провалить в знак протеста и пойти в армию. Откуда я всё это знаю? Ты говорил. Напомню. Я хотела стать врачом. В Грозном медицинского вуза не было, но на республику выделялись места в мединституты других регионов. Среди остальных много мест было в грузинские вузы... Вот и я, как и ты, три экзамена сдала и, как сейчас помню, пришла на последний – сочинение. Этот экзамен все абитуриенты сдавали вместе. В огромном спортивном зале были расставлены столы, и нас вызывали по списку, по алфавиту. И надо же такому случиться – я оказалась прямо за тобой. На доске были написаны четыре темы сочинения, на выбор. Последняя тема – свободная.

Почти у всех были шпаргалки: такие маленькие фотки, которые продавались прямо перед спортзалом. Все списывали. Преподаватели делали вид, что не видят. Вдруг к тебе подошёл один из них и по-чеченски сказал: «У тебя что, нет шпаргалки?» – «Нет», – ответил ты. Преподаватель отошел. Я тебе сразу же предложила шпаргалку. У меня были на первые три обязательные темы, но ты небрежно отказался. Чуть позже и этот преподаватель принес тебе шпаргалку, но ты сказал, что пишешь сочинение на свободную тему, которая примерно называлась так: «Молодые строители коммунизма в легендарных творениях Л.И. Брежнева».

Я не знаю, что ты писал и как писал, но ты так завелся, что даже через три положенных часа не сдавал работу, так погрузился в текст, и я до сих пор с удивлением помню, как преподаватель говорил тебе: «Всё, хватит. Достаточно». На что ты ответил: «Ещё немного. Я не до конца раскрыл тему».

Списки с оценками вывесили через день. Я получила хор/хор, был жесткий конкурс, и я ещё не знала, прошла отбор или нет. А вот твой случай уникальный. У физиков недобор. Всего двадцать пять (кажется) человек и почему-то красным выведено «5». Смотрю, фамилия Ибрагимов Н.Х., а более Ибрагимовых нет. В тот же день ты рассказывал нашим одноклассникам, а потом об этом услышала и я, что филолог, профессор Дулейран, сказал твоему отцу, что сыну надо было поступать не на физический, а филологический факультет.

К чему я всё это? Даже не знаю. Просто после этого мы никогда не виделись и вряд ли увидимся... Но ты нас всех удивил. Стал писателем. И мой предыдущий опус о том, что это случилось неслучайно. И мы с подружками — одноклассницами, нас немного осталось в контакте Инета, когда общаемся, почему-то постоянно речь заводим о тебе и литературе. Признаюсь, в этом нам повезло. Не из каждого класса и даже школы вышли персоны, о которых можно было бы вспоминать, поговорить.

Только, пожалуйста, не возгордись. Хотя в нашем возрасте это уже не грозит. И следя за твоими интервью, мне кажется, у тебя звёздная болезнь не появилась и впредь вряд ли появится. Поэтому я пишу тебе это пространное письмо с просьбой. А заодно кое-что выложила, что подогревает память.

Впрочем, о просьбе... Наш одноклассник Миша Хазин сообщил в группе, что общается с тобой, был в Грозном, был на кладбище у консервного завода. Что вы вместе долго искали могилы его бабушки и близких родственников. Не нашли. Обратились по объявлению к местной фирме, и они всё нашли. А ты, Канта Хамзатович, даже через местные органы сделал копии справок о смерти тех лет и даже восстановил копии «домовых книг» с пропиской. Знаю, что это нелегко. Но если возможно, помоги. В любом случае спасибо. Жизнь позади! Прощай, Коля! Прощайте, Канта Хамзатович.

P.S. По правде, послесловие – это то, что я наговорила до сих пор. А только теперь то, о чём хотела попросить. А если честно, то я и не знаю, в чём моя просьба. Просто я высылаю тебе записи. Это – не дневник, а именно записи, сделанные несистемно, хаотично. Сделал их мой первый муж, который погиб в Грозном во вторую военную кампанию, в 2000 году. Ты его знаешь, должен помнить и знать – Тота Болотаев*.

Тота, или как его все называли – Тотик, учился в параллельном классе. Это был прирожденный артист, танцор: тонкий, мягкий, пластичный, очень симпатичный и очень замкнутый и нелюдимый. Его мать была актрисой театра. В одиночку она растила сына. Они жили в одной комнате в общежитии «Актёр». Почему-то ты к нему относился не очень хорошо. В седьмом-восьмом классе ты, все говорили, ни за что его побил, и даже твой друг Руслан Бекмурзаев тогда тебя назвал дикарем, варваром... Кстати, говорят, вас с Русланом только двое осталось в Грозном из нашего класса и вы до сих пор дружите. Большой ему привет!

---

* Многие имена и события вымышлены.

И ещё, из нашего класса больше половины уже нет. Даже до пенсии мало кто дожил.

Однако я о Тоте Болотаеве. Приведу ещё один эпизод из нашей жизни. После восьмого класса нас летом повезли в винсовхоз «Авангард», что за Тереком, подвязывать лозу виноградников, делать обрезку и прочее. Как-то в полдень нагрянула гроза. Мы побежали в лагерь. После обеда дождь перестал. А вечером, как обычно, танцы: мелодии и ритмы зарубежной эстрады. Ну а ты, тоже как обычно, о национальном – лезгинка! Ты везде был первый – в физике, математике, в беге и баскетболе, а вот танцевал как топор. Мы все хохотали. Но выходил Тота! Как я с ним танцевала! Ведь мой отец мечтал, чтобы я всё чеченское знала, и я училась лезгинке.

Ты, как тебе захотелось, врубил «Бони М», под них танцевать много ума не надо (но это так, к слову, прости) и пригласил меня, а я сказала, что забыла в винограднике свою сумку. И мы с тобой пошли за ней. Оказалось, далеко, к тому же мы чуточку заплутали. А когда уже возвращались, были густые сумерки, а у канала, что вдоль лагеря протекал, нас ждал Тота, точнее меня. Он что-то сказал, ты его с ходу, без слов, ударил и ушёл. Тота от боли присел. Я присела рядом, погладила его и даже слегка поцеловала его каштановые кудри.

...После вступительных экзаменов в вузы наши пути разошлись навсегда. Отца у меня уже не было. Как семье погибшего военнослужащего нам с мамой предложили либо двухкомнатную квартиру в поселке под Благовещенском, либо комнату в коммуналке под Тбилиси.

Я никак не ожидала встретить Тоту в Тбилиси. Он меня с цветами ждал около мединститута. Мы поженились. Было трудно. Бедно. Но самое невыносимое –

Тота был очень ревнив, и почти каждый день, даже увидев бутылку виноградного вина, он меня мучил, напоминая о том походе за моей сумкой в виноградники... И если бы тогда ты меня хотя бы пальцем тронул или что недопустимое сказал? В общем, через полгода мы разошлись. Мы с мамой уехали в Таллин. Там я продолжила учёбу в мединституте. Там же я познакомилась со вторым мужем. Он был нашим преподавателем, на пятнадцать лет старше меня. Человек был замечательный, добрый...

Когда рушился СССР, муж получил приглашение на работу в Америку, а потом мы переехали на постоянное жительство в Канаду. Супруг занимался автогонками. В аварии погиб.

...Моей маме 87. Она ещё бойкая, живая, слава Богу. Две дочери, пятеро внуков и внучек.

Когда я спрашивала мужа, какой он национальности, он всегда смеялся и говорил, что в нём перемешано много кровей, кроме чеченской. Зато мои внуки танцуют «Маршал» и при этом кричат «нохчи ву!».

Знаете, Канта Хамзатович, как ни пытаюсь, а это не первое письмо вам, я не могу вам объяснить смысл своего послания. Может, вы всё поймете из «Записок Тоты». А может, и нет. В любом случае вы писатель, и я думаю, что «Записки» должны быть у вас и их судьба в ваших руках. Но это вас ни к чему не обязывает. Как развелись, с 1983 года, я Тоту не видела и связи никакой у меня с ним не было.

В 2007 году моя подружка и наша одноклассница Наталья Морозова сообщила, что после гибели Тоты некоторые из его вещей остались у соседей. Так мне в руки попали эти «Записки», а теперь я очень хотела, чтобы они вернулись в Грозный. В наш Грозный. В го-

род, в котором я росла, училась, влюбилась, жила!

А вот теперь P.S. В «Записках» были страницы и про меня. Простите, но я их вырвала. Тогда Тота был очень молод и даже в записях очень искренен. Отдельный поклон за «Седой Кавказ», за Лорсу — ведь это одноклассник Тоты. И за «Дом проблем». Почему? Сами, может, догадаетесь, прочитав «Записи Тоты».

...Дети Тоты живут в Швейцарии, дружат с моими детьми. Были здесь, и мои были там. Я уже давно не хожу, доживаю. Писала это длинное письмо трудно и долго. Переписывала не раз. Жаль, что жизнь не перепишешь. А может, и к лучшему. Моего, нашего Грозного уже нет. К счастью, есть новый Грозный — красавец! Так хотела поехать, так хотелось увидеть места моего детства и юности. Не смогла. Не судьба. И, по-моему, судьба нашего поколения грозненцев очень тяжелая.

Все годы двух войн, эти страшные годы и события, я не отрывалась от экрана. Как ныло сердце, болела душа. Даже здесь, в Канаде. И это никому не объяснить, и никто не поймет.

Знаешь, я взяла фамилию Тоты, когда поженились. Потом, когда погиб второй муж, по делам наследства я вновь поменяла фамилию на эстонский лад. Ну а когда в разгаре была вторая чеченская война, всех чеченцев буквально бомбами уничтожали, я не в знак протеста, а как росток выживания, кто как поймет, сохранила имя Тамара, что отец мне дал в честь грузинской царицы Тамары, а вот изначальную фамилию я свою вернула, только отныне на чеченский лад. И особо отмечу, что двое моих внуков добровольно этому же последовали...

Так что, как говорится, без комментариев.

Огромное спасибо!

Простите за сумбур мыслей, воспоминаний и кучу просьб. Простите за всё! Как будто заново жизнь прожила. Прощайте!

Тамара Кобиа-гар!
Canada, 2019.

* * *

В институте культуры я считался, пожалуй, лучшим драматическим артистом, в перспективе. Я это вспомнил, наверное, потому, что перспектива оказалась совсем иной.

Помню, как в студенчестве я играл молодого миллионера в спектакле по роману Т. Драйзера «Гений». И как за специальность «Вхождение в образ» получил «отлично».

Теперь мне под сорок, и по решению суда я получил двенадцать с половиной лет строгого режима за особо крупное мошенничество, и все — от адвоката и судей до охранников и сокамерников — считают, что я миллионер, к тому же долларовый, и здорово прикидываюсь, что за душой ни гроша нет.

К сожалению, нет. Ничего семье не оставил... Однако не это всё время ареста гнетет меня. От другого очень тяжело и больно. От того, что не рассказал матери, что отомстил. Точнее, не то что отомстил, а как мне кажется, я исполнил вроде бы её давнишнее потаённое желание... Но почему я ей об этом до этого не рассказал? Почему?

...Я у матери-актрисы был один. Мы ютились в очень маленькой комнатёнке; вернее, это было какое-то подсобное помещение, под лестницей старого жилого дома в центре Грозного. Нашу подсобку в десять метров, с форточкой и без всяких удобств, мне даже

вспоминать, а не то что описывать тяжело.

В этом доме жила старая грозненская интеллигенция, и когда моя мать уезжала на гастроли, то меня забирали, да-да, забирали к себе наши пожилые одинокие соседи — русские и евреи, и они меня многому понемногу учили — музыке, рисованию, пению, но только не танцам, которые я с детства очень любил.

Потом маме выделили большую светлую комнату с большим окном в общежитии «Актёр». Это был наш праздник! Сколько радости и счастья! Правда, и неудобства. Далеко от центра и моей школы № 41, что напротив стадиона «Динамо». А ещё — кругом был частный сектор, где проживало много чеченцев, перебравшихся из сёл. Их дети, мои сверстники, были очень драчливыми и агрессивными. Я их всячески избегал, но они почти каждый день ко мне приставали.

Мне было лет четырнадцать—пятнадцать, когда мать подарила мне книгу «Обещание на рассвете» Ромена Гари. Я этот роман перечитал, будучи уже взрослым. И конечно, это уже иное восприятие прекрасного произведения. А тогда, в подростково-юношеском возрасте, этот автобиографический роман оказал на меня колоссальное воздействие.

И, скорее всего, под впечатлением юношеских воспоминаний я сегодня делаю эти записи, подражая автору «Обещания на рассвете», хотя понимаю, что литературного таланта у меня нет. Впрочем, я делаю их для себя. Как оправдание.

Короче... как говорят здесь, в неволе...

Как-то шёл я со школы... Я специально написал со школы, а не домой, потому что в тот день мне многое прояснили. И теперь я понимаю, что эти дети-подростки, мои сверстники, говорили то, что говорили

в их домах.

В общем, я иду. Меня окликнули. Возле парка кучка подростков-чеченцев.

– Ты куда, Тотик? Иди сюда... Домой? Так разве это дом? Это общага. А где твоя мать? Она артистка? Снова на гастролях? Бросила тебя одного?

– Никто меня не бросил, – настороженно ответил я.

– Слушай, Тотик. А из какого ты села? Какого ты тейпа? И вообще, кто твой отец? Не знаешь?

– Ха-ха-ха! – дружный смех. – А мы знаем. Ты безродный ублюдок. Ты – къутIа!*

...Если бы мне сегодня кто-нибудь такое сказал, то я бы засмеялся над его убожеством и попросил бы, чтобы он предоставил свою справку «о благородном, чистокровном происхождении».

И понятно, что это, быть может, было в основе бытия и истины, когда племена жили в пещерах и в ущельях или на постоянной основе в аулах и родовых башнях. Однако после многолетних войн XIX века, а тем более после поголовной депортации (геноцида) в Сибирь и Казахстан, а потом снова войны, войны, войны, когда все бегут и как могут существуют, говорить о происхождении...

Так я мыслю сейчас, став взрослым, к тому же в неволе ужасной российской тюрьмы, где всё это вышибается из мозга и души... А тогда, в подростковом возрасте, услышать от сверстников такое.

...Их было много, они были и сильнее, и взрослее меня. Но я кипел, тяжело дышал. Сжимал в бешенстве и бессилии кулаки. Однако эти пацаны на этом не успокоились и упомянули мою мать. Вот когда я лишился

* КъутIа *(чеч.)* – незаконнорожденный.

рассудка, бросился вперед... Какие-то молодые люди, кстати русские, привели меня домой. Точнее, к общежитию.

...Мама всегда покупала мне очень красивые вещи. И в этот день я был в светлом костюме, который теперь был без пуговиц, в грязи и крови. И я не хотел идти в комнату, ведь я защита и опора матери. И недаром мать дала читать «Обещание на рассвете». Там автор, ещё подросток, защищает и отстаивает честь своей матери, направо и налево раздает оплеухи всем, кто даже не так посмотрел в её сторону.

Мне трудно представить общество, где подросток так себя ведет. В Грозном я такого не видел. К тому же мать всегда мне говорила: «В Священном Писании сказано – ударили по правой щеке – подставь левую. Однако лучше сделать так, чтобы вообще не били. И запомни, избегай тех мест, где господствует сила. Жить надо там, где господствует культура и красота».

Я был побит. Побит и оплеван. И всё это было не страшно. Страшно было показаться в таком виде перед матерью. Впервые я пожалел, что мать не на гастролях. Надеясь, что она на репетиции, я всё же пошёл домой и у подъезда лицом к лицу столкнулся с ней.

Моя мать – всегда красивая, ухоженная, благоухающая – увидев меня, не на шутку разозлилась.

Не всё, но кое о чём, как было и что случилось, я матери вкратце изложил.

– А ну пойдём! – Она схватила меня за руку и буквально потащила за собой через всю улицу.

Точно такая же ситуация описывалась и в романе Романа Гари «Обещание на рассвете». И так же как и там, я пытался вырвать свою руку из руки матери, и мне было и стыдно, и неловко, но я и не знал, что у матери так много силы. И с этой неожиданной силой и энергией, как защищающая своё потомство волчица, она бросилась на моих обидчиков — эту свору мальчуган. У последних тоже оказались свои матери и даже отцы. Мою мать швырнули на асфальт. Со слезами и криками я бросился на толпу...

Поддерживая друг друга, хромая и еле-еле волоча ноги, под раскатистый хохот, свист и оскорбления мы с матерью ушли в полузаброшенный, заросший Летний парк. Мать всегда меня предупреждала, чтобы я ни в коем случае не приближался к этому опасному во всех отношениях парку, где находили приют лишь изгои. А теперь здесь плакали, здесь прятались мы. Вид у нас был настолько истерзанный, что мы ждали, когда стемнеет и в общежитии все лягут спать, чтобы пройти в нашу обитель незамеченными.

* * *

Наша комната в общежитии принадлежала государству и была нам выделена государством. Как я позже узнал, мы в ней были прописаны, то есть к ней привязаны, о чём свидетельствовал штамп в паспорте матери, где указан был и я. Комната довольно большая — двенадцать квадратов. Дверь да окно. Более удобств не было. Женская комната и душевая — на первом этаже. Мужчины бегали на улицу. И это было счастье.

В комнате у окна стоял старый, взятый в прокат, шифоньер, за которым у окна и батареи располагалась моя кровать. За шифоньером, огороженный от меня, был большой диван с чёрной потрескавшейся кожей и скрипучими пружинами, на которых неудобно было сидеть. Я всегда удивлялся, как мать умудрялась на

нём спать и при этом она боялась менять позу, чтобы ржавые пружины не беспокоили меня.

Когда мать поздно, после спектаклей, возвращалась домой, она включала ночник и что-то тихо долго делала, обычно шепотом читала, заучивала роли и песни. И в ту ночь она включила ночник. Мы сели на диван. У этого дивана была характерная для таких пружинных диванов особенность — выпуклый по центру, так что удобно было сидеть только по краям. Так мы и сели, как бы сторонясь друг друга.

— Тота, — голос матери стал хриплым, старческим, — я давно хотела рассказать. Должна была рассказать, но всё откладывала, не решалась. Теперь надо. А-то другие наврут. — Она замолчала, заплакала, нервно теребя в руках платок, испачканный нашей кровью, соплями и слезами. Я постоянно пытаюсь всё забыть. Иначе, если думать об этом ужасе, жить невозможно. Я боюсь это вспоминать. Больно об этом говорить, словно заново всё это проживаешь. Поэтому всё откладывала.

Знаешь, Тота, эти подростки говорят то, что говорят взрослые...

А ты запомни одно: только время покажет, кто кем станет, кто кого как воспитает и кто какой след на земле оставит. И главное, что ты был, есть и остался в памяти людей человеком. Что ты никому не навредил, не мешал жить и сам жил как человек, а не как себялюбивая дрянь...

А теперь история. О себе. О нас. Когда нас выселяли в 1944 году, мне, вероятнее всего, было лет пять-шесть. В моём паспорте так и записано — дата рождения 1939 год, без дня и месяца. И даже без указания места рождения. Ты это знаешь. А год рождения я примерно

определила потому, что моя старшая сестра уже пошла в школу и я смутно помню, как за ней в школу рвалась. Я четко стала понимать и сейчас почти всё помню со времени, как попали в пустыню Казахстана. Я всегда была голодной. Я всегда хотела есть. Мне всегда было холодно.

Поразительно, что с нами не было ни одного мужчины и даже мальчика. Я помню, как умирала моя мать. Как она задыхалась в бреду, как стонала... И когда она утихла, напоследок тяжело вздохнув, нам с сестрой, как кажется, даже стало легче... Потом стало теплее. Весна. Около нас протекал канал. Вдоль него стала просыпаться зелень. Как-то моя сестра сказала, что нашла крапиву. Её можно есть. Я стала жевать, не смогла, выплюнула. А моя сестра к ночи опухла и через день-два умерла.

Тиф стал косить всех. Одна я не заболела.

В один день тетя повела меня с собой. Мы шли долго, до обеда. И всю дорогу мне тётя тысячу раз говорила одно и то же, что я нохчи ю, что я из такого-то села, такой-то гар и такой-то фамилии. И моего деда зовут так- то, а отца так-то. И даже не раз заставляла меня всё это повторять. И, наверное, я всё повторяла, но всё забыла, потому что мне было голодно, холодно, страшно. Дошли до пустынной железной дороги.

— Мариам, ты должна идти. Хочешь — туда, хочешь — в другую сторону, — сказала мне тётя.

— Зачем? — удивилась я.

— Там найдешь хлеб. Еду. Жизнь.

— А ты?

— Я должна пойти обратно.

— А моя мама, сестра?

— Они тебя тоже там ждут.

— Где?

— Везде. Иди, куда хочешь.

...На всю жизнь я запомнила этот момент. Сделав несколько шагов по шпалам, я испугалась, развернулась и побежала назад:

— Деца*, деца, постой!

Тётя развернулась.

— Стой! — крикнула она, выставив вперёд руку. — Ты голодная, ты есть хочешь? — жестко спросила она.

Я в ответ только плакала.

— Если хочешь есть, хочешь жить, иди! А что там тебя ждет, — она вытянула руку в степь, — сама знаешь.

Она ушла, а я ещё долго стояла, рыдала, кричала ей вслед, стоя на месте, пока она совсем не исчезла за горизонтом. С тех пор я была одна... Пока не появился ты.

— А ты тётю ещё увидела? — спросил я.

— Нет, — твердо ответила мать. — В 1960 году, когда наш театр выступал в той области, я специально поехала в то место, но откуда я знала, где я была, куда шла? Ничего и никого... Прошло более пятнадцати лет. Песок, барханы. Всё замело. А, может, я вообще не туда поехала, не там искала. Я ведь точно ничего не знала. Но один местный казах рассказал, что туда после прибыли военные и всё и всех сожгли, чтобы не разошлась зараза.

Я и сейчас, когда вижу ребенка пяти-шести и даже семи-восьми лет, поражаюсь, даже представить не могу, как можно было дитё куда-то в пустыне вслепую отправить? Неизвестно куда... Оказывается, всё можно. Жизнь, точнее неминуемо надвигающая смерть, в виде чумы, фашизма, коммунизма или любого иного гнета

---

* Деца *(чеч.)* — тётя.

и бесчеловечности, заставляет людей идти, ползти да хоть как-то жить, точнее — существовать.

Скажу честно, до тех пор, пока ты не появился в моей жизни, — продолжала мать, — во всех своих бедах и страданиях, а их у сироты было очень и очень много, я винила тётю. Но когда появился ты и в первую ночь, прижимая тебя к груди, я почувствовала, я вспомнила запах, аромат и тепло груди моей мамы — прямо посреди ночи, я свершила обряд омовения, долго молилась, а после много-много раз простила тётю и всех, всех, всех и себе просила прощения и благословения, потому что с тобой, с твоей аурой, напоминающей мне сладкую атмосферу моего детства в Чечне, вернулась ко мне жизнь.

Тут она вновь заплакала, вновь грязным, измятым платком вытерла глаза.

— И куда ты пошла, мама? — не выдержал я.

— Знаешь, сынок... я об этом никому никогда не рассказывала, потому что этот путь, этот кошмар меня всю жизнь во сне преследует. И как тогда, я во сне тяжело, с трудом иду. Сил нет, а иду, потому что страшно, потому что холодно и голодно, и помню, в какой-то момент я не выдержала, побежала обратно в степь наугад, вслед за тётей. А дороги нет. Дорога исчезла. Я вконец заблудилась, но шла и вновь как-то вышла на эту железную дорогу и это породило какую-то надежду.

Тётя не просто так отправила меня в путь. На мне была теплая шуба, шапка и ботинки, которые были явно большими и мешали идти, но, как мне кажется, ночью они меня спасли от холода. Правда, на одном ботинке скоро отвалилась подошва и мелкие гвозди кололи ступню. Так что я осталась босой.

К вечеру, когда уже солнце стало садиться, я услы-

шала нарастающий шум и стук. Тётя сказала, если услышишь шум, значит, это поезд, остановись и маши рукой. Тебя спасут. Но я испугалась и, наоборот, побежала в камыши и там присела, закрыв глаза. Шум затих, земля перестала содрогаться, поезд ушёл, исчез, как и тётя, за горизонтом, а я всё сидела в болоте и босая нога в холодной воде. Поначалу эта ледяная вода обжигала, а потом стало даже приятно — боль в ногах унялась. А когда наступила тишина, я поняла, что встать не могу — конечности онемели. Сил нет, я стала дрожать и вдруг — змея, я бросилась прочь из болота. На четвереньках я стала взбираться по насыпи к рельсам, как увидела кость... Белая, обглоданная кость бедра курицы. Она ещё теплая, свежая, с прожилками у хрящей. Вкусная... Я побежала за поездом, на ходу грызя это лакомство.

А потом стало быстро темнеть. Я хотела уйти, убежать от этой беспросветной тьмы, от этого ужаса одиночества. Я плакала, я кричала. Я звала на помощь тётю и маму. А свирепый, колючий, холодный ветер с песком вонзался в моё лицо, скрежетал в зубах и не давал раскрыть глаза.

Я много раз падала, и вставала, и шла, спотыкаясь о рельсы, вновь и вновь падая, но вставала и шла, зная, что за мной ползёт эта голодная, слизкая змея.

Когда я в очередной раз упала, хотела встать, что-то острое до пронзительной боли кольнуло в пятку — это был ядовитый зуб змеи, который навсегда отравил моё земное существование...

Я видела много-много звёзд. Как никогда, много звёзд. И мне было жарко. Я горела и тряслась.

...Пришла в себя я в больнице. Я русский язык не знала, никого не понимала. Но за мной очень хорошо ухаживали, много кормили. Заботились. Однако это

длилось недолго — отправили в детдом. Страшное и жуткое место. Позже я поняла, почему в детском доме такая давящая атмосфера. А какой она могла быть, если собраны такие, как я, сироты, которые уже познали горечь жизни и уже знали: любви, нежности и материнского тепла им не видать и никто тебя не защитит, не согреет, не приласкает, даже не послушает, конфетку не принесет... Вечно голодные змеи кругом.

Где-то через неделю я почему-то подошла к одной девочке, старше меня годика на два-три, и спросила: «Нохчи юй хьо?»* Она схватила меня за руку, отвела в какую-то комнату и по-чеченски стала быстро говорить:

— Да, я тоже чеченка. И не одна. Здесь нас не любят. Учи русский язык. По-чеченски не говори. Понятно?.. И сохрани свое родное имя и фамилию. Как тебя зовут?

— Мариам.

— А как фамилия?.. Откуда ты родом?

— Не знаю... Я просто чеченка Мариам.

В это время раскрылась дверь:

— Что это такое?! Что вы здесь делаете? Быть не со всеми — у вас в крови. Не стоять в строю — у вас в крови. Не подчиняться и делать всё по-своему — у вас в крови. А ну сюда Нагаева!

Высокая, крепкая воспитательница схватила девочку за ухо, швырнула к стене, в затылок ударила, потом вновь схватила за ухо, да так умело скрутила, что девочка вся скрючилась от боли.

— А ну пойдём!

Больше я её не видела. Говорили, что её перевели

---

* Ты чеченка? *(чеч.)*

в другой детдом. А через неделю-две перевели и меня. Кстати, в гораздо лучший, чем прежний.

Путь, который предложила мне тётя, многому меня научил, многое на жизненном примере показал. Я поняла, что отныне и навсегда всё в моих слабеньких руках и что мне не на кого более в жизни рассчитывать. Краткий путь показал всё, что нельзя сидеть, даже в укрытии, не то змеи подползут. Надо двигаться, развиваться, расти. Однако в моём случае последнее должно быть строго в контуре межрельсового пространства (вот какое слововыражение, как геометрическую фигуру бесконечного рабства, я выдумала, точнее, впитала в советском режиме).

В моём случае детский дом — просто спасение. Но когда каждый день в шесть утра тебе надо, как ошпаренной, вскакивать под гимн великой страны и почти голой и босиком стоять по стойке «смирно» на цементном полу холодной казармы и во весь голос петь непонятно что, то ты становишься в лучшем случае послушной игрушкой. Я такой и пыталась быть: очень прилежной и тихой. И моя судьба, как и у абсолютного большинства детдомовцев, могла бы сложиться совсем иначе, да Всевышний дал мне бесценный дар — голос. И я до сих пор убеждена, что этот голос я выработала в ту ночь, когда пыталась перекричать леденящий ветер. Зов к матери в бескрайней пустыне! Пустыне моей жизни!

Через месяц я выучила наизусть гимн Советского Союза и каждое утро, когда все дети спросонья что-то мямлили под нос, наверное, одна пела в полный голос. Поначалу меня почти все дети невзлюбили, постоянно издевались, щипали, били. Но потом поняли, что я за всех отдуваюсь, — оставили в покое. Правда, обозвали или назвали — Маша Гимн. Да, так и была записана,

пока замуж не вышла.

Это случилось уже в 1957 году в Алма-Ате. К тому времени, ещё будучи школьницей, я стала победителем республиканских конкурсов и меня после седьмого класса перевели в детский дом Алма-Аты, потому что меня пригласили участвовать в хоре ансамбля Азиатского военного округа, где мне уже полагалось денежное довольствие и два комплекта парадной военной формы, что было очень престижно и выгодно. В этом была заслуга директора алма-атинского детдома Нины Викторовны Синициной...Такая была добрая и славная женщина. Именно она подсказала мне и помогла устроиться в создаваемую в Алма-Ате чечено-ингушскую театрально-концертную труппу.

Там я познакомилась с моим будущим мужем. Он у нас был заведующим по хозяйству. Ветеран войны, ранен. Был уже взрослым, за сорок лет. Когда меня стали сватать, я сразу же дала согласие, потому что с детства нуждалась в опоре, защите и просто поддержке мужской. В это время наш национальный ансамбль уже вернули на Кавказ, а мой муж и все его родственники почему-то не получили право возвращения на родину.

Замужем я была недолго. У мужа был туберкулез, к тому же он сильно пил. Вновь я получила тяжелый удар судьбы. Хорошо, что коллеги меня поддержали, приняли в труппу Казахской госфилармонии, дали место в общежитии, поставили в очередь на квартиру, и одновременно я поступила, точнее меня просто зачислили, на заочное отделение института культуры, по классу вокала.

По правде, перспектива открывалась впечатляющая. И так получилось, что мне при оформлении документов подсказали, что если будет справка и характе-

ристика из детского дома, то появятся какие-то льготы по жилью.

Как сейчас помню, рано-рано поутру помчалась я в свой последний детдом, что был на окраине Алма-Аты, и об одном молила судьбу, чтобы Нина Викторовна ещё не уволилась по возрасту, а то и на порог не пустят, и тем более справку не дадут, а если даже дадут, то только так как им хочется и по закону положено, ведь советский детдом, что детская исправительная колония — учреждение закрытого, принудительного типа.

Какова же была моя радость, когда я увидела на проходной прежнего сторожа — старика Антоныча. Постарел, но меня узнал.

— Нина Викторовна здесь. Щас позвоню, примет ли?

Обычно Нина Викторовна радовалась, увидев меня, по-матерински обнимала, целовала. Но в тот раз она была очень напряженной, задумчивой.

— Пойдем со мной. — Она повела меня через знакомый коридор в комнату, где раньше была пеленальная.

Нина Викторовна — женщина крупная, сильная. Полевым врачом она прошла всю войну, и, наверное, поэтому в её действиях и даже в движениях всё было грубовато, прямолинейно, решительно. А вот в тот раз она показалась мне очень осторожной, даже пугливой.

Она тихо открыла дверь, даже не включила свет. Поманила меня к кроватке, в которой лежал малыш.

— Ой, проснулся! Ой-ой-ой! Проголодался? Описался? А мы сейчас посмотрим. — Ласково приговаривая, Нина Викторовна развернула пеленки. Показалось бело-розовое нежное тельце ребёнка — мальчик. А аромат! А запах от него необъяснимо родной, сладкий, как моя память о моём искрометном детстве на родине...

А Нина Викторовна продолжает: — Чистый, породистый. — Она вдруг по-новому изучающе посмотрела на меня. — Судя по этому, в роддоме рожден. — Она показала мне кусочек выцветшей клеёнки с повязанной веревочкой.

— А что это?

— Такие в роддоме к руке привязывают, — объясняет мне Нина Викторовна, — Написано... — она стала смотреть, — очки в кабинете... Сама прочитай.

— Тота Болот, — прочитала я.

— У чеченцев есть такие фамилии и имена?

— Не знаю, — честно ответила я.

В это время малыш задёргал ручонками, захныкал.

— Ой-ой-ой! — Нина Викторовна снова ласково склонилась над малышом. — Какой славный! Вот не поверишь, Маша. Я сегодня пришла с больной головой. Ведь на пенсию выхожу, надо все дела сдать, а тут увидела это золото, и боль как рукой сняло. Посмотри, какое чудо!

— Вера, — крикнула Нина Викторовна воспитательницу, — посмотри за ним. Никого сюда не впускать и никому ни слова.

В кабинете она вновь стала строгой.

— Позовите Антоныча, — крикнула она и тем же тоном мне: — Сама знаешь, какие здесь условия жёсткие. Жалко малыша, что с ним будет?! Не знаю почему, но, увидев его, я вспомнила тебя. И ты пришла...

В это время зашёл сторож.

— Антоныч, расскажи ещё раз, как было.

— Ну как... Как обычно, я цигарку курил. Ещё заря не принялась. Издалека подходит девушка. Высокая, вроде молодая.

— Русская? — перебила его Нина Викторовна.

— Кажись, русская... Говорила бойко. Но лица-то не видать, темно... Говорит, батя, подержи ребенка, подсоби. Я по глупости взял, а она мне: «Определи сюда. Он чеченец. Там всё написано» — и убёгла. Я и так и этак... Вот оказия.

— Иди, Антоныч! — приказала Нина Викторовна.

После этого она долго смотрела на меня и вдруг выдала:

— Нравится малыш? Возьмешь на усыновление?

Я ахнула, ноги подкосились, чуть не упала...

После этого я жила, точнее, уже мы с тобой, Тота, жили у Нины Викторовны. Главная проблема была оформление документов, какое имя и фамилию дать тебе. Нина Викторовна подсказала мне посоветоваться с местными чеченцами-старейшинами. Был такой — Абуезид, старик преклонных лет. Нина Викторовна ему все рассказала и даже этот кусочек клеёнки из роддома показала.

Старик недолго думая предположил:

— Месяцев семь-восемь назад, здесь, во время задержания, был застрелен Ала Болотаев... Парень был хороший, но с этой властью не дружил. Постоянно то сядет в тюрьму, то выйдет... На окраине, в поселке, живет его старший брат.

Мы поехали к этому брату. Нина Викторовна начала разговор, да видать этот Болотаев был уже в курсе.

— Ничего не знаю, ничего слышать не хочу, — резко оборвал он — Мало ли где и с кем мой непутевый брат был и был ли вообще? Больше сюда не приходите. Нас нет!

— Что делать? — спросила я у Нины Викторовны.

— Теперь только мы должны позаботиться о ребенке. Так распорядилась судьба.

— А как назовём?

— Вот тут самодеятельность недопустима. Будем исходить из того, что есть. А есть Болотаев Тота Алаевич...

Вот так судьба связала нас с тобой, и чтобы этот узел не развязался, я тоже стала Болотаевой. А после этого, хотя здесь, на Кавказе, я никого и ничего не знала, а в Алма-Ате вроде всё уже налаживалось, меня просто потянуло в родные края. И я хотела, чтобы ты жил под родным небом, дышал воздухом наших гор, пил воду наших родников и рос на своей земле, среди таких же, как ты, чеченцев...

Тут она посмотрела на меня, виновато улыбнулась:

— Не признают нас?!

Я не понял, то ли это был вопрос, то ли констатация факта. Мама заплакала. Я бросился к ней.

Далеко за полночь мы легли спать. Я не мог заснуть. Столько нового, многое не понять.

Обычно с рассветом вставала мать, будила меня. На следующее утро я сам встал и впервые увидел, как моя мать лежит. Тогда я осознал, что к своему подростковому возрасту я никогда не видел, как моя мать лежит на диване, даже когда болела или она вовсе не болела... Но в то утро, как подбитая птица, свернувшись калачиком, она лежала лицом к спинке пересиженного дивана. По её частым вздохам и всхлипам я понял, что она ещё плачет. И тогда я положил руку на её плечо и сказал:

— Мама! Не плачь... Я отомщу этому Хизиру.

— Какому Хизиру? — вскочила она. — Жди меня за дверью, пока я переоденусь.

После этого три дня подряд она меня за руку отводила в школу и приводила. А на четвертый день мы переехали в маленькую комнатёнку коммунальной квар-

тиры возле школы.

Этого Хизира я выбрал потому, что он был самый драчливый, крепкий и первым толкнул мою мать в тот памятный день. И так получилось, когда я был в шестом классе, этот Хизир перешел в нашу школу, на класс старше. Из-за неуспеваемости его перевели на класс ниже, в параллельный с нашим.

Он меня узнал. Надменно и презрительно смотрел издали, но не подходил. Зато я готовился. Однако меня опередили. Хизир подрался с одним чеченцем-старшеклассником, и когда последний стал одолевать, Хизир достал нож. К счастью, применить не успел. Я об этом инциденте даже не знал, гонял футбол. А в это время срочно созвали родительское собрание, после чего мама побежала домой посмотреть в мой портфель и нашла там нож.

— Я этот нож уже неделю ищу, — плакала она. — Разве так я тебя воспитала?! Ты с этих мерзавцев пример берешь?! Не нож! Не нож или кинжал наше оружие, а ручка, карандаш! Знания!

Больше я этого Хизира в жизни не видел. Однако, вопреки моему желанию — это, наверное, и есть так называемое подсознание — я постоянно, ибо город наш сравнительно небольшой, был в курсе жизни Хизира, — до того не мог я ему все мои обиды простить.

Хизир оказался, как говорится, героем своего времени. У них большая предприимчивая семья. В годы перестройки они открыли массу кооперативов, обогатились, окрепли. Однако в начале девяностых, когда в России начался хаос и кризис, а Чечня «стремилась» к независимости, патриот Хизир перебрался в Европу и я о нем, как о прошедшей хронической язве, совер-

шенно забыл.

Прошли годы. Масса событий. Война! И вот в 1998 году ансамбль «Маршал», которым я руководил, получил приглашение — гастрольный тур по городам Европы, где в большом количестве проживали беженцы из Чечни. Прекрасный прием и концерт в историческом дворце Департамента мэрии Парижа. Много земляков. Аншлаг! И вот какой-то сутулый, прокуренный чеченец всё время лезет ко мне.

— Ты что, не узнаешь меня? Хизир. Я Хизир.

Какой Хизир, да и скольких я Хизиров знал?

— Мы в одной школе, в сорок первой школе, учились.

...Словно током ударило. Всё вспомнил. И до того стало противно, даже впечатление от турне испортилось. И конечно, правильно было бы просто не обращать на него внимания. Надо было посмотреть на него также презрительно, как он когда-то смотрел на меня. Однако любопытство возобладало, и я согласился попить с ним чай на следующее утро в небольшом кафе.

Заведение мрачное, оформлено по-восточному. С утра пусто, витает неприятный запах, оказывается, от ароматизированного кальяна.

— Мы, как увидели этот бардак, что происходил в России, — говорит Хизир, — сразу же уехали в Турцию, потом Иерусалим, Сирия, Иордания. Но у этих арабов и турок жизни нет. Мы перебрались в Европу.

— В Париж? — интересуюсь я. — Потому что самый красивый город?

— Да на хрен мне их красота! Я никогда в Лувр не пойду и не понимаю тех чеченцев, кто туда ходит. Вот наши башни! Кстати, эти русские твари наши башни не

разбомбили?

— А ты поезжай посмотри.

— Мне нельзя в Россию. Я политический беженец.

— Тебя кто преследовал?

— Хе-хе, кто меня может преследовать?! Ты ведь знаешь, сколько нас.

— Знаю. А дома в Грозном продали?

— Какой продали?! Ты ведь помнишь, где мы жили. Так русские оттуда бежали, а мы почти весь квартал за копейки выкупили. И мало того, парк рядом был, помнишь?

— Помню.

— Мы его тоже выкупили.

— Как? А зачем?

— Как зачем? Рано или поздно бардак в Чечне закончится. Вы там с русскими навоюетесь, перебеситесь, тогда мы приедем... А что ты не ешь?

Я не мог есть, не мог говорить. Было мерзко и противно. А Хизир закурил очередную сигарету, развалился в кресле.

— Эй! Чай! Быстрее!.. Видишь, как мы здесь живём!

— А официант вроде араб, а ты с ним по-русски, — поинтересовался я.

— Русский нужен. Из России много туристов.

— Понятно, — сказал я. — Я пойду. Сколько за завтрак?

— Да ты что?! Куда ты торопишься? Давай поговорим... А плата. Ты о чём? Это наполовину моё заведение.

— А почему арабское? — удивился я.

— Дочь вышла замуж за араба.

— Чеченцев здесь не было? Или не взяли?

— Главное — мусульманин! И умеют они торговать.

Я встал, бросил на стол сто евро и, не говоря ни слова, ушёл, а он всё ещё кричал мне вслед:

— Эй, ты что? Хотя бы сдачу возьми... Гур ду вай!*

— Гур дац!**

Потому что он в Париже, я в Сибирь, надолго или навсегда, а в Чечне вновь война. Там моя семья, моя мать. И я жалею, что не рассказал матери об этой встрече в Париже. А может, правильно сделал. Не знаю. Потому и запись веду...

* * *

Вместо предисловия.

Кратко.

А лишних слов и не надо, ибо в «Записках» и так всё подробно описано. Правда, записи несистемны, без дат и указаний имён. Много зашифровано и записано сокращенными знаками — для себя или дальнейшей обработки. Видно, что рукопись была разбросана и страницы, как и чернила, выцвели. Некоторые листы промокли. Где-то ничего не разобрать, чем-то залиты. Может быть, и кровью.

Листки разные. Почерк разный. К тому же есть чьи-то приписки — женской рукой. Кое-что я сам доискивал, дорисовывал, сочинял. Как получилось, вам судить. А смысл этого предисловия — объяснить методику изложения. Где-то, как в рукописи, как в оригинале «Записок» от первого лица. В основном текст от третьего лица. Понимаю, что такая подача текста очень непроста, но получилось так, как получилось...

---

* Гур ду вай *(чеч.)* — увидимся.

** Гур дац *(чеч.)* — не увидимся.

* * *

Как-то один знакомый старец сказал Болотаеву Тоте:

— Нас в Сибирь насильно возили, а ты вот сам подался туда.

— Времена не те, — с задором отвечал молодой человек.

— Времена, может, и не те, — качал головой старик. — Но люди — те же.

— Нет-нет! — возразил Тота. — Ныне Сибирь — Клондайк — золото, нефть, газ, лес. Словом, деньги!

— Так я тоже там золото на Колыме добывал.

— То для Сталина, для СССР, — перебил Тота, — а теперь новое время, новая Россия.

— Новая? — удивился старик и чуть погодя: — Все же будь осторожнее, молодой человек, — суть времени и сущность людей не меняются.

— Наоборот, дед. Всё течёт, всё меняется.

После этого разговора прошло много времени. Очень многое изменилось. Старца, наверное, давно уже нет, а его заключение заключением подтвердилось — ибо Тоту Болотаева по этапу повезли в Сибирь.

Болотаев знал, что Сибирь — это почти что Вселенная, однако в вагоне-зак — это бесконечность. Наверное, даже первые каторжане, коих вели в Сибирь пешком, столько не страдали. Сутками, позабытый всеми, даже Богом, вагон простаивал в каких-то пустынных железнодорожных тупиках. И тогда конвоиры напивались до посинения. Потом либо приставали к заключенным, либо просто вырубались, и тогда ни еды, ни тепла, а это конец зимы — начало весны — самые лютые морозы.

Вначале вагон был забит до предела, и казалось, что он движется хаотично – то на юг в Пятигорск, то на север в Ухту, а потом восток, восток, северо-восток. Поволжье, Урал, самый центр Сибири – Красноярск, после чего дорога пошла вдоль огромной реки на север, и в этом огромном вагоне Болотаев единственный заключённый и за ним наблюдают шестеро охранников.

У всего на свете, к счастью, есть конец, и этот очень долгий, мучительный этап, то есть пересылка, закончился. Он попал в самую северную тюрьму, в небольшом городишке Енисейске, на берегу одноименной огромной реки.

Этот город, как пограничный казачий острог, был заложен в начале XVII века.

Острог – это не только крепость, это и тюрьма, и здесь одни из первых каторжан – пленные шведы. Здесь же отбывали срок и декабристы, в честь их и адрес учреждения – улица Декабристов.

Эта тюрьма строгого режима, для особо опасных преступников-рецидивистов, где осужденные содержатся не в отрядных, а в камерных условиях.

По прибытии на место первым делом так называемый карантин – это леденящая душевая, как в советском медвытрезвителе, после чего все действительно трезвеют, точнсс, твердеют от холода.

По этапу говорили, что в этой тюрьме самый строгий режим и даже по коридору водят, как и тех, кто посажен пожизненно, то есть согнувшись, с наручниками за спиной, руками вверх. Нет. Его и даже без наручников повели по коридорам – бесконечным, сырым.

Доставили до смотровой камеры. С трех сторон решетки. У стены скамейка. Следует команда:

– Стоять смирно! По центру!

— Есть стоять смирно, по центру, — как можно бодрее отвечает Болотаев.

Однако стоять так пришлось очень долго, и уже, как старая кляча устав, он попытался было облегчить стойку, как грубый мат и вновь команда:

— Я как сказал стоять?!

— Стоять смирно, по центру.

— Вот так и стой.

— Есть так стоять, гражданин начальник.

У Тоты уже стали затекать ноги, и он думал, что вот-вот упадет, как послышалось некое движение, сами охранники выпрямились. Издали послышались по-господски чеканный шаг, команда «смирно!».

Крепкий, плотный, краснощекий майор, широко расставив ноги, встал перед заключенным; с ног до головы, словно на базаре оценивает, осмотрел Болотаева.

— Чечен? — грубо процедил майор.

— Так точно, чеченец, гражданин начальник, статья 159, пункт 3—4 — «особо крупное мошенничество при отягчающих обстоятельствах».

— Это сколько ж ты наворовал, используя служебное положение?... Срок? — гаркнул офицер.

— Двенадцать с половиной лет, гражданин начальник.

— Мало. Я бы навсегда упек. — Начальник, уходя, ещё раз искоса глянув на Болотаева, заключил: — Так мы и сделаем.

После такого прогноза жить нелегко, а в маленькой камере-каморке как в гробу.

Холод. Сырость. Почки заныли, мозги оледенели. За века скопившаяся, смрадная вонь параши, которую даже свежий слой хлорки не убивает, глаза щиплет.

Дышать тяжело. Особенно поначалу. Полумрак – лишь тусклый свет над дверью.

Всего пять метров по периметру. Маленькая, металлическая полка вместо лежака, которая специально не поднимается, чтобы не было места даже сделать шаг.

Тоска. От безысходности заключённый ложится на эту ещё более леденящую полку. Скручивается калачиком, пытаясь хоть как-то согреться. Тишина. Поистине гробовая тишина, и даже слышно, как внутри тебя всё урчит – это бактерии и микробы, тоже проголодались, им тоже холодно и противен такой ты, и они начали оттуда тебя поедать, у них жизнь кипит, газы выходят, ты начинаешь гнить, разлагаться во всех отношениях. Это почти что могила, даже ещё хуже, ибо ты ещё на что-то надеешься, ещё веришь в людей. Точнее, не в людей, а в эту дверь, в эту старую, проржавевшую, но ещё мощную, холодную дверь, – что она вот-вот откроется, дунет свежий воздух и появится надежда на жизнь. И она появилась.

Вечером так называемый ужин принесли. Не дверь, а окошко со скрипом раскрылось. Как положено, Болотаев резко вскочил, встал по стойке «смирно», крикнул:

– Благодарю, гражданин начальник.

Надзиратель тоже, как положено, глянул в камеру.

Из-за полумрака Тота не очень четко видит черты лица, однако что-то новое интуитивно по взгляду надзирателя уловил.

– У тебя сегодня пир, – почему-то недовольно выдал надзиратель, – праздничный ужин земляк прислал.

Ужин действительно праздничный и по аромату, и по весу, и по разнообразию – кусок вяленого курдю-

ка, три зубчика чеснока и настоящий чай с печеньем и конфеткой.

За последнее время, как Болотаева задержали, это был действительно праздник и пир. И дело не столько в еде, хотя он за это время очень исхудал и постоянно испытывал голод, а более в том, что кто-то и так неожиданно проявил о нём заботу, которая на этом не закончилась. На ночь, через то же окошко, ему просунули какое-то колючее и вонючее одеяло, которое могло просто сохранять жалкое тепло от его тощего тела, но ему казалось, что это одеяло его согревает.

С первого дня ареста он постоянно удивлялся: почему его родственники, друзья, коллеги, а впрочем, и все человечество не встает на его защиту, на борьбу с этим беззаконием и подлогом, ведь он не виноват? Однако никто о нём не заботился — по крайней мере он так думал, и так оно и было... И вот, когда казалось, он на самое дно изощренной российской тюремной системы упал, ему какой-то «земляк» подал руку помощи в этой глуши; накормил, отогрел, взбодрил.

В этом царстве холода и тьмы появился человек, появилась душа, появилось добро. Не просто спасителем, а чуть ли не Богом представлялся этот «земляк» в воображении Болотаева, и, когда его в первый раз вывели на воздух, в небольшой обрешеченный вольер, он сразу же определил, кто здесь хозяин, то есть его земляк.

Вопреки ожиданиям Болотаева, «земляком» оказался не чеченец, а грузин, и не какой-то там молодец-богатырь, а очень худой, сгорбленный зэк.

Двое из блатных подвели Болотаева к «земляку».

— Здорово, батоно, — приглушенно-прокуренный бас. — Георгий. Не святой, но Георгий. А тебя как? — Он протянул руку.

— Тота. Болотаев Тота.

— Странное имя. — Зэк очень внимательно осмотрел новичка. — И дело твое странное. С такой историей так далеко не завозят. Либо ты так много спёр, либо... — Он сплюнул. — Даже не знаю. Сюда фраеров не доставляют.

— Может, он за террор? — подсказал рядом стоящий блатной.

— Бабки, бабки, — другой зэк.

— Какой террор? В бабках дело.

— А ну пошли отсюда, — тихо процедил Георгий.

— А может, как чечена? Всё-таки война. — И чуть погодя: — А капиталец должен у тебя быть, должен. Колись, земляк. А то я вот-вот откидываюсь, а бабки там нужны. И тебе, Тота, помогу.

— Клянусь, это не так, — почти дрожит голос Тоты.

— Да, — после некоторой паузы постановил старый зэк, — либо ты прирожденный артист, либо это правда. Если второе, то очень печально. Для тебя печально... Ну и для меня тоже. Думал, что хоть под конец одного «пузатого» прислали. Судьба сжалилась... Нет, и тут не везет. — Он смачно сплюнул.

— А я по первому образованию артист, — вдруг выдал Тота. — Я окончил Тбилисский институт культуры, батоно Георгий. — Тут Тота поздоровался по-грузински и ещё сказал несколько слов.

— Вот это да! — удивился зэк. — Так ты знаешь грузинский?

— Немного знал, многое позабыл. Столько лет прошло.

— Так ты артистом не стал?

— Нет. — Голос Тоты оживился.

— Почему?

— Понял, что никогда не стану, как Махмуд Эсамбаев и тем более как Муслим Магомаев.

— Твои кумиры? — ухмылка в тоне Георгия.

— А разве есть такие, кто их не любит, не ценит? — возмутился Тота.

— Здесь есть. Почти все... Хе-хе, так что и ты не болтай, что артист.

Болотаев ничего не сказал, но по гримасе видно, как он недоволен. А Георгий в том же небрежно-надменном тоне продолжает расспрос:

— А какое у тебя второе образование?

— Финансовая академия.

— Вот это да! — удивился Георгий. — Артист-финансист — какая адская смесь. — Он вновь стал оценивающе рассматривать Болотаева, а последний вдруг взмолился:

— Можно письмо на волю?

— Помогут? — искоса глянул Георгий, ухмыльнулся.

— Помогут, — прошептал неуверенно Болотаев.

— А что до самого Севера и Сибири не помогали? Хе-хе, отсюда просто так никто не выбирался, даже декабристы после смерти Николая I, будучи графами и князьями, не смогли.

— Я не декабрист; не бунтарь, не вор и не мошенник.

— Это очень плохо. Для того, кто сюда попал, плохо.

— Я не виноват!

— Все мы так говорим, попав сюда. — Георгий вновь смачно сплюнул. — Отчасти правда в этом есть. Потому что на воле гуляют гораздо худшие представители хомо сапиенса. Однако жребий пал на нас. Не повезло... А впрочем, что бы мы ни болтали, древняя поговорка верна – человек там, куда сам себя поставил... Понял, земляк?

– Ага, – кивнул Тота, – но я ничего не своровал.

– Ничего ты не понял, – стал очень сух голос зэка. – Ты сидишь за крупнос мошенничество. Огромные деньги у государства исчезли.

– Не я... – тих голос Тоты.

– Если не ты, то кто-то ведь присвоил, а на тебя повесили... Вроде так получается?

– Конечно, так. Это несправедливо! Я буду писать...

– Ха-ха! – усмехнулся Георгий. – Вот эти кляузы, тем более от чеченца, а идет с вами война... Вот они и загнали тебя сюда, в самое страшное болото.

– Я буду бороться. Я это так не оставлю, – тихо говорил Тота.

– Через двенадцать лет выйдешь и отомстишь?

– Нет! Я здесь не выдержу. Что делать? – ещё глуше и жалобнее голос Тоты.

– Как-то бороться, – подсказывает старый зэк. – Ведь есть родные, близкие.

– В том-то и дело, что родных почти не осталось. Вначале раскулачили. Потом эта депортация, точнее геноцид, когда всех чеченцев выселили в пустыню Казахстана, – почти все померли. И вот вновь одна война, вторая, столько жертв.

– О-о! Беда! – сменился тон Георгия. Он долго о чём-то думал, а потом спросил: – А ты наверняка эту свою обиду где-то прилюдно ляпнул.

– Не «ляпнул», а сказал.

– Во-во. Теперь всё понятно.

– Я правду сказал.

– Здесь это минус, а не плюс.

— Это несправедливо!.. Я буду. — Тут Тота надолго задумался, замолчал и после выдал, как очень большой секрет: — У меня есть знакомые.

— Да? — старый зэк оживился. — А они богаты?

По лицу Болотаева было заметно, что этот вопрос оскорбил его, а Георгий сухо продолжил:

— В России, а тем более здесь только деньги — сила и власть.

— Что делать?

— Что делать? — усмехнулся зэк. — Терпеть.

— Двенадцать с половиной лет?! Терпеть это? Почему я не уехал из этой страны?

— Скулить не надо. Это не поможет, а наоборот.

— Что делать?

— Что делать? Хе-хе! Как Мюнхгаузен за волосы, ты сам себя из этого болота никогда не вытащишь, а ещё хуже будет, если кляузы будешь сочинять. Жалобщиков нигде не любят. Это тебе не Европа, где есть человек и права человека.

— Боже! Как вы мне помогли, — вдруг блеснули глаза Тоты. — В Европу как бы весточку доставить? Одной знакомой.

— Бабе? — усмехнулся зэк.

— Она ценит меня.

— Хе-хе, ценила бы, уже была бы здесь, как жены декабристов.

— Так она не знает.

— А узнает — примчится? И что она сделает?.. Хоть богатая?

— Нет. Но она...

— Любит тебя?.. С кем-нибудь она сейчас, а любит тебя.

Тота ничего не сказал. Нервно задергался.

В это время, как и века назад, зазвонил колокол. Прогулка закончилась, и старый зэк подвел итог:

– Смотри, земляк. Декабристы были графы, князья, и их охраняли такие же графы и князья. Всех истребили. Ныне что сидят, что охраняют – одно отребье, и по-честному, те, кто сидит, по понятиям даже выше. И запомни – это самый центр Сибири, тупиковая глушь. Здесь всё сурово. Почти девять месяцев зима – холод и вьюга по камерам гуляет, а чуть-чуть лето – хуже зимы, когда в тех же камерах комары, слепни и мошкара и тогда о зиме мечтаешь.

– А вы сколько лет здесь? – выдал Тота.

– Всю жизнь, – печально улыбнулся Георгий. – Тебе это не надо.

– Не надо, – просит Болотаев. – Что делать?

– У прокуроров, судей и прочих господ помощи не ищи – ещё хуже сделают.

– Это я уже понял.

– Тогда терпи, земляк. Пока я здесь, поддержу. Но ты более нюни не распускай. Держись, чечен. Не ты первый, и не впервой вы в Сибирь попадаете.

Этот разговор, особенно последние слова старого зэка, задели за какие-то чувства... Буквально по-новому он стал смотреть на этот мир, в котором отныне осталось только два цвета – черный и белый, и этот белый цвет, как белый свет, надо выискивать, о нём мечтать, к нему ползти.

...С самого начала, когда его внезапно арестовали, Тота думал, что это просто какое-то недоразумение и его вот-вот освободят. Однако всё завертелось в таком головокружительном вихре, что он даже не мог толком поверить, что это не сон, а явь. Да, он в тюрьме. И если у других сокамерников следствие длилось меся-

цами, а то и годами, то его буквально за считаные дни осудили и погнали по этапу.

Он думал, что, попав на зону, на конечный пункт заключения, он начнет как-то действовать и это будет как бы его обратный путь к свободе, который он совершит даже пешком. Хотя бы пешком. Но оказалось, что в его камере временного карантина-изолятора даже шаг, всего один шаг, сделать невозможно — самая изощренная степень издевательства и пытки.

Кто-то ведь это всё просчитал и выдумал, чтобы как можно строже было наказание и чтобы заключённый осознал, что он не человек, и позабыл бы о человечности.

Наверное, так бы с Болотаевым и произошло, если бы не встреча со стариком Георгием, который намекнул: мы земляки — кавказцы. До сих пор я здесь вышку держал, а теперь твоя очередь. Не подведи.

Конечно, для Тоты это сильная встряска и повод для внутренней мобилизации, когда нельзя скулить, а надо зубы до боли и скрежета сжать и постараться всё и вся терпеть. Однако Тота ведь не из этой среды и даже от вида наколок ему уже не по себе. И поэтому он очень рад, что здесь такой влиятельный земляк оказался, а с другой стороны, принимать эстафету он не сможет и не хочет... Вот такое противоречие и так в жизни бывает почти что всегда при более-менее экстремальных ситуациях — это борьба, в этом развитие и от выбора личности многое зависит. И Болотаев, хотя ему этот вопрос напрямую и не задавали, должен был как-то ответить на запрос Георгия, и он однозначно решил, что он не зэк, всё это недоразумение. А Георгию он очень и очень благодарен и будет случай отблагодарит, и этот случай представился.

***

Что такое праздник и для чего устраиваются праздники?

Праздник – это кульминация события, которая своим торжеством должна затмить в сознании людей или человека все будни и обыденность существования, стереть этот серый фон и гадость, а в памяти останется радость праздника... В общей сложности более сорока лет в заключении. Это срок Святого Георгия – как не отметить такое событие?

Целый месяц готовились к торжеству; репетировали номера, чуть ослабили режим и даже старый актовый зал привели немного в порядок.

Болотаев был ещё в карантине, но и его, видимо по просьбе Георгия, допустили в зал, а для этого привели в порядок – баня, новая роба, чтобы не более других вонял и атмосферу праздника не портил.

Концерт уже начался, когда Болотаев попал в зал. Беззубый зэк, потрясающий шулер, показывал фокусы с картами. Невероятным для Болотаева показался фрагмент, когда карты как-то очутились в кармане старого Георгия, сидящего в первом ряду. А ещё большее его удивление и восторг вызвало то, что сам Георгий вдруг встал и в ответ изобразил почти то же самое, от чего в зале начался хохот.

После этого был музыкальный номер. На сцене старый фортепиано, к которому подошёл такой же старый заключённый. По тому, как последний сел у инструмента, Тота понял, что это музыкант – пианист, и первые, уверенные аккорды это подтвердили – в зале гул, но Тота уловил, что инструмент расстроен и в пальцах гибкости нет – все костляво, – но для тюрьмы в Сибири – класс!

Под аккомпанемент двое зэков исполнили пару блатных песен, потом было подражание Высоцкому и, как подарок Георгию, его любимая вещь – «Тбилисо», вроде бы на грузинском языке. И тогда сам Георгий не выдержал, поднялся на сцену и стал с ними петь. Весь зал, даже начальство, что сидело в углу, встали, стали аплодировать.

Тут же из зала стали просить, чтобы Георгий станцевал:

– Лезгинка! Лезгинка! Лезгинку давай!

Появилась старенькая, облезлая гармонь с западающими кнопками; такой же побитый и дырявый пионерский барабан, под бой которого можно было только в строю маршировать. Оба этих инструмента были в руках таких же потрепанных, несчастных заключенных, которые изо всех своих возможностей пытались выдать кавказский мотив.

– Лезгинку давай! Давай, Георгий! – кричал зал.

Георгий встал, как-то неожиданно выправил стать, внешне преобразился, даже помолодел.

По первым движениям Тота понял, что земляк, конечно, непрофессионально, но по-своему, с каким-то жгучим азартом, когда-то танцевал. И теперь желание есть и память движения сохранила, однако в тощих ногах силы нет, и красивые, дерзкие, быстрые па ему уже неподвластны. А тут вдруг изношенные инструменты и такие же исполнители пару раз сбой в мелодии и ритмике дали, а следом другая напасть – такой едкий кашель, что улетучилась его едва появившаяся стать. Георгий вернулся в прежнее свое состояние и теперь, будучи на сцене, в таком виде он стал почему-то жалким и немощным, что даже в зале наступила непонятная, гнетущая тишина.

Этот момент стал кульминацией не только данного представления, но как бы подводил итог всей жизнедеятельности Святого Георгия. Словно жизнь насмарку...

В мгновение все это определили. В первую очередь это понял сам Георгий, и он уже не кашлял, но всё равно прикрывал бескровно-блеклой, костлявой рукой не только рот, но и всё лицо, пытаясь закрыться ото всех, потому что немощных здесь не признают. А гнетущая пауза затянулась. Зэки зашевелились, зашептались, стали переглядываться, и, как вердикт, кто-то процедил:

— Святой сошёл... Со сцены сошёл.

От этих слов Георгий словно очнулся. Стать он не поменял, остался таким же сгорбленным, но исподлобный взгляд зверем блеснул.

Вновь в зале тишина. Святой Георгий на сцене, сценарий в его руках, как он сыграет последнюю роль? Как и прежде, он это сделал блестяще:

— Эй, земляк! Тота, ты здесь? — Георгий наконец-то увидел Болотаева. — Мои кости скрипят, поржавели. А ты учился в Тбилиси, покажи культуру нашего Кавказа.

Все взгляды в сторону новичка. Болотаев, словно провинившийся ученик, машинально встал, виновато опустил голову, не зная, что ему делать, как быть и, вообще, что от него хотят.

Возникла какая-то пауза, напряженная пауза и тишина. Это миг перед рывком. Здесь слабых не любят и презирают. Здесь как в дикой тайге: раз на своих ногах твердо не стоишь, то и не надо. Многие мечтают вожаками стать. А Святой Георгий в самый последний и важный момент на сцену вышел, но свою роль не смог доиграть, и в какой-то миг он почти что превратился из

пахана и кумира в слабака и артиста, к тому же плохого артиста.

Все это поняли. Прежде всего это понял сам Георгий. Но ведь не просто так он столько лет вожаком был. И на сей раз опыт и интуиция его не подвели. Он, как положено его статусу, не артист, он режиссер, и поэтому Георгий вновь постарался выправить стать, стал хлопать, призывая к этому весь зал, и вновь крикнул:

— Земляк, ну что ж ты?! Чему тебя в Грузии учили? Станцуй лезгинку, расскажи про лезгинку, покажи им Кавказ!

И без этого призыва Тота уже рвался вперед, ведь он прирожденный артист. Но эти слова Георгия вовсе разожгли его страсть, он просто рванул к сцене, до которой было всего шагов десять–двенадцать — просто миг, за который он почему-то вспомнил былое.

...В 1977 году Тота окончил школу и решил поступить в вуз. Особого выбора в Грозном не было, как случайно увидел объявление: «Идет набор абитуриентов из числа чеченцев и ингушей в институт культуры города Тбилиси».

Тота скрыл от матери, что поступает в институт культуры — быть артистом не приветствовалось, — сказал, что едет поступать на экономический факультет Тбилисского университета.

Он подал заявление на музыкальное отделение, потому что хотел стать профессиональным ударником — у Тоты от природы был великолепный ритмический слух и реакция.

На приемном экзамене он поразил всех своими природными данными ударника, но нужны знания, музыкальные знания и элементарная нотная грамотность, о чём Болотаев и понятия не имел.

— К сожалению, вы свободны, молодой человек.

— А можно я лезгинку станцую? — попросил юноша.

Экзаменаторы переглянулись. Самый пожилой грузин кивнул.

— Прямо здесь? — удивилась одна женщина.

— А что, — ответил пожилой преподаватель, — настоящий джигит и на столе станцует.

— А вам нужна в сопровождение музыка? — поинтересовались у абитуриента.

— В моем танце и будет музыка, — почуяв шанс, заносчиво ответил чеченец.

— Ну давай!

И он дал, и так дал, точнее, такое чудо танца выдал, что от его азарта все преподаватели, даже женщины, аплодируя, встали, а Тота в диком экстазе танца ещё умудрился грубые ботинки скинуть, а потом даже на стол вскочить и на цыпочках, как опытный балерон, выдал грациозное па.

— На хореографию! Вот это танец! Вот это танцор! — был единодушный вердикт.

...С тех пор прошло много времени, и много, много раз Болотаев выступал и танцевал и на сцене, и без сцены, и где ему хотелось и моглось, но с тех пор он ни разу не танцевал в ожидании вердикта, и вот это случилось: ведь как сказал Георгий, здесь, в тюрьме, артистов не любят, но человек не может не любить искусство, ведь оно прекрасно, и это артист обязан показать, если он артист настоящий. А Тота считал себя артистом, и даже увидев эту жалкую тюремную сцену, он сразу же загорелся, точнее внутренне закипел, — он очень-очень захотел выступать, играть, хотел уйти в иную реальность и с собою увести всех! Вот это искусство...

И когда он пошёл между тесными рядами, в один миг его сознание переключилось. Ведь все люди – артисты, все пытаются играть и играют. Однако настоящий артист – это прежде всего магия перевоплощения, когда артист в данный момент погружается в образ, представляя, что только это правда и жизнь, и это искусство, а остальное мишура.

Вот так эти десять–двенадцать шагов Тота шел по этому маленькому залу, воочию представляя, что его пригласили на сцену Большого или Метрополитен-опера, о чём он всю жизнь тайно грезил и болел, и вот это чудо свершилось. Грациозно, выпрямив не только плечи, ноги, но и в вечность устремив взгляд, Тота с торжественностью взошел на низенькую сцену. Прежде всего поклонился публике. Потом, по-кошачьи плавно, подошёл к Георгию и так по-сыновьи обнял, будто это его сценический учитель и они расстаются навсегда.

Далее Болотаев также артистично проводил Георгия со сцены, после чего подошёл к аккомпаниатору:

– Меня зовут Тота Болотаев. – Он подал руку. – А вас как, простите?

– Альберт.

– А по отчеству?

– Здесь, отчество? – улыбнулся пожилой музыкант.

– И тем не менее.

– Фёдорович.

– Очень приятно. Альберт Фёдорович, инструмент весьма разболтан, но ваше мастерство и талант.

– А может, вы...

– Нет-нет, я не музыкант, я хореограф... был. Но сейчас давайте ещё раз «Тбилисо», только на припевы чуть выше аккорды.

Они ещё немного поговорили о координации. После чего Тота вышел к публике:

— Дамы и господа. — Да, дамы были — по одной из бухгалтерии и канцелярии, но Болотаев представлял, что эта публика если не из Карнеги-Холла, то из Большого, ну хотя бы Большого концертного зала Тбилиси.

«Тбилисо» была визитной карточкой Болотаева. И хотя у него не было выдающихся вокальных способностей, но эту композицию, которую он обожал, он так проникновенно-искренне исполнял, что частенько, особенно в преддверии праздников, лучшие тбилисские рестораны приглашали его и его студентов-друзей для организации небольшого концерта... Однако это было по молодости, в свободном полете и вдохновении; когда все по плечу, всё получается и всё, как говорится, по кайфу. И тогда он выступал не для зрителей, а более для самого себя — как артист он грезил сценой, и теперь даже эта сцена, сцена в тюрьме, была тоже сценой, а он актер, и он хотел, он просто очень захотел, чтобы его признали актёром, а не каким-то заключённым мошенником. И по реакции — все просто остолбенели, даже не хлопали, — Болотаев понял, что «Тбилисо» — творение! Ведь никто, почти никто слов не понимает, но понимает Тбилиси — это не Сибирь, это юг, солнце, тепло, Кавказ и там вас ждут гостеприимные люди и целебное вино.

После магии «Тбилисо» Тота вернул всех в реальность — были исполнены блатные и популярные вещи Вилли Токарева и Высоцкого. Вот где зал оживился, зашумел, как предштормовое море, но эта стихия, эта волна всколоченных чувств уже была под властью сцены: на какое-то короткое время здесь восторжествовала высшая магия — это искусство!

Если бы в этот момент со сцены раздался любой призыв – любой, – последовало бы действие, буря вскипала, но со сцены раздался иной мотив:

– Танец гор! Лезгинка! – И это не значит, что Тота сам начал танцевать. Нет, он палочками стал набивать дробь всё в нарастающем и нарастающем ритме, при этом не столько используя барабан, но и табурет, и остов гитары, и даже откуда-то появившееся перевёрнутое ведро – словом, получился некий ударный аппарат, на котором Тота стал выбивать такой яростный, переливчатый, как горная река, ритм джигитовки, что всякий, кто этот необузданный, мятежный ритм знал, им жил и о нём мечтал, не мог не танцевать. И поэтому Святой Георгий вскочил, прямо на своем месте стал гарцевать. В это мгновение старый зэк неимоверно изменился – вновь выправил стать, заулыбался и даже как-то посветлел. Весь зал аплодировал теперь ему. Георгий недолго, но грациозно исполнил свою последнюю джигитовку в тюрьме. Подустав, он победно-повелевающим жестом передал эстафету танца на сцену. Болотаев, который только этого и ждал, вновь крикнул:

– Танец гор Кавказа! Маршал!

...И этот экзамен Тота достойно сдал, ибо весь зал вскочил и под дикий ритм танца отчаянно хлопал, в восторге рычал.

* * *

Болотаева всегда поражало, что многие из тех, кого он по жизни так или иначе встречал, с крайним удивлением, даже со смешком, воспринимали то, что он окончил институт культуры, к тому же по специальности «хореография кавказских танцев». И хорошо, что позже опомнился, Финансовую академию окончил, а то

светило бы всю жизнь в ансамбле «Вайнах» плясать за гроши. И это в лучшем случае, ибо после так называемой первой чеченской войны танец лезгинка в России вовсе попал в «разряд диверсионной пропаганды и агитации». И так получилось, что когда Тоте не по своей воле, но пришлось устраиваться на работу в весьма весомое министерство, к тому же в центральный аппарат, то ему посоветовали просто не указывать, что он имеет диплом «хореографа кавказских танцев».

Этот совет Болотаев воспринял как оскорбление, и понятное дело – он предоставил оба своих диплома.

– Институт культуры – Финансовая академия, – рассматривала дипломы начальник отдела кадров. – Вот видите, «культура» в жизни не помогла, в отличие от «финансов».

На что Болотаев сказал:

– Культура – это совокупность всех человеческих достижений, а финансы – лишь совокупность денежных средств.

– Тем не менее последнее и важнее, и нужнее, – полушутя постановила начальница отдела кадров. – Хотите я вам это сейчас же докажу?

– Хочу, – сказал Болотаев.

– Вот смотрите. В вашей трудовой лишь одна запись, что вы были в ансамбле «Вайнах», а после – финансовая карьера.

– Это так, – вслух согласился Тота, однако по жизни, конечно, не достижения, но безусловные навыки, полученные в институте культуры, постоянно помогали ему. И даже в тюрьме, точнее тем более в тюрьме, эти навыки, а вернее данный им по возможностям заключенного концерт, можно было назвать как сценический успех, ибо в тот же день, вопреки традиции, Болотаева

перевели в другую камеру, где был некий простор, свет и тепло. Это значит, что искусство всегда и везде — сила! Даже начальник тюрьмы понял, что такой талант, такую культуру гнобить нельзя, ещё пригодится самому. И это вскоре случилось.

В честь пятидесятилетнего юбилея начальнику тюрьмы присвоено очередное звание подполковника и вручена ведомственная медаль. В связи с этим, тем более что приедут гости из столицы края Красноярска, нужно было бы устроить торжество в ресторане «Центральный». Однако это с некоторых пор просто питейное заведение, дешевая забегаловка. Можно было договориться и с Домом культуры, но и здесь, особенно внутри, все обшарпанно, запущено. Впрочем, всё это можно и нужно понять, всё взаимосвязано и взаимозависимо. В этом крае только тюремная система функционирует стабильно, здесь прежний, но порядок. Исходя из этого, хотя по положению и не положено, да согласовав с краевым руководством, начальник тюрьмы решил провести свои юбилейные торжества в «своем» заведении, тем более что в его распоряжении два-три незаурядных исполнителя, где Болотаев как бы главный режиссер — по крайней мере, он дипломированный специалист. У этой труппы на сей раз была почти неделя для определения репертуара и даже репетиций.

Словом, по местным возможностям и масштабам это был замечательный концерт, который просто поразил гостей. А на следующий день случилось совсем неожиданное: Болотаева доставили в комнату для встреч с близкими людьми. Тота был так рад, думал, сердце от счастья разорвется — так стало весело оно биться.

«Кто же это может быть?» — размышлял он. Время всё шло и шло, и никто так и не появился, и его радость почему-то улетучилась, и появилась какая-то тревога, которая в последнее время всё более и более господствовала над ним, и как бы в подтверждение этого он вдруг услышал этот нарастающий, по-господски чеканящий шаг. Ещё не видя начальника, Тота уловил запах перегара.

Оказывается, здесь был умело замаскированный проём — типа бокового окна, но, как положено, тоже с решётками.

Через этот проём начальник внимательно осмотрел заключенного и с ходу выдал:

— Даже не ожидал. Я думал, что ты не сможешь, даже сорвёшься после такого... А ты молодцом. Как настоящий артист — профессионал своего дела.

— А почему я должен был «сорваться», гражданин начальник?

— Ну... после таких вестей... Война в Чечне. Святой Георгий найти твоих не может.

— А вы как узнали? — вырвалось у Тоты.

— Я всё должен знать. Разве не так?

Тота склонил голову. Прощаясь с освобождающимся Георгием, Тота попросил найти своих родных и указать адрес заключения. И вот поступила весть, что связи с Чечней нет, там война! Значит, всякое может быть. А начальник, как бы уловив мысли Болотаева, говорит:

— Это не война. Это какой-то срам для России... А ты не волнуйся. Думаю, что Георгий и не искал их. Думаешь, ему до тебя и твоих родственников?.. Так, небось для отмазки, весточку прислал. Хм, лучше бы бабки подбросил... Впрочем, ты и так неплохо жи-

вешь. — Начальник вновь с ног до головы осмотрел осужденного. — Так. Вчера был концерт для официальных лиц. А сегодня дашь концерт для моих близких и родных. Только повеселее. Понял?

— Нет, не понял, — вдруг, неожиданно даже для самого себя твёрдо ответил Болотаев.

— Что?! Что он сказал?! — возмутился начальник. — Клоун-артист не хочет выступать? Чечен в позу стал?.. Дежурный! Увести! Стакан!

* * *

«Стакан» — древнейшее изобретение, главная цель которого физическое ограничение пространства, которое неизбежно сказывается следом и на психическом, умственном и нравственном состоянии живого существа, попадающего в такое положение.

Понятно, что «стакан» — это современное название процесса. А в древности это проделывалось по-разному и называлось по-разному. Для примера можем вспомнить роман Чингиза Айтматова «Буранный полустанок» и его манкурта или роман «Учитель истории» и «соты Бейхами».

В принципе задача одна — поломать в корне суть и сущность человека. Правда, в XXI веке гуманизм вроде чуточку возобладал и, конечно, в яму — в «соты Бейхами» — не закапывают, просто из металла сварили квадратный цилиндр, каждая сторона которого равна сорока сантиметрам: длина ребер среднего человека. Это, конечно, не пространство, а гроб, в котором ты к тому же должен стоять, а другую позу и занять невозможно.

Из-за страха и удушья у посаженного в «стакан» начинается обильное выделение, в том числе изо рта и носа и даже кровь из ушей. Чтобы всё это особо не

пачкало камеру и воздух, на ноги натягивают целлофановый мешок для сбора отходов.

Болотаев слышал про ужас «стакана», однако думал, что никогда не попадет в тюрьму, и не представлял, что он такой преступник, что может попасть в «стакан».

По жизни Тота считал себя очень сильным и выносливым человеком, но «стакан» показал всё.

Оказывается, были такие, кто выстаивал сутками и даже испражнения уже вытекали из огромных целлофановых мешков. У Тоты и до щиколоток жижа не дошла, а он уже потерял сознание, вызвали врача. Потом был уже знакомый леденящий душ, который на сей раз принёс огромное облегчение. И новая роба, как будто сызнова родился. Правда, когда Тота понял, что снова оказался в комнате для свиданий, он осознал, что его радость преждевременна, потому что он вновь уловил вначале запах застоялого перегара и потом этот же гнетуще-господский шаг:

– Слушай, Болотаев.

– Слушаю, гражданин начальник, – постарался выправиться заключённый.

– Ведь не зря говорят, что талантливый человек талантлив во всем. Раз ты так танцуешь по своему первому образованию – институт культуры, то я представляю, какие ты кульбиты и пируэты с финансами и нашими налогами вытворял по второму образованию – Академия финансов при Правительстве РФ... Хе-хе, разве я не прав?

– Вы во всем правы, гражданин начальник!

– Тогда где бабки?

– Какие бабки?

– Которые ты у русского народа своровал.

– Я ничего не воровал, – очень тих голос Тоты.

— И осудили тебя ни за что?

Здесь начальник сделал долгую паузу и очень тихо, вкрадчиво:

— Может, снова «стакан»?

— Нет! Нет! Нет!

— Тогда где бабки? На каких счетах? А может, в Чечню увез? Боевиков содержал?

— Нет! Нет! Не воровал. Нет у меня денег!

— «Стакан»!

— Не-е-ет! — закричал Тота, и за это нарушение режима его тут же изрядно побили резиновыми дубинками.

Били очень умело, но недолго — всего ударов пять-шесть, от которых Тота уже не смог встать и его просто потащили и как-то умудрились вновь запихнуть в «стакан», в этот футляр, в котором он и упасть не может, и вскрикнуть уже не может, и даже соображать не может. Однако он ещё живой. До скрежета зубов он сжал челюсти, и эта данность показалась ему как последнее испытание в жизни. И неужели это он не выдержит? Конечно же выдержит! Да ещё как. А вот как — он стал о металлические стенки «стакана» ритм лезгинки выбивать и, что-то на родном крича или воспевая, как-то танцевать.

Снаружи стали бить. Последовала команда:

— Прекратить! — Но Тота попытался продолжить. Это уже не получалось, уже голоса не было, просто писк, и охранники стали хохотать и даже подбадривать, чтобы он продолжал. И он так хотел, пока не провалился в беспамятство.

Пришёл в себя в душевой.

Вновь доставили его в гостевую, однако на сей раз он даже не заметил, как пришёл начальник и какой от

него был запах. Он даже не реагировал, на вопросы не отвечал, и кто-то сказал:

– Посмотрите на его глаза, кажется, он рехнулся.

– Он артист. Притворяется.

– А вы дубинкой проверьте, – подсказал начальник.

Вновь его стали бить, и он уже валялся на бетонном полу, как вдруг лёжа стал что-то орать, по-орлиному раздвинув руки, словно и так танцует. Охранники оцепенели:

– Точно рехнулся.

– Может, врача?

– А может, так?! Сапогом в челюсть.

* * *

Позже, вспоминая это время, Болотаев не раз думал: смог бы он выстоять? И, конечно же, понимал: исключено!

Эту, сложившуюся за века, российскую систему тюрем переломить никто не смог. Можно было лишь подстроиться, приспособиться или просто поломаться и стать тряпкой, а иного не дано.

Правда, эта система один раз дала сбой или послабление во времена последнего царя Николая II, когда заключенные каторжане могли без труда бежать из сибирской ссылки и оказывались в столицах России и даже за границей, скажем Ленин и Сталин.

Упомянутые преступники сделали соответствующие выводы и, имея опыт, не только восстановили тюремную систему России, они всю Россию, точнее Советский Союз, превратили в тюрьму, а некоторые народы поставили на грань выживания...

На грани выживания, а точнее, уже почти сломленный, и думающий, и мечтающий о смерти был и Тота Болотаев, если бы не случилось то, о чём подсказывал Георгий, — это помощь и сила извне. Она, эта сила, действительно появилась, потому что вдруг резко изменилось содержание Болотаева. Его понесли, сам он уже еле-еле мог передвигаться, в санчасть, а там и теплая баня, и светлые палаты, и питание, и чистота, и медперсонал, который сутками что-то вливал в его вены посредством капельниц. Итогом всех процедур явилось то, что через три дня явно оживший и посвежевший Болотаев попал вновь в камеру для свиданий, а там его уже поджидает худой лысый мужчина.

— Я местный адвокат, — представился он. — По поручению госпожи Амёлы Ибмас.

— Ибмас! — прошептал Тота. — Она здесь?

— Нет. Я с ней разговаривал по телефону. Она хочет приехать сюда. А пока я займусь вашим делом.

— А я могу поговорить с ней по телефону?

— За особые суммы — всё можно... Но пока у вас карантин, а ваша подруга жадничает.

— Амёла — не миллионер, — выпалил Болотаев.

— Я понимаю. Все европейцы такие. Хотя... Впрочем, лучше следовать закону. А посему пока вам и передачу сделать нельзя.

Тут адвокат сделал паузу, полез в портфель, очень долго что-то искал, вытащил какие-то документы.

— Кстати, — продолжил он, — у вас есть просьба, пожелания, вопросы?

— Есть! — тихо сказал Тота. — В Чечне война. Там моя мать, родные. Есть ли вести оттуда?

— Нет, — сух голос адвоката. — Зато могу поведать о гражданке Иноземцевой.

— Иноземцевой?! — Глаза заключенного расширились, и он выдал. — Дада?!

— Да. Некая гражданка — Дада Иноземцева — здесь.

Болотаев схватился за голову, а адвокат тем же голосом продолжает:

— Эта гражданка совсем ненормальная. У тюрьмы стала с плакатом: «Чеченцев везде преследуют. Допустите меня до Болотаева!» Ха-ха-ха, — рассмеялся адвокат. — Ещё бы немного, и она если не сюда, то в дурдом бы точно угодила. Я её спас. Пока менты решали, как с ней быть, я её быстро утащил в гостиницу.

Тота опустил голову, молчал, а адвокат продолжил:

— С вашей статьей, с вашим сроком — любое движение извне может только ещё более усугубить ваше состояние.

— Хм, — невольно ухмыльнулся заключённый, — а к вашему приходу меня, наоборот, в порядок привели.

— Это я позаботился, — постановил адвокат. — По просьбе вашей подруги, конечно.

— И во сколько это ей обошлось? — поинтересовался Болотаев.

— Зачем это вам? — стал недоволен адвокат. — Это коммерческая тайна. Впрочем, я удивлен. Одна из Швейцарии звонит, другая в такую глушь за заключенным?! Митинги у тюрьмы? В центре Сибири?.. Вы пользуетесь успехом у женщин. Хотя... Кстати, помоему, эта Иноземцева значительно поиздержалась. Почти неделю здесь. Может, она уберется отсюда?

— Конечно! Конечно! — согласился Тота.

— Если что — теперь я рядом, ваш адвокат.

— Да. Спасибо. Конечно, пусть уезжает.

— Кстати, кто она вам в юридическом плане?

— В юридическом? — замешкался арестант.

— Да. В юридическом? У вас гражданский брак или иное зарегистрированное партнерство либо родство.

— Моя жена.

— Хм, — с усмешкой выдал адвокат. — В общем, пусть убирается восвояси, а то... Сами понимаете — Сибирь. Здесь легко поскользнуться и в прорубь под лёд.

— Так лёд ведь уже сошёл? — удивился Тота.

— Вам кажется! — Адвокат встал. — Тут вечная мерзлота. Сибирь! Понятно?

— Понятно.

— Вопросы, просьбы, пожелания есть? Кстати, в Чечне война. Кто-то воюет против нас?

— Нет.

— Понятно... Ещё что?

— Поблагодарите Амёлу и Даду... У меня всё нормально. Пусть не переживают.

— Вот это правильно. Нечего сюда переть, тем более с плакатами. Лучше пусть просто деньги пересылают мне, и вы жить станете лучше... Ещё вопросы есть?

— Есть, — слабо улыбнулся Тота. — А вы адвокат или прокурор?

— Хм. Раньше был милиционером, потом прокурором. Теперь на пенсии — адвокат. И вам какая разница — адвокат я или прокурор? Мы здесь хозяева! Всё ясно?

— Ясно.

* * *

О таком карьерном взлете Болотаев даже и не мечтал.

В честь 60-летия великого танцора, народного артиста СССР, Героя Социалистического Труда Махму-

да Эсамбаева в Государственном киноконцертном зале «Россия» состоится юбилейный концерт, где Тота Болотаев исполнит сольный танец «Маршал».

Гениальный танцор, кумир Тоты – сам Махмуд Эсамбаев увидел мастерство Болотаева и настоял, чтобы включили в концертную часть выступление молодого артиста. При этом Эсамбаев при всех сказал, что Тота – лучший из молодых и его наследник...

Видимо, есть такое понятие, как зависть или сглаз, ибо этот концерт стал последним в профессиональной карьере Болотаева. Хотя дело, конечно, не в этом, а совсем в ином.

Тота первый раз был в Москве, и настроение у него было приподнятое.

Правда, было одно «но». Его танцевальные сапожки уже износились, несколько раз сдавал их в мастерскую на ремонт и даже сам как-то их подшивал. В Москве обещали купить новые, не купили.

...И вот Тота стоит за кулисами, и когда его объявили, он, как горный орёл, выскочил на сцену и сам чувствовал, в какой он форме и как он хочет, очень хочет не просто себя показать, а именно танцевать, когда не только тело, но и душа ликует. Да случилось ужасное – старые, изношенные сапоги разошлись по швам... Тота резко сошёл со сцены, и, как оказалось, навсегда.

Коллеги и руководство понимали, что артист не виноват – всё бедно, всё обветшало и денег ни на зарплату, ни на командировочные нет, и все Болотаева успокаивали. Однако Болотаев тут же твёрдо решил: в России искусство, тем более национальные танцы, не нужно.

...На этом карьера танцора закончилась.

Уходя из ансамбля, он терял бронь от службы в армии. Но и это он посчитал во благо, ибо лучше два года отслужить, чем в изношенных сапогах за бесплатно всю жизнь танцевать, ожидая посмертной славы...

У него был ещё шанс поступить на очное отделение. Тогда общежитие и прописка в Москве на пять лет гарантированы. А насчёт средств? Не ребенок и не в лесу, а здоровый, молодой человек, который хотя бы самого себя в таком богатом мегаполисе содержать обязан. А в перспективе, после окончания вуза, он обязан содержать и своих близких, а для этого он должен поступить в самый лучший вуз, где учат, как делать деньги, и это, конечно же, Финансовая академия.

Всё это не абсурд, ибо он изначально и основательно готовился поступать именно по экономической специальности. Правда, годы прошли и многое позабылось. Однако если, особенно в молодости, выучено основательно, как, скажем, катание на коньках или игра в шахматы, то можно даже двадцать–тридцать лет вовсе дело не практиковать, да если надо и захочется, то после небольших тренировок многое восстанавливается, а у Тоты было два месяца в запасе и огромная мотивация и опыт поступления в вуз, и он с ходу поступил на дневное отделение, чем в очередной раз удивил и обрадовал маму.

Кому-то, может, показалось всё это ребячеством и несерьезным делом — вечный студент. Однако сам Тота так не считал, и он абсолютно не жалел, что сперва окончил институт культуры, ибо уже знал, что жизнь — игра и все великие дела делаются играючи, а ещё лучше при этом пританцовывая. И последнее в случае с Болотаевым — весьма и весьма необходимое и достаточное условие. Ибо обеспокоенная мать у него спросила:

— Тота, сынок, а на что ты будешь там жить?

— Не волнуйся, нана, — успокаивал её Тота, — у меня ведь есть высшее образование!

Именно оно, и знания, и диплом института культуры обеспечивали его жизнь.

Грозный и даже Тбилиси — это просто провинциальные города. А Москва — столица, город влиятельных и богатых людей. А богатые люди любят отдыхать и гулять. Ну а русские богатые люди во все времена любили широко гулять. Ещё шире, то есть с огромными понтами, пытались гулять приезжие в столицу нацмены, особенно кавказцы. Правда, мест отдыха, точнее ресторанов и кафе, в социалистической столице не густо, однако те, что есть, постоянно забиты, свободных мест нет, а хочешь погулять — раскошеливайся, и от желающих отбоя нет.

В общем, уже имея опыт Тбилиси и Грозного, Тота посетил несколько крутых ресторанов с предложением украсить досуг москвичей. Администраторы некоторых ресторанов ознакомились с репертуаром заезжего артиста — абитуриента — студента и были очень довольны, потому что Тота уже знал, что востребовано в советских ресторанах. И пока администраторы думали, Тота предоставлял свой козырь — «диплом с отличием».

В Советском Союзе главное даже не мастерство, а наличие документа, что ты имеешь право петь, танцевать, «кормить» советских граждан творческой пищей.

Несколько ресторанов предложили Болотаеву работу, он выбрал «Столичный», потому что тут же рядом, на Ленинградском проспекте, находилась и его Академия финансов. И в те вечера — среда, пятница и суббота, когда Тота работал, в ресторане почти что всегда отдыхали два-три преподавателя из его вуза; в целом почти все сотрудники факультета и ректората. В итоге они высоко

оценили щедрость и, конечно же, искусство Болотаева, которое призывало к ответной реакции. В результате чего профессорско-преподавательский состав академии одобрил решение, что студент Болотаев уже дипломированный специалист и такие общие предметы, как, скажем, история КПСС, философия, этика и т.д., сданы на «отлично», ну а математику и финансово-экономические можно сдавать экстерном, то есть, как в СССР принято, пятилетка в три года. Правда, на сей раз диплом уже был не красный, а обычный.

Вот так Болотаев получил второе высшее образование — финансовое. К своему удивлению, он обнаружил, что этот диплом гораздо хуже первого, ибо работа, а тут строгое госраспределение, экономиста-бухгалтера в НИИ геолого-разведочного объединения подразумевает зарплату всего 80 рублей в месяц — это чуть более, чем его стипендия студента. При этом уже общежития нет, жить негде и прописки, соответственно, нет и призывать в армию вновь грозят, а он для срочной службы не молод — уже 25 лет!

И тут профессорско-преподавательский состав ему навстречу пошёл, как особо одарённому выпускнику, Болотаеву даётся направление в очную аспирантуру при условии, что он сдаст вступительный экзамен «управление финансами» и два кандидатских минимума — по философии и иностранному языку (со словарём).

Так Болотаев был зачислен в очную аспирантуру, а вместе с этим вновь бронь от армии, прописка в Москве и общежитие, но уже более комфортабельное и престижное, ибо он уже не студент, а аспирант. Это статус! В Советском Союзе это имело вес и значение, а Тота, который об этом даже не мечтал, к этому отнесся весьма серьезно, тем более что и мать была за него горда.

Так неожиданно Болотаев стал на научную стезю, и ему надо было определиться с темой исследования. Вариантов было много, но научный руководитель сказал:

— Исходить надо из того, что конкретно имеем. А имеем то, что ты по государственному распределению должен был быть в НИИ геологоразведки. Вот и будешь там разведывать тему своего исследования.

Вот так возникло плановое название диссертации: «Экономическая эффективность разработки нефтегазовых месторождений (на примере Западно-Сибирского региона)».

По сравнению со студенчеством аспирантура оказалась просто лафа. Занятий как таковых почти нет, только раз-два в месяц некие семинары, и они необязательные. Экзаменов и зачетов вовсе нет. Словом, как потом вспоминал сам Болотаев, это было самое счастливое, свободное, беззаботное время в его жизни. Когда был молод, здоров, силен и даже деньги появились. А последнее от того, что Тоту снова страстно потянуло в лоно искусства.

По совету одного музыканта Тота ушёл из ресторана «Столичный», подписал договор с Москонцертом и в составе этноансамбля «Дружба», где он и ударник, и танцор, и даже певец, стал гастролировать с концертами по огромной стране.

Почему Тоте всё это понравилось? Как говорится, было в кайф и при этом неплохая зарплата и даже командировочные. А потом, на летний сезон, стало ещё лучше. Их коллектив на три месяца прикрепился к пансионату «Сосновый» на берегу Черного моря. Вечером два-три часа непринужденный концерт для

расслабленной публики. А остальное время почти на халяву отдыхаешь; солнце, загар, популярность и море. Море поклонниц.

Жизнь на юге так наладилась, что Болотаев даже смог пригласить на отдых своего научного руководителя, который после сказал провожающему аспиранту:

— Тота, спасибо... А как руководитель, тем более научный, обязан дать совет — надо выбирать: либо аспирантура, либо филармония?.. Сложный вопрос? Дам подсказку — есть басня Крылова «Стрекоза и муравей»... В общем, если в конце года не будет пары опубликованных статей и хотя бы готовой первой главы диссертации — отчислим!

И без того загорелый Болотаев совсем стал пунцовым, а профессор усмехнулся:

— Я по-отечески, а ты насупился... Делай что хочешь, но басню всё же прочитай. — С этими словами руководитель помахал рукой, тут же поезд медленно тронулся, издавая замирающий, жалобный гудок, который напомнил Тоте фальшивые ноты этих летних хмельных концертов. Скрываясь за поворотом, поезд дал ещё один прощальный гудок — это Тота, даже не перечитывая басню классика, уже решил, что он прощается с Москонцертом, и навсегда.

Из-за этого неожиданного решения Болотаев понес значительный финансовый ущерб, но ему уже давным-давно надоела эта праздная, даже похабная жизнь, и эта потеря воспринималась как положенный откуп и, вообще, это был харам*, и когда на следующий день он приземлился в аэропорту Внуково, он с удовольствием воспринял сентябрьскую московскую прохладу и сразу

* Харам *(араб.)* — греховное деяние, запрещенное в исламе.

же поехал на железнодорожный вокзал встречать своего научного руководителя.

* * *

Мафия. Болотаев, как-то посмотрев фильм «Крестный отец», подумал, что мафия — это кому-то хорошо, кому-то плохо, но слава Богу, что мафия только в кино или в Италии и Америке, а в Советском Союзе такого и быть не может. Оказывается, ещё как может.

Его черноморский демарш, хотя Болотаев и сделал всё открыто и официально, в эстрадных кругах столицы восприняли как явно дурной тон и заочно постановили: что ещё можно было ожидать от этого чечена-дикаря? В общем, более к эстраде «не пущать». И какова сила этой организации, если не только ресторан «Столичный» или иные «центровые» заведения, но даже забегаловки не хотят с Болотаевым дело иметь.

Это было потрясение, и Тота даже не ожидал, что в сфере искусства, в культуре, могут господствовать такие нравы, и хорошо, что у него был запасной «аэродром», иная специальность. А потом понял, что нет худа без добра. До этого он всегда был привязан к работе, а для этого требовалось быть в форме, в том числе и физической. Это постоянное напряжение, этот график, обязывающий все время кого-то развлекать и расслаблять, так, оказывается, над ним довлел, что он только теперь обнаружил, что уже пару лет не был в Грозном; правда, мать к нему за это время несколько раз приезжала.

В общем, отпросился Тота у научного руководителя, на пару недель полетел домой. А в Грозном тоска... Нет, всё мило. И дом есть дом. Однако вечером пойти некуда. Страшная безработица, в магазинах купить нечего, да и денег ни у кого нет.

Пошёл Тота и в свой ансамбль. И там ситуация плачевная. Зарплата копейки. Костюмы и инвентарь — хорошо, что зрители издалека не видят.

Загрустил Тота. И трех дней в Грозном не провел, матери сказал, что отдел аспирантуры вызывает. А мать говорит:

— Жениться тебе надо.

— Вот заработаю — женюсь, — пообещал сын.

— Что-то ты очень грустный, — опечалена мать. — Раньше ты был такой задорный... Что-то случилось?

— Нет, нет. Всё нормально, — успокаивал Тота. — Просто диссертация, наука, сама понимаешь, нелегко.

— А ресторан? — вдруг спросила мать.

— Что значит «ресторан»? — удивился Тота.

— Говорят, что ты в ресторанах танцуешь, поешь.

— А что, нельзя в ресторанах петь, танцевать?

— За деньги — нельзя, — гневно сказала мать.

— А на сцене можно?

— Это другое... Хотя ты знаешь, что я... — Она не продолжила, но Тота знал, что она хотела сказать.

А она хотела сказать, что хотя сама и артистка и всю жизнь проработала в театре и очень-очень любит и предана своей профессии, или, как она говорит, судьбе, однако она не хотела, чтобы её сын стал артистом, и теперь, провожая его в Москву, не найдя иных слов, решила поступить по-другому.

— Тота, сынок, — с болью молвила мать, — вспомни нашу притчу, что наш сосед-старик тебе рассказывал... У чеченцев есть такое поверье... Бог создал людей, и все они разные. Однако Всевышний любит всех одинаково. Тогда почему у людей судьбы разные? А потому, что сами люди должны выбрать свой путь. Ибо Создатель каждому человеку в какой-то момент присылает необузданного, сильного, молодого, строптивого жеребца. И в этот момент, а он неизвестен, каждый человек должен быть готовым и физически, и умственно, и морально схватить этого коня, обуздать и, главное, направить его в нужную сторону. И тогда человек будет счастлив. А иначе...

— К чему ты это напомнила? — поинтересовался Тота у матери.

— А к тому, что даже сидеть на двух стульях тяжело, а двух коней тем более не обуздаешь.

— А это о чём?

— Пора выбирать: либо танцы — либо финансы. Раз в аспирантуру поступил, то время зря не трать, а занимайся делом.

Если и вправду заниматься делом, то по теме диссертации Болотаева, впрочем, как и во всей науке, необходимо как можно ближе и больше быть там, где нефть непосредственно добывают, то есть в Западной Сибири, а ещё точнее — на самой буровой или хотя бы в конторе управления буровых работ, то есть на месте бурения и добычи.

К концу года аспиранту необходимо было показать не только теорию, но, что особенно важно, и практику исследования, поэтому, как рекомендовал научный руководитель и ведущая организация, в декабре Болотаев впервые отправился в Сибирь, в нефтяной поселок Когалым.

Болотаев не знал, что такое районы Крайнего Севера, что такое приполярный круг и активированные дни, когда мороз под минус 50 °С. Он молод, здоров, и эта поездка будет недолгой, просто ознакомительная командировка. К тому же он навел кое-какие справки и посему кое-что, как теплая шапка, перчатки и обувь,

прикупил. Однако его романтизм исчез, когда он вышел из самолета в Сургуте.

Ощущая острую физическую немощь, он еле-еле дошел до помещения, которое называлось аэровокзалом — на самом деле какой-то сарай, в котором зимовали воробьи и голуби и тоже так холодно, что разве вода ещё не замерзает, но пар изо рта идет. И если бы Тота не был привязан к группе из НИИ геологоразведки, он бы, наверно, тут же улетел обратно в Москву. Однако всё более-менее организованно — их встречает оборудованный для Крайнего Севера «Урал». В задней кабине светло, тепло, просторно.

Как тронулись, достали бутылки. Тота почти не пил, потому что танцор, как и спортсмен, всегда должен был быть в форме и вынослив. Правда, как тот же танцор и артист, он постоянно оказывался в компаниях поющих и гуляющих и без спиртного так же поддавался общему возбуждению, азарту и разговору. На сей раз этого не было, с неисчезающим любопытством Тота смотрел в небольшое окно: эта белая дорога бесконечна; редкие островки истерзанных сосен; за горизонтом медленно исчезающее багровое солнце и снег, огромное количество снега, который стеною выше двух метров кругом.

На следующий день эта суровость исчезла, потому что стало, как местные говорили, тепло, всего минус 20. И действительно, минус 20 в Москве — это очень непросто. А здесь воздух сухой и такой мороз даже не ощущается.

А вот впервые попав на буровую установку, Болотаев был просто потрясен: работа тяжелая и опасная. Здесь нехватка кислорода, и каждое движение тяжело дается. И Тота думает, ведь эти рабочие, что в этом холоде, в непогоду и в грязи добывают нефть, получают лишь копейки по сравнению с теми боссами в Москве, которые нефти даже не видели, а миллионы имеют.

Считать чужие деньги – интереса нет, а вот изучить процесс бурения, добычи и перекачки нефти он на месте просто обязан. Но как простому финансисту понять этот производственно-технический процесс? А понять, оказывается, возможно, если представить, что это не просто буровая установка, а цельный, живой и удивительный ансамбль, где у каждого инструмента при соприкосновении с человеком появляется свой звук, своя музыка и даже отточенный репертуар, который, конечно же, иногда даёт сбой, аварию, или открытый фонтан, или, наоборот, пустой выброс жижи...

Вот с такой, даже музыкальностью, шла ознакомительная поездка Болотаева к завершению, как случилось неожиданное и прежде неведомое для него – новичка.

Как бывает на приполярном севере, резко упала температура – от минус 20 до 50.

Минус 42 – уже так называемый активированный день. Болотаев и представления не имел, что это такое, но он застал этот кошмар на буровой. Вместе с Болотаевым девять человек закрылись в небольшой оборудованной комнате. И всё бы вроде под контролем, но у Тоты завтра самолет на Москву.

Как назло, в этот день дежурный «Урал» на буровой не оказался. Решили помочь аспиранту, рискнули ехать до поселка – это всего семь километров на уазике.

Проехав километра два, уазик заглох – видимо, бензин или масло замерзли. Была рация. Но она и так почти никогда не работала, а в этот момент даже не пищала – весь мир замёрз.

Тота ещё не понимал серьёзности ситуации, а водитель заволновался не на шутку.

Вначале решили подождать, может, будет проезжать кто-либо. Однако дорога периферийная.

Ждали полчаса. Уже стемнело. И в машине стало холодно. Решили идти обратно к буровой — это кажется ближе.

Тронулись в путь и водитель, который, конечно же, знал местность, свернул в какой-то проход между снежными стенами, по которому тропа гораздо короче.

К ночи мороз усилился, стал совсем лютым. Не то что бежать, даже идти невозможно — холод лицо обжигает, дышать тяжело. У водителя одежда соответствующая — большой овечий тулуп, выдаваемый дежурным бурильщикам, а приезжий одет на столичный лад. Из последних сил Болотаев пытался не отставать от водителя, но силы покинули его, он упал на колени.

Тень удалилась. Потом вернулась.

— Вставай! Ты не можешь идти? Так мы оба здесь замерзнем. Возвращайся к машине, — посоветовал водитель. — Я до буровой и с подмогой обратно, — последнее, что услышал Болотаев.

Им овладевала какая-то апатия и сонливость. Однако, когда его напарник скрылся за поворотом и наступила жесткая тишина, он испугался. Испугался, как никогда. Испугался смерти. Такой глупой смерти. Он вспомнил о матери. Как она перенесет смерть единственного сына?!

Этот страх что-то в нём всколыхнул, придал силы. Он с трудом поднялся, пошёл было обратно к машине, но потом его сознание поманило за ушедшим, и он пошёл за ним. И он ещё помнил, как добрел до какой-то развилки. А куда идти?.. Ему показалось, что небо

в одной стороне чуточку светлее – это, может быть, огни буровой... После этого он ещё пару раз приходил в себя и ещё помнит, как у рта слюна замерзла и он пытался её скрести, но руки уже не слушались, всё помутнело, всё замерзло, оледенело.

...Дальнейшее Болотаев смог восстановить по рассказу Дады Иноземцевой.

Иноземцева тогда работала фельдшером в санчасти поселка Когалым – это сутки работы – двое отдыхать. А чтобы больше подзаработать, она ещё устроилась на полставки дежурной медсестрой у вахтовиков-энергетиков.

Объявили активированный день. Иноземцева была на дежурстве у энергетиков, когда по рации стали передавать, что по дороге от буровой-27 на Когалым поломалась машина. Водитель вернулся, судьба пассажира неизвестна. От Когалыма на буровую прибыл аварийный «Урал». Поломанный пустой уазик нашли.

В эфире поднялась паника – пропал москвич. Сказали, что его зовут Тота Болотаев – чеченец. Потом рация умолкла, наступила тишина, которую в ушах Иноземцевой от чего-то стал нарушать всё возрастающий пульс.

Иноземцева помнила, что в детдоме, ещё в малом возрасте, её почему-то, порою даже воспитатели, называли, а дети обзывали чеченкой-дикаркой. Позже её перевели в другой детдом и у неё осталась только кличка «дикарка», и вот первая часть «чеченка» навсегда исчезла, о ней просто позабыли все, в том числе и сама Иноземцева.

Повзрослев, Дада Иноземцева узнала, что чеченка – это не просто так, а национальность.

Уже обучаясь в медучилище, она поехала в свой первый детдом. Она, конечно же, никого не помнила, но ей подсказали, что есть бабушка Клава, которая что-то ещё знает и помнит.

Иноземцева нашла бабу Клаву. Та жила в старой грязной комнате деревянного, барачного дома в окружении нескольких кошек и не очень здоровой приемной дочери.

Даду поразило то, что баба Клава сразу же узнала её, а когда гостья стала докапываться до подробностей, бабуля сказала, что узнала Иноземцеву по шраму:

— А более ничего не помню, — словно под панцирем скрылась и жестко-командным жестом указала на дверь.

Так Иноземцева толком ничего и не узнала, но она на всякий случай оставила свои координаты и в своем первом детдоме, и у дочери бабы Клавы.

Никто на связь с ней не выходил, и Дада о своей кличке более не вспоминала и никогда в жизни чеченцев не встречала, и тут по рации она услышала о каком-то чеченце.

Судя по переговорам, и об этом в эфире говорили, наверное, этот чеченец-москвич находится в районе между буровой и дежурной энергетиков.

При нормальной погоде это небольшое расстояние для поиска, но при том, что уже минус пятьдесят, а может, и ещё ниже, никто рисковать не захочет и даже запрещено, а Иноземцевой даже в обычный день категорически запрещено покидать пост, но её что-то немыслимое поманило, повлекло. А ведь она на самом Крайнем Севере выросла и прекрасно знает, что с такими морозами шутить нельзя. На таком морозе замерзает и умирает всё — воля, мозг, кровь, жизнь. Но она

упрямо пошла. И ей, а точнее Болотаеву, просто повезло. К дежурке энергетиков подходило шесть дорожек с разных сторон. А Иноземцева наугад двинулась, понимая, что далеко не сможет пойти, и тут за небольшим поворотом увидела черную тень, как приставленный к стене мешок. Болотаев присел на корточки и в такой позе остывал, когда его тронула Иноземцева и через одежду сразу сделала ему укол, что следовало делать в случае обморожения.

Никто, в том числе и сама Дада, после не могли понять и поверить, как с такого расстояния, в такой мороз, когда и самому идти очень тяжело, она дотащила москвича до дежурки...

По этому поводу у Болотаева и Иноземцевой сложились две легенды.

Так Тота, когда ещё только-только приехал в Тбилиси, решил, как и многие местные жители, потреблять местное вино, веря, что оно раскрепощает, вдохновляет и возбуждает в танце. Оказалось, совсем наоборот. И с тех пор Тота вообще не пил крепкие напитки. А Иноземцева не просто крепким, а спиртом его напоила, спиртом обтерла. И как позднее Тота шутил: если бы он чуть задержался, то алкоголиком бы стал.

Совсем иначе звучала легенда Дады Иноземцевой. Она говорила, что, согласно древнему преданию чеченцев, о котором Тота позже поведал, Творец послал ей, как и всем людям, скакуна, но её бедный скакун от мороза замёрз, не доскакал и так бы она и осталась в одиночестве, не познав любви. Однако она решилась побороться за свое счастье, сама несмотря на лютый мороз, выскочила навстречу своему скакуну-жеребцу. Правда,

не сама его обуздала, а его на себя взвалила и в дежурку притащила. Оживила, но не обуздала, не удержала. Наоборот, все сделала, чтобы Болотаев на следующий день улетел в Москву.

* * *

Всё материально. Всё. Даже мысль, даже любовь и ненависть. Любое чувство — материально. К такому выводу пришёл Болотаев, потому что даже через самые толстые и холодные тюремные стены к нему проникло тепло. К нему прилетели волны нежной любви. Он понял, что она здесь. Дада здесь.

...Когда Болотаев очнулся в дежурке, то есть раскрыл глаза, вначале была какая-то пелена, но потом взгляд ожил, и он увидел прямо перед собой удивительно совершенный профиль девушки.

В институте культуры они изучали типажи лиц. Это явно греческий тип, правда, нос чуть большой, с орлиной горбинкой.

Тут Тота обнаружил, что он накрыт одеялом, но почти голый. Он дернулся. Девушка повернулась к нему. Он встрепенулся, даже отпрянул: на левой стороне через всё лицо шрам, который несколько искажает лицо, — словно две стороны монеты. Понимая это, девушка инстинктивно пытается скрыть одну сторону.

— Как вы себя чувствуете? — Она по-хозяйски откинула одеяло с его ног. — А ну-ка, пошевелите пальчиками. — Она гладит его ноги. — Онемения нет? — Голос у неё мягкий, бархатный. — Судорога, тошнота, слабость? Откройте рот... Вам повезло.

— Кто меня спас? — первое, что смог сказать Болотаев.

— Тот, — она показала пальчиком вверх, — и организм у вас здоровый.

— А где я?

— Дежурная часть энергетиков.

— А вы врач?

— Я дежурная... Медсестра.

— Мне надо в Москву, — вдруг выдал Болотаев.

— Знаю. Вас все ищут. Сейчас за вами машина прибудет. Так что вставайте. Одевайтесь.

— Там мороз? — о своем спросил Тота.

— Мороз ослаб, — сообщает девушка. — Всего минус сорок.

— Сорок?! — испуган Тота.

— Сорок. Всего сорок. Но так, в такой одежде, на север ездить нельзя.

— В жизни больше не приеду... Сесть бы в самолет. Кто за мной приедет?

— Наша дежурка... Одевайтесь. А то опоздаете на самолет... Вот вам свитер и носки шерстяные. Одевайте, одевайте. Вам ещё долго ехать. Да и в аэропорту сквозняки... Как прибудете в Москву — сразу в больницу... О, машина пришла. — Это ей по рации сообщили. — Собирайтесь... и вот, на дорожку. — Она протянула наполовину наполненный граненый стакан.

— Что это такое?

— Спирт. Разбавленный.

— Я не пью.

— Правильно, но сейчас надо, — командовала она. — А в Москве бросите.

В машине Болотаев ощутил приятное тепло изнутри, и свитер согревал, он заснул.

В аэропорту Сургута его разбудили коллеги-москвичи. Все расспрашивали как да что, а он даже

имени не спросил у своей спасительницы и, наверное, самым первым сел в самолет, твердо веря, что больше в этот мороз нос не сунет. Правда, по истечении нескольких дней, увидев сибирский шерстяной свитер, Тота отчего-то поднес его к лицу, понюхал — какой-то потаённо-манящий запах тоски, заброшенности, одиночества. И ему вновь захотелось полететь в эту бескрайнюю Сибирь, поселиться где-то в глуши вместе с этой медсестрой... Он должен, он обязан её найти. По-человечески поблагодарить. Хотя бы её вещи вернуть.

Это сиюминутное желание вскоре напрочь позабылось, к тому же приближался Новый год с отчетами и банкетами, как вдруг в почтовом отсеке на проходной общежития появилась квитанция «Почта СССР» для получения бандероли. Маленький казенный конверт и в нем, какая радость, его блокнот со всею, всею, всею информацией, без которой ему было очень тяжело: просто подарок к Новому году. Тут же от руки текст: «Ваш блокнот найден в кабине дежурки. С Новым годом!»

Более ни слова. Адрес отправителя — Когалым, номер почтового отделения и фамилия Иноземцева Д.

Не сомневаясь, Болотаев понял, что Иноземцева Д. — это спасшая его медсестра, но как она узнала его адрес? Ведь в блокноте его нет. Впрочем, она могла кому-то позвонить или написать. А вот Тота тут же на почте хотел в ответ ей послать телеграмму — не приняли, нужен точный адрес, а не номер почтового отделения.

Более Тота эту Иноземцеву не вспоминал, но, когда через месяц вновь в Когалым засобиралась экспедиция, он тщательно подготовился. Уже зная, что на Севере тяжко с продуктами, а фруктов вовсе нет, он, используя

свои связи, потратив почти все деньги, закупил всяких деликатесов. Словно Дед Мороз с подарками, точнее с коробками, прямо с аэропорта он приехал в ту дежурку, а у Иноземцевой, оказывается, выходной. Тота спросил её адрес.

На краю маленького поселка старый деревянный двухэтажный барак, к которому подъезда на машине из-за снега нет. По снежному коридору надо идти метров двадцать.

В отличие от внешнего вида подъезд дома чистый.

По скрипучей лестнице Тота поднялся на второй этаж, постучал.

— Кто там? — Тота узнал её голос; на сей раз строгий и встревоженный.

— Гость из Москвы.

— Ой, — услышал Болотаев. — Секунду. — За дверью шорох, так что Тота даже подумал, может, она не одна, но потом торопливо щелкнул замок, чуть-чуть приоткрывая дверь. — Неужели это вы?! — воскликнула девушка, распахнув во всю ширь дверь.

Она стояла боком, скрывая часть лица. Была взволнованна.

— Добрый день! — сказал гость.

— Здравствуйте, — ответила она и как-то торопливо, словно боясь, что он уйдет: — Проходите.

— Из машины кое-что надо принести, — сказал Тота, тронулся вниз по лестнице.

— Вам помочь?

— Нет-нет... Я сейчас.

Тота дважды ходил к машине. Потом, как хозяин, стал привезенные коробки распаковывать.

— Это ваши свитер и носки, большое спасибо. И это всё вам, — торжественно говорил он.

— Всё мне?

— Да. Это, конечно, мелочь. Так... Вы ведь мне спасли жизнь.

— Да бросьте вы. — Она, словно невеста, всё так же боком стоит в углу.

— Я машину отпустил, — как и все москвичи в провинции, командует Болотаев. — В пять она за мной вернется... Если позволите, я посижу у вас... Поговорим... Можно?

— Да-да. Конечно.

— А чай есть? Холодно.

— Да-да. Конечно.

Накрыли стол. Сели. Оказывается, хозяйка в первый раз банан съела. А вот гранаты и киви даже не видела.

За чаем разговор не клеился.

— Может, перейдем на ты? — предложил Тота.

Она лишь кивнула.

— Странное у тебя имя — Дада... У нас, у чеченцев, — это значит дед или отец.

— А меня в самом детстве называли чеченка-дикарка.

— Почему?

— Не знаю. — Она резко встала из-за стола. — Что вам приготовить поесть?

— Ничего не надо, — сказал Тота. Теперь, когда она завозилась вокруг электроплиты, он смог её рассмотреть, высокая, даже чуть выше него, от природы тонкая, но не хилая, какая-то пружинистая, кошачья стать, так что Тота выдал, то о чём думал: — А из тебя вышла бы прекрасная танцовщица.

— С чего вы взяли? — встревоженно развернулась она.

— По первой специальности я хореограф кавказских танцев.

— Серьезно?! — Теперь она улыбнулась. — А знаете, на вечере дружбы в медучилище мне поручили исполнять лезгинку. Только мне по размеру подошёл этот костюм... Я вам сейчас покажу фотографии. — Она вытащила из-под кровати старый, потрепанный чемодан. Из него достала небольшую пачку фотографий, перевязанных резинкой. Пытаясь некоторые не демонстрировать, она нашла то, что искала. — Вот! — Видно было, что этой фотографией она дорожила.

— Прекрасно! — сказал Болотаев. — А кто вас учил танцевать?

— Никто. По телевизору видела.

— А ну, сейчас покажи, — не без иронии сказал гость, но и она ответила в тон:

— Был бы костюм — станцевала.

— При чем тут костюм?! Это только плохому танцору всё мешает.

— А музыка? А ритм? — Впервые Тота видел, как она улыбается.

— Так это я организую в лучшем виде. — Тота осмотрел комнату и, не найдя более подходящего, спросил: — А можно твой чемодан?

Как барабан используя не только этот чемодан, но и всё подручное, Тота, как он умел и как в данный момент хотел, выдал такую ударную страсть джигитовки, ещё звуками подпевая, выкрикивая, что потрясенная хозяйка стала смеяться.

— Давай! — взбадривал её гость, но она вся покраснела, закрыла лицо руками.

...Стук в стенку прекратил это внезапное буйство.

— Дада, у вас что, свадьба? — пожилой, женский голос.

— Нет, нет, простите, — крикнула хозяйка.

Тишина. Шепот Тоты:

— Ну и слышимость у вас. Словно стен нет.

— Да, — также шепотом подтвердила Дада, она о чём-то задумалась, а потом, уже обычным голосом, сказала: — Это было великолепно! А вы умеете лезгинку танцевать?

— Вроде умел, — ирония в его голосе. — Показать?

— Нет-нет. Тут и места нет.

— Хороший танцор где угодно станцует лишь бы душа ликовала!.. Могу и на столе. — Тота встал.

— Нет-нет, — вновь взмолилась Дада. — Соседка болеет.

— Так мы её оживим. — Тота сделал вид, что неуклюже собирается залезть на стол.

— Пожалуйста, не надо. — Она сама уже смеялась.

Они дружно засмеялись, и Болотаев поразился, до чего она преобразилась. Глаза заблестели. Появился румянец, и даже шрам, что так искажал её лицо, стал почти незаметен. И это, наверное, потому, что она сама о нем забыла.

Пили чай, ели фрукты, болтали ни о чём, пока их не отвлек стук в дверь:

— Дада, это твоего гостя там машина столько ждет?

Тота быстро оделся, правда, у двери выжидающе встал и, не увидев реакции, сам спросил:

— Может, я останусь?

— Нет.

Обиженный Тота не без актерства демонстративно раскрыл дверь, вновь взял паузу, но она ещё тверже:

— Нет. Возьмите фрукты... Постойте. Возьмите свитер. Холодно. А вы одеты...

После этого предложения Болотаев вернулся. Очень медленно свитер надел и вновь молча встал, что-то ожидая.

— Вас ждут, — твердо сказала Дада.

— Хоть телефон дай.

— Есть только рабочий.

* * *

Тота уже знал график дежурных контактов с надзирателями, и поэтому внеплановое лязганье засовов и ключей он, понятное дело, встречал с тревогой. Однако ему даже не дали сделать положенный доклад, просто в окошко просунули какой-то мягкий сверток.

Даже не раскрыв его, Тота понял, что это от Дады — она вновь связала ему свитер, носки и шапку.

Свитер мягкий, красивый, голубой, как и тот, который она ему связала ещё в Москве.

Он поднес свитер к лицу, принюхался. Запах шерсти, но, ему показалось, он это явно ощутил, её запах...

В ту, во вторую поездку в Когалым Тота, так получилось по работе, более Иноземцеву не увидел. А через неделю на заседании кафедры вдруг объявили, что надо кого-то для дополнительных замеров командировать в Сибирь. Болотаев удивил всех, изъявив желание, а заведующий угадал:

— Может, там невесту нашел? — И следом: — Смотри, Болотаев, как в песне поется, первым делом, первым делом — самолеты, ну а девушки, а девушки потом. Понял?

Так Тота и поступил. В воскресенье ночью он прибыл на место. Думал, что всю неделю отработает, а в пятницу встретится с Дадой. Как с ней сложится, неизвестно; впрочем, на воскресенье у него обратный билет.

Всё шло по плану, как вдруг в среду на проходной общежития вахтовиков, где он остановился, ему пожилая вахтерша передала трехлитровую банку.

— Что это? — удивился Тота.

— Клюквенный морс. Местный. Очень полезный.

— От кого?

— А вот эта. — Вахтерша провела рукой по лицу, и Тота сразу понял.

— А вы её знаете?

— Так кто ж её не знает?! Сумасшедшая! Тут за ней один парень ухаживал, так она его чуть не убила. Дура. Дикарка детдомовская!

После такой информации Болотаев хотел отказаться от морса, но вахтерша настояла:

— Берите. Берите. Очень полезно зимой, особенно вновь прибывшим. Здесь климат плохой.

Тота банку взял и удивленно спросил:

— А как она узнала, что я здесь, прилетел?

— Не знаю, — был ответ.

В комнате Тота долго принюхивался к ярко-красному напитку. С одной стороны, после слов вахтерши он чуть брезговал, с другой стороны, запах манил. Отпил глоток, второй. Понравилось. Прямо из банки выпил залпом почти треть.

Словно это был обвораживающий напиток, Тота сразу же, почти не раздумывая, пошёл, несмотря на усталость, голод и сильный мороз, прямо к Даде домой. Дома её не было. Пошёл на работу. Оказывается, совсем недавно она сменилась. Они разминулись.

Уже было очень поздно. Безлюдно. Темно. А страх от явно крепчающего мороза быстро погасил обольстительную страсть Тоты и погнал его в сторону надежного пристанища – общежития.

Через день, в пятницу, уже полностью завершив намеченный план работ, Болотаев в очередной раз набрал номер дежурки энергетиков и впервые услышал её по телефону.

– Спасибо за клюквенный морс, – не зная, что ещё сказать, в очередной раз благодарил Тота, а потом спросил: – А как ты узнала, что я здесь?

– Я позвонила на кафедру в Москву.

– А как нашла телефон?

– Вы ведь дали.

– А... А что позвонила?

– Нельзя? Больше не буду.

– Нет-нет. Конечно, можно. И даже нужно... Мы сегодня увидимся? Можно я зайду?

– Я сегодня допоздна на работе.

– Ну, – сделал долгую паузу Болотаев. – Может, я попозже зайду.

– Нет. Ночь. Поздно. Мороз. Опасно, – отвечает она.

– Ну я хочу тебя увидеть, поговорить... а ты?

– Завтра увидимся.

– Я улетаю завтра, – соврал Тота.

– Вы вроде улетаете в воскресенье.

– Откуда ты всё знаешь? – Тота раздражен.

– Вахтерша в общежитии сказала... Кстати, обещают большие морозы.

– Да? – Вот этого Болотаев очень боится, а Дада говорит:

– У меня аварийная связь. – Тота тоже уже давно слышит параллельные звонки. – Простите. До свидания!

Тота лежал на кровати, думал о поездке. В целом не плохо – он исполнил задание кафедры и надо было, как положено, в пятницу вечерним рейсом вылететь в Москву, но он, желая встретиться с Дадой, купил билет аж на воскресенье, а тут прогнозируют то, чего он боится, – лютые морозы.

Он уже просчитывал вариант выезда в аэропорт, но это затраты и риск, или просто билетов не будет.

Его раздумья улетучились со стуком в дверь. У мастера буровой день рождения. Его приглашали в кафе и вот напомнили, с собою зовут. Не раздумывая, Тота с ними пошёл и уже в кафе познакомился с грузином, который работал на соседней буровой.

Вспоминали о Тбилиси. После очередного грузинского тоста о великом сыне чеченского народа Тоте Болотаеве, Тота не удержался – до дна осушил бокал с вином из рук брата.

Заиграла кровь чеченца. Понятно, что и он должен как-то ответить. Однако он в Грузии почти не пил и тосты говорить так и не научился, зато он умел иное.

Тота выдал концерт.

Будучи чрезмерно разгоряченным, он даже не заметил, как оказался перед дверью Дады. Ещё сильнее стал стучать, открылась соседняя дверь – обросший толстый немолодой мужчина.

– Она сегодня поздно будет, – заплетался у него язык. – Она в кафе.

Ничего не говоря, Тота тронулся по лестнице вниз, а ему вдогонку:

– Так ты её жених, из Москвы? Можешь у нас переждать.

«Я жених?» – это известие и колючий мороз на улице отрезвили его.

Теперь Тота жалел, что сюда пришёл, и понимал, что до общаги может не дойти и вовсе заблудиться. А мороз дает о себе знать, и Тота подумал, что выбора нет, что он и жених, и кто угодно лишь бы быть в тепле, и он уже было вновь тронулся к подъезду, как услышал скрип шагов, потом увидел приближающуюся тень.

— Вы замерзнете, — она с ходу взяла его под руку и повела в подъезд, — сейчас отогреетесь, выпьете чай, и я вас провожу, — уже в комнате говорила она.

Тота молчал. Он был зол, а она весело продолжала:

— Как вы поете, а танцуете! Гениально! Даже не думала.

— А ты что в кафе делала? — спросил гость.

— Я по выходным, когда наплыв клиентов, там подрабатываю посудомойкой.

— Посудомойкой? — удивился Тота. — И сколько... — Он не окончил предложение, но она ответила:

— Два рубля за вечер. Кстати, сегодня я ничего не заработала, отпросилась пораньше. Знала, что вы ко мне пошли, — улыбалась она, пытаясь быть к нему одной стороной лица.

— А как ты узнала, что я к тебе пошёл?

— Следила. Общага направо, а вы пошли прямо. Хорошо, что не заблудились. Пьяным на мороз — опасно.

— Я не был пьян. И вообще не пью. — И чтобы поменять тему: — Может, я дам тебе эти два рубля?

Вмиг улыбка спала с лица хозяйки. Тота тихо сказал:

— Прости.

— Да, ладно. — Она вновь засияла. — Это я и все, кто там был, вам должны. Такой концерт! Теперь я поняла, что такое лезгинка, джигитовка... А вы научите меня?

— Конечно! — Тут Тота загорелся, даже вскочил.

— Нет-нет! — испугалась Дада. — Это я так. Когда-нибудь... А сейчас чай, и я вас провожу.

— Я заплутаю, замерзну.

— Я вас провожу до общежития и вернусь.

— Из-за меня так рисковать?!

— Какой риск?! Минус тридцать пять — это сносно.

— Нет. Я не смогу. — Тота действительно очень боялся по такому морозу в такую даль идти, и хочет он остаться, давно хочет, но она уже серьезным тоном говорит: — Я сейчас пойду найду машину.

— Нет! — чуть ли не крикнул Болотаев. — Позволь остаться.

Она долго думала, молчала, а он приблизился вплотную со стороны, которую она всегда пыталась скрыть, и прошептал:

— Ты ведь любишь меня? — и тут же более страстно: — Я тоже!

Она молчала. Лицо её стало пунцовым, а шрам даже потемнел, и она задрожала.

— Что с тобой? — Он хотел было её легонько обнять, как она взорвалась:

— Не трогайте меня! — отскочила в сторону.

Не менее её испугался и гость. Надевая в спешке пальто, он попятился к выходу, у двери остановился, застыл.

Отчего-то именно в данный момент он вспомнил, что по предмету «режиссура» их учили, что в пьесе обязателен конфликт или противоречие, после которого происходит развитие сюжета, действий, диалога. Однако это по теории драматургии, где автор волен в изобретательности, а у него перспектива — ночь, лютый мороз, и больше он может вовсе не встретить её. А ведь

он сказал правду по поводу взаимности их чувств, поэтому он тихо предложил: – Может, я останусь?

– Я вас провожу.

– В такой мороз и собаку не выгоняют.

– Поймите, – она стояла перед ним, как провинившаяся школьница перед учителем, – здесь все удобства на улице.

– Я неприхотлив. – Задор появился в голосе Тоты.

– И кровать одна.

– А я спать не буду... По очереди будем спать. – Тут они оба засмеялись, а она продолжает:

– Сегодня пятница. Напьются. Бывает, буянят.

– Вот и должен я тебя защитить.

– Сейчас вы не ощущаете, но здесь прохладно, а ветер ночью задует – всюду щели. Под утро особенно холодно.

– С милой и в шалаше рай! – театрально воскликнул Тота.

– Тогда как хотите.

– Как я хочу? – задал он вопрос. Она не ответила...

* * *

Жизнь порою парадоксальна.

Например, светит солнце – хорошо. Солнцепек – очень плохо. Или дождик летом – благо. Ливень – потоп, наводнение.

Эти немудреные примеры пришли на ум Тоты Болотаева оттого, что он знает: с возрастом необходимо уединение, необходимо иметь хотя бы небольшое, но личное пространство. Однако личное пространство одинокой камеры – самое тяжелое наказание из изобретенных человечеством. Цель или итог такого на-

казания — сумасшествие. Временное противоядие есть — жить воспоминаниями... И почему-то ту ночь, ту первую ночь, с Дадой он вспоминал очень часто, пытаясь восстановить всё до мелочей...

Дада готовилась к приему гостя. Это было видно с первого взгляда по тщательно завитым светло-русым мягким волосам, и по многим-многим иным признакам, которые Тота особенно вспоминал, и, конечно же, по накрытому столу — запеченный муксун*, пирог с морковной начинкой и даже гранаты и шоколад, которые он в прошлый раз ей привозил.

Можно было сказать, что у них проходил некий светский поздний ужин, до того всё было торжественно, если бы из-за стен, со всех сторон, не слышались грубые, хмельные, мужские выкрики; порою резкий, истеричный девичий смех; плач ребенка и иной фон гуляющего в пятничный вечер рабочего общежития, а точнее, барака посреди промерзшей сибирской тайги.

До определённого времени Болотаев был очень доволен, он действительно получил и получал всё, что хотел от этой встречи, до того всё было приятно, страстно, вкусно, как вдруг лампочка резко померкла, напряжение резко ушло.

— Вот черт, — прошептала Дада, — кто-то обогреватель врубил.

До того, как погас свет, она успела зажечь свечу. Вечер стал бы совсем романтичным, если бы хмельные мужские голоса не послышались прямо у их двери.

— Это Лёха хотел машину прогреть.

— Вот идиот.

— Минус сорок. Будет и пятьдесят.

---

* Муксун — северная пресноводная рыба.

— Свет не дадут?

— Не дадут, если Дада не пойдет в дежурку.

— А она сегодня не пойдет. К ней (тут очень грубое слово) из Москвы прибыл.

— Да ты что?

— А что, ты не слышал?

— Заждалась?!

— Дождалась!

— Ха-ха-ха! — Дружный, раскатистый хохот, от которого задрожали не только заиндевелые окна, но и огонёк свечи.

Блажь, в которой до этого пребывал гость, моментально улетучилась, ибо Болотаев в этот момент от чего-то вспомнил чеченскую поговорку, что петух, запрыгнувший в чужой курятник, будет затоптан.

Тота понял, что надо как-то реагировать. И первая его реакция, реакция профессионального танцора, выправить перед выходом стать. Он напрягся, как вытянутая струна. Увидев его реакцию, Дада сказала:

— Успокойтесь. Я сейчас. — Она встала, выдвинула из-под кровати всё тот же старый чемодан, достала из него выцветший ватник и, на ходу надевая его, подошла к двери и, не открывая, каким-то резко изменённым, грубым голосом выдала:

— А ну прочь!.. Или Немого позвать? А то и сама выйду. Прочь! Идите в дежурку. Пусть свет дадут.

Кто-то стал орать, материться. Голоса спускаются, шум почти исчез.

Дада ещё немного постояла у двери, прислушиваясь. Потом повесила ватник на гвоздь, вернулась к столу, села на прежнее место, но при этом как-то виновато улыбнулась, будто её уличили в обмане.

Долгое молчание нарушил Тота:

— А Немой кто?

— Ай, — она небрежно махнула рукой. — местный уголовник. Так, блатной. Но эти мужики его боятся, он их на понт берет. А со мной, как с зэчкой, солидарен.

— Ты зэчка?

Она усмехнулась:

— Да. Было такое.

— А за что?

— Соучастие в убийстве.

Эта новость как кирпич на голову гостя:

— Кого? Как? За что? — Ужасные нотки в его тоне, а она спокойно:

— Вам чаю налить?

— Нет. Да. — Он уже сбивается, любопытство появилось. — А что было?

— Вам интересно? — Она загадочно улыбается. — В общем, был убит директор нашего детдома. Мне тогда уже шел пятнадцатый год. Я была крупная девочка, точнее, уже женщина. Была заводилой и не простой. К убийству я отношения не имела. К сожалению.

— Почему к сожалению? — всё более удивляется Тота.

— Долго рассказывать, да и мало кто поймет.

— Я постараюсь. — Всё же очень тих и угрюм стал голос гостя, но продолжения он ждал. — И что?

— А что? ЧП. Надо было образцово-показательно убийц наказать. Двух девочек, Нику и Машу, моих ближайших подруг, и меня, как подельницу, судили за групповое убийство... Маши уже нет. Очень красивая была, классная. Говорили, что на зоне покончила с собой, а скорее того... Ника до сих пор сидит. Ну а мне повезло, я была беременна. Вот... — Она полезла в рас-

крытый чемодан. Достала небольшую пачку фотографий. – Вот моя дочка. – Она пыталась, чтобы огонек свечи осветил уже поблекшее фото.

– А где она? – спросил Тота.

– Сказали, что умерла.

– Как умерла? – Гость почти ошарашен. – А ну... – Он взял фотографию.

Изображение нечеткое. Если бы не рана на лице, то Даду и не узнать; очень худая, тощая. Она сама ещё ребенок, только в широко раскрытых глазах страх, может, страх за ребенка.

– А где её похоронили? – допытывается Тота.

– Не знаю. Просто сообщили – умерла... Она была очень болезненной. Я её в тюрьме выхаживала и родила.

– А кто отец?

– Отец ребенка?.. Не знаю.

– Как не знаешь?! – Гость даже привстал.

– Нас, а конкретно меня, насиловали многие... С самого детства.

– Что?! – Словно от страшной заразы Тота брезгливо отпрянул от стола. Резко вскочил, опрокидывая стул, кинулся к выходу, быстро взяв шапку и пальто. Мгновение колебался, бросил тут же одежду, вновь стремительно вернулся, сел. В упор на неё уставился.

От его быстрых движений пламя свечи заколыхалось. На и без того изуродованном лице Дады поползли чудовищные, как змеи, тени.

– Ты врёшь. Ты всё врёшь, – громко сказал Тота, и усмехнувшись, – а из тебя вышел бы хороший писатель-фантаст. Кошмары писать.

Она молчала. Как ни странно, и во всем бараке воцарилась удивительная, мёрзлая тишина, словно все жильцы исповедь Дады услышали, онемели. А Дада

в одной позе застыла, и Тота понял, что она мысленно улетела в иные времена.

Он осторожно тронул её руку и шепотом спросил:

— Дада, скажи правду, ты ведь всё это выдумала?

Она улыбнулась одними губами.

— Конечно, — продолжил Тота, — как танцор, как хореограф, я психолог и философ жеста, мимики и даже души, и поэтому я утверждаю — по крайней мере в тот момент, когда ты говорила о дочери, — ты обязательно бы заплакала или слезу пустила бы, если бы это было так. Но ты...

Он замолчал, потому что ему стало неловко от её снисходительно-пронизывающего взгляда.

— Вы знаете, — жестко сказала она, — в детдоме никто не плачет. С самого детства от этого отучивают при помощи наказаний.

— Не может быть. — Тота одернул руку, а она вновь с какой-то усмешкой спросила:

— Вам стало страшно со мной?

Он не ответил, а она:

— Уже брезгуете, противно?

— О чём ты говоришь?! — Ещё тише стал голос гостя, и он, как заговорщик, оглянувшись, спросил: — Неужели всё это правда? Какое изнасилование? Разве этот ужас возможен в нашей стране? Мы ведь строим социализм. Да за такие дела над детьми...

— А мы не дети. Мы были дети врагов народа. Дети политзаключенных, предателей, шпионов и вредителей.

— А кто твои отец, мать?

— Не знаю. — Она горестно вздохнула. — Смутно помню, как отец каким-то образом меня из детдома забрал и мы даже бежали. Его на моих глазах застрелили...

А про мать ничего. Знаю, что порою, как я что натворю, меня попрекали: «А что от неё ожидать? Мать – фашистка, отец – дикарь». А ещё помню, когда мне было лет восемь – десять, меня заставляли писать письма матери. И даже на камеру снимали и мой разговор к матери записывали.

– И что ты говорила?

– Ну, подготовленный текст заучивала. Но много-много раз одно и то же заставляли говорить, чтобы было убедительно... Потом отстали.

– А это в тюрьме? – Тота показал на её шрам.

– Нет... В детдоме учителя были хорошие; почти все спецпереселенцы или дети политзаключенных. Была Надежда Митрофановна – аристократка, дворянского происхождения, широко образованная и воспитанная женщина. Она подсказала мне ход вырваться из детдома, дала адрес и рекомендацию на киностудию «Мосфильм». Тайком я отправила свое фото и письмо, и мне, как в сказке, пришло приглашение на пробу в фильме с одновременным поступлением в театральное училище... как я была счастлива! Но накануне отъезда, ночью, лицо облили кислотой.

– Ты на боку лежала? – дрожащим голосом спросил Тота.

– Видимо, да. А то бы всё лицо таким было... Порою мне кажется, что так было бы даже лучше. А то словно двуликая. Я так всех пугаю. – Она засмеялась.

– А кто это сделал?

– Не знаю. Меня в ту ночь отвезли в тюремную больницу.

– А почему в тюремную?

– Ухта – кругом тюрьмы и зоны.

– А дальше что? – любопытен Болотаев.

— После больницы меня перевели в другой детдом, в другой город. Всего я поменяла девять детдомов. Теперь понимаю, что это специально, чтобы мы не спелись, не сдружились, друг с другом не сблизились.

— И что везде, — тут Тота долго подбирал слово, — были плохие порядки?

— Насильники? Это маньяки, больные люди, которые целенаправленно ищут такую работу.

— Но ведь были и есть какие-то контролирующие органы?

— Может, и были, — говорит Дада, — но мне кажется, что сама система всё это допускала и даже, более того, может, к чему-то, к какой-то миссии готовили нас.

— К какой? — вырвалось у Тоты.

— Точно не знаю. Хотя догадки есть. Но со мной не вышло — как ни странно, мне думается, меня тюрьма спасла, а может... Впрочем, не знаю.

Через стену заскулил ребенок. Где-то по радио тихо пела Клавдия Шульженко. А за окном ветер всё более и более набирал силу, уже порою свистел и так стало задувать, что и огонек свечи кренится и вот-вот задует, погаснет.

— А после тюрьмы? — вдруг спросил Тота.

— После тюрьмы? — переспросила она, задумалась. — После тюрьмы жизнь изменилась. Во-первых, меня оправдали. Во-вторых, я повзрослела и стала уверенной, что для меня стало очень важным. А в-третьих, уже появилась некая свобода... Правда, мне пришлось возвратиться в места моего детства — надо было сделать кучу справок, документов и паспорт. А прописки нет. Но и здесь мне помогли добрые люди — выбили

направление в медучилище при Военно-медицинском институте.

— Это в Москве?

— В Новосибирске. Три года за казенный счет. Очень хорошо училась и учили. Однако в академию не взяли.

— Почему?

— Думаю, моя биография не понравилась.

— А сюда как занесло?

— По распределению отработала медсестрой. А теперь перешла сюда, к энергетикам. Не по специальности, но зарплата выше и вот, — она осмотрела свою лачугу, — какое-никакое, а жилье.

— Да, — горестно выдохнул Тота.

«Вьюююю!» — за окном уныло и протяжно завыл ветер.

— В такую погоду самолеты не летают, — вдруг о своем высказал Болотаев.

— Вы хотите уйти? — живо спросила Дада. — Я вас заболтала. Загрузила. Всю свою горесть выболтала. — Она встала. — Давайте я вас провожу.

Тота молча уставился в сторону окна.

— Да, пурга, — подсказала Дада, — а я у Лёхи машину возьму... Хотя... — Она вновь села и не как прежде, а уже как-то бочком, вновь скрывая часть лица. — Лёха небось пьяный. А может, я сбегаю на дежурке приеду?

— Зачем?

— Вас отвезти.

— Ты меня выгоняешь?

— Я вижу, как вам стало противно.

Гость промолчал.

— Я чистая! — вдруг вырвалось у нее.

«Вьюююю!» — ещё сильнее ветер завыл, да так, что даже свечу задул... Темно. Под напором стихии всё притихло, только бревна барака заскрипели; буря не на шутку разыгралась, и под этот вой Тота услышал редкие, судорожные всхлипы.

Он встал. В темноте ощупывая стол, дошел до Дады. Крепко обнял и шепотом на ухо:

— Ты об этом прежде никому не рассказывала?

Она лишь мотнула головой:

— Некому было рассказывать?.. У тебя никого нет? Некому было поплакаться?

Она заплакала навзрыд.

Он сильнее прижал её и на ухо прошептал:

— Не плачь. Ты самая чистая, и я у тебя есть...

* * *

Внимание —великая сила!

Да-да, простое, маленькое внимание ко всему, даже вроде бы и к неодушевленному предмету, а сразу всё меняется, расцветает... Это к тому, что вот приехал в далекую Сибирь близкий человек и по закону она ещё не может увидеться с заключенным, однако сам факт, что осужденному оказано такое внимание, действует. Значит, Болотаев не какой-то там отъявленный мошенник-преступник-отморозок, а человек, о котором есть кому беспокоиться.

И передачи ещё делать нельзя, а Болотаев уже получил шерстяные вещи. Это Дада.

Сама всё связала и, главное, сумела доставить. Правда, через пару дней кое-что, как неположенную блажь, охранники забрали.

Это покажется странным, ведь сами охранники эти вещи доставили и понятно, что не просто так, а за мзду.

И сами отняли. Хорошо, что самого Болотаева за эти вещи не наказали.

Ну а Тота две ночи в тепле спал, вспоминал ту первую ночь с Дадой.

...В ту ночь свет так и не дали. Тота очень устал и даже толком не помнит, как лёг спать, видимо, просто вырубился, а проснулся от холода. Тоненькое одеяло не согревало.

— Дада, — тихо сказал он, повторил, но её не было.

Тота встал. На часах уже десять.

«Куда делась Дада? — подумал он, а потом: — А была ли она и правда ли то, что она накануне рассказывала?.. Конечно же нет. Это всё выдумки».

Хотя, как реальность, тюремный ватник у двери на поржавевшем гвозде висит. Этот ватник, спасаясь от холода, надел Тота. Походил по комнате в раздумьях. От прошедшей ночи двоякое впечатление. Обольстительное начало, а потом суровость бытия жизни Дады, от которых у Тоты до сих пор болит голова.

«Впрочем, такого в жизни быть не может. Дада, видимо, фантаст». — С этой мыслью, кутаясь в ватник, он снова лёг, и, когда сонная нега стала овладевать им и, слегка потягиваясь, он переворачивался на другой бок, острая боль в руке, а потом и в противоположном боку заставила его в ужасе вскочить... Оказывается, в правом рукаве заточка, а слева, в потайном карманчике, — самодельное шило...

Ему стала противна эта комната, её хозяйка и вся эта Сибирь, и тайга, и нефть. А потом ещё хуже: чуть ли не запаниковал, когда увидел, что Дада заперла его сверху и непонятно, что и как будет дальше.

Конечно, Болотаев не заорал о помощи, но дрожь, может быть и от холода, овладела им. В отчаянии и от

бессилия он вновь лёг, теперь уже без ватника и было холодно, и очень неуютно, и беспокойно, но это всё как-то растворилось в сознании, и он, наоборот, почувствовал такую нежность, тепло, умиротворение, словно кто-то по-кошачьи мягко обнял его, успокоил, убаюкал; обдал ароматом сладости и любви...

Позже, ещё задолго до ареста, думая о Даде и о её природном даре отдавать или давать тепло и успокоенность, Болотаев понял: это она сама этого всего по жизни не получала, но об этом мечтала и поэтому себя всю, когда хотела, отдавала, но и забирала так же всё.

— Я извиняюсь, что у вас сегодня завтрак и обед одновременно, — говорила Дада, накрывая стол. — Утром позвали соседи — ребенку плохо стало — сделала укол. А следом «скорая» не смогла приехать — снова меня позвали. А тут по утрам я капельницу бабушке-соседке ставлю, а потом сменщик на работу не вышел — думала на минутку сбегаю, всё улажу, но сегодня ведь суббота — все в загуле.

— А я даже не заметил, как ты вышла, — сказал Тота, а далее он хотел спросить о ватнике, но с её приходом стало так тепло, спокойно и вкусно, что вновь он подумал, что всё, что было сказано и увидено накануне, — его фантазия на волне вскипающей любви.

После обеда Дада должна была бежать на работу.

— И я должен идти, — крикнул Тота. — Мне собираться надо.

— Да-да, конечно, — поддержала его Дада, — пойдёмте до дежурки, а там я машину вызову, и вас отвезут.

Даже этот небольшой путь Болотаев преодолел с трудом, до того ему было худо от сильного ветра и мороза.

— Эх вы, южанин, — посмеивалась над ним Дада.

А следом выяснилось, что из-за ночного бурана где-то случилась авария и дежурная машина там, так что придется в дежурке ждать.

Это ожидание не было тягостным, ибо им оказалось интересно друг с другом, было о чём поговорить, в том числе и о танцах, и тогда то ли сам Тота предложил, то ли Дада попросила — словом, на этом небольшом пространстве началась репетиция лезгинки. Оба загорелись.

— Так! Так не пойдет, — вошёл в раж Болотаев. — Осанка! Спина прямая... Так! Раз-два-три... Постой. Вон, возьми швабру. Да-да, швабру возьми. На плечи и руки на швабру... Выпрямилась. Ещё. Живот втянула. Подбородок вверх. Ещё... А теперь слегка на цыпочках встала. Во! А теперь плавно поплыла, поплыла, как лебедь.... И слушай такт. — Он стал набивать джигитовку по деревянному стулу. — Браво! Молодец!

Они даже не заметили, как появились дежурные энергетики, которые отвезли Тоту до общежития, где он с первой минуты почувствовал какую-то невероятную расслабленность, спокойствие и усталость, от которых сразу же заснул.

Правда, что в бараке Дады, что в рабочем общежитии Тоты по выходным да к вечеру — хмельные голоса, раскатистый смех. А потом, уже к ночи, вновь пурга разгулялась, засвистел ветер, холодно, от такой стихии всё замирает, особенно человек.

А Тоте уже не спится. Страшно. С каждым порывом ветра кажется, что вот-вот этот деревянный сарай по бревнышкам разнесет. И теперь он жалеет, что эту ночь он с Дадой не остался, а ещё более жалеет, что, как только окончил свою работу, в пятницу, тут же не

улетел — поддался страсти и связался с этой Дадой, у которой и на лице —двуликость, и в душе — вулкан, и в судьбе — кошмар. Последнее, как заразная болезнь, овладело состоянием Тоты.

Однако жизнь, как природа, особенно на Крайнем Севере, очень переменчива. К полуночи пурга резко угомонилась, словно кто ей увесистый подзатыльник отвесил. Ободренный этим, Болотаев даже вышел посреди ночи на улицу. Тишина. Над головой океан звезд и такой мороз, что даже дышать тяжело.

«Всё, поменяю тему исследования и более сюда не сунусь», — решил он, но оказалось, что и уехать отсюда на сей раз непросто. Машина, которая должна была в шесть утра заехать за ним и отвезти в аэропорт, не приехала.

Встревожился Болотаев. Не только вахтершу, но и почти всё общежитие разбудил он криками в телефон. Бесполезно.

Тота не на шутку разволновался. Если он не успеет на свой рейс, то у него и денег нет купить билет на следующий. А здесь и занять то не у кого, разве что у Дады.

Вот так о ней волей-неволей почти всё время думал Болотаев и тут видит, как к общежитию подъезжает старенькие «жигули». Тота бросился к машине уговорить, вдвое, втрое больше заплатить, и из-за заледеневших стекол он не видит, кто внутри, а там за рулем Дада, и что странно, он даже не удивился и вопроса не задал, торопясь сел в машину, и лишь когда они выехали за посёлок — прямой зимник и он уже, как говорится, очухался, он надолго уставился на неё — правая, очень красивая сторона её лица, — с изумлением спросил:

— А откуда машина?

– Лёхина. Соседа.

– А ты умеешь водить?.. И права есть?

– Я окончила Военно-медицинское училище. Там всему нас учили, – тут она усмехнулась, – кроме лезгинки.

Тоте было не до шуток, он ещё пребывал в напряжении, всё смотрел на часы:

– А мы успеем?

– Не волнуйтесь, успеем.

– А-а как ты узнала, что за мной машина не приехала?

– А вы мне сказали, с кем договорились. А я знаю, что его драндулет в такой мороз не заводится. Пошла посмотреть – точно. Пришлось Лёху будить.

– Спасибо... Спасибо и Лёхе, и тебе, – уже спокойным голосом говорил Тота. – Вот. – Он достал деньги. – Это Лёхе и тебе.

– О чём вы говорите? – жестко среагировала она. – Уберите, пожалуйста!

Какое-то время ехали молча, но вскоре пассажир вновь встревожился:

– Что это такое? – Теперь и лобовое стекло почти полностью заледенело и дороги не видно.

– На такой скорости при таком морозе печь не рассчитана, – поясняет Дада – Только не волнуйтесь. Возьмите вот эту палочку и очищайте стекло.

Тота стал скрести лобовое стекло.

– Да не у себя, а передо мной. – Уже и Дада волнуется.

С неимоверным усердием Тота стал скрести прямо над рулем водителя. Процесс малоэффективный, лишь маленький островок, как небольшое отверстие в мир, удается Тоте очистить, и, наверное, даже при этом Дада

довела бы машину до цели, да словно коварный удар под дых, машина вдруг дёрнулась раз-второй, мотор заглох, стало тихо. Слышно лишь, как ещё скрипят шины, но и этот звук, как оледенелое сердце, замирает. Машина стала. Пару раз Дада ещё пыталась мотор завести. Аккумулятор сел.

— Что случилось? — испугался Тота.

— Мороз... Может, бензонасос замерз.

— Что будем делать?

— Сидим.... Бог пошлёт нам спасение. Будет кто-то ехать. Должен.

— А если?

— Надо верить. Молчим. Надо сохранить тепло и прислушаться.... Звук мотора услышим.

— А если не остановит.

— Тут такого не бывает... Не волнуйтесь. Тихо.

Наверное, несколько минут молчали. А потом Дада тяжело вздохнула и очень тихо заговорила:

— Знаете, наш детский дом был в здании губернатора Севера. В одной половине мы — дети врагов и предателей, а в другой жили семьи новых хозяев страны... В коридоре, в стене, осталась дырочка от гвоздя, в которую мы всегда подсматривали, облизывались и мечтали когда-либо жить...

— К чему ты это? — также тихо прошептал Тота.

— Просто когда смотрела в эту дырочку, что вы очищали, вспомнила, как подсматривали... Всё. Ничего не видно. Не увидела. И не увижу.

— Что?! — заорал Болотаев. — Я не могу так умереть! Надо двигаться. Надо выйти.

— Стойте. Сидите! В машине пока ещё теплее.

— Нет! — Тота уже выскочил. Вслед за ним и она.

Солнце не видно. Оно появится лишь к обеду, но небо уже светлое, синее-синее. Ни единого облачка. Стойкий мороз. Дада сплюнула.

– Слюна не треснула, на лету не замерзла. Не ниже сорока.

– Тебя это радует? – страх в голосе Тоты.

– Да вы не бойтесь... Лучше сядьте в машину.

– Разве это машина – колымага... Зачем ты на ней за мной приехала?!

Дада отвернулась.

– Что будем делать? – кричит Тота. – Может, обратно пойдем... А может, что рядом есть?! Я здесь околею. Моё пальто.

– Наденьте мою шубу, – бросилась к нему Дада, и вправду на ходу снимая тулуп.

– Нет! – вдруг прорезался голос Тоты. – Не смей! Я выдержу!

– Кажется, машина! – воскликнула Дада. – Тихо!

Тишина. Только от мороза где-то истошно затрещали карликовые болотные березы.

– Я не могу... Мне плохо, – заныл Тота.

– Я дура: второпях спирт, аптечку и даже спички не взяла... А может, в машине что есть. – Она кинулась в салон. – Есть!.. Это водка, а скорее спирт.

Она откупорила бутылку, принюхалась, отпила глоток:

– Ой! Спирт... Выпейте. – Она протянула небольшую бутылку. – Вначале глубокий выдох и не вдыхая глоток.

После этой процедуры Болотаев стал кашлять, задыхаться, потом отпустило и даже стало полегче, потеплее изнутри.

– А ну ещё раз.

Всё повторилось. И после небольшой паузы Тота сказал:

— Дай ещё.

— Нет, — твердо сказала Дада. — Больше не положено, а то опьянеете и будет совсем плохо и опасно.

— Мне уже плохо и опасно... дай, — двинулся он к ней.

— Нельзя. — Она отошла. — Осталось немного... А вдруг придется машину поджечь.

— Чужую машину? — удивился Тота.

— Это на крайняк.

— Уже крайняк! Мне холодно... Дай спирт.

— Вы опьянеете.

— Будет легче умирать. Дай.

— Нет! — Она просто вылила остатки и бросила бутылку в сторону.

— Ты что —дура! — возмутился Тота. — Вообще-то, что ты дура, я давно понял... Просто я дурнее тебя, что с тобой связался.

— Не нервничайте... Сядьте в машину.

На сей раз он последовал её совету. Вскоре вышел. У него уже губы посинели.

— Дада, спаси. Подожги машину. Спаси.

— Нет. Это чужая машина. Как я рассчитаюсь.

— Да я тебе десять таких колымаг куплю. Спаси меня... Это глупая смерть.

— Чуть-чуть потерпите. Чуть-чуть, — пыталась она его успокоить. — Садитесь в машину.

Он уже был очень плох. Она помогла ему сесть в машину, говоря:

— Ещё чуть-чуть потерпим... Я верю, кто-то ведь должен ехать. Тихо! — крикнула она, а Тота уже и не мог говорить. — Шум. Едет! Машина. Мы спасены... Выходите!

От этой надежды Тота ожил.

– Выходите. – Теперь Дада уже вытаскивала его. – Слышите? Слышите? Мы спасены.

– А они остановят?

– Конечно... А ну-ка, идите сюда.

Новая беленькая «Волга» ехала быстро, выкидывая за собой клубы белого пара. Приблизившись, «Волга» явно сбросила скорость, а после, наверное, хотела объехать, но Дада буквально бросилась на капот и, как только машина остановилась, в прыжке раскрыла переднюю дверь.

– Вы! – На мгновение она застыла. – Пал Палыч?!

– Да. Мы опаздываем в аэропорт. На совещание в Москву, – слышит Тота четко выверенный начальственный голос. – Вас следующая машина подберет. У нас мест нет.

– Да что вы говорите! – Дада нагловато заглянула в салон. – О! Здравствуйте. Ваша супруга?

– Моя супруга.

– А этот помощник тоже в Москву?

– Он сопровождает меня.

– Вас или вашу супругу?

– Что? Что вы себе позволяете. Закройте дверь. Поехали!

– Я вам поеду?! – Дада уже раскрыла заднюю дверь. – А ну вылезай. – Она так рванула, что молодой человек с заднего сиденья вывалился на дорогу, а Дада крикнула Тоте: – Сюда! Быстрее! Садитесь... Стойте! – Она бросилась к «жигулям», достала портфель Болотаева, забросила и его в «Волгу». – Он тоже в Москву. Спасибо! – Она захлопнула дверь. – Счастливого пути!

* * *

Наверное, в жизни каждого человека есть моменты, которые вспоминать не хочется и не вспоминаешь, потому что некогда и нечего излишне память дерьмом загружать. Однако, попав в российскую тюрьму, ты понимаешь, что всё, что было до этого на воле, — благодать, вот и вспоминаешь всё, как некое спасение от реальности...

Как любой, более-менее воспитанный человек, Тота Болотаев, внедрившись таким образом в чужую машину, должен был, наверное, первым делом извиниться, потом поздороваться, объяснить ситуацию и ещё раз извиниться.

Он этого не сделал, потому что он этого сделать не мог — он был обморожен и ещё долго пребывал в шоке, то есть оттаивал в комфорте и тепле. А машина после этого неожиданного инцидента вновь набрала скорость, и некоторое время все молчали и были ошеломлены.

На заднем сиденье, прямо за водителем, оказывается, сидела супруга начальника местных энергетиков; она ткнула в плечо водителя и тихо сказала:

— Надо сообщить. Надо вызвать машину по рации.

— Здесь рация уже не ловит, — сказал шофер.

— Надо развернуться, — бросила женщина.

— О моём помощнике волнуешься? — слегка вывернул голову начальник. — Ты слышала, что эта дамочка сказала? Кстати, молодой человек, — обратился он к Тоте, — кем она вам приходится?

Болотаев задумался и не сразу ответил:

— Знакомая, — и после паузы невнятно, шепотом и скороговоркой: — Почти невеста.

— Да, — вывернул шею начальник, мельком оглядел нового пассажира. — Повезло вам, молодой человек... Как она за вас поборолась! Повезло с невестой.

Было видно, что последние слова он говорил уже не только для Тоты, и поэтому вновь возникло напряжение, долгая пауза, которую вновь нарушила женщина:

– Вызовите дежурку. Включите рацию. Им нужна помощь!

– Здесь рация не ловит, – вновь говорит водитель.

– Не волнуйся, – успокаивает начальник, – их кто-либо после нас подберет.

– Вряд ли. Такой мороз и выходной, – прогноз водителя.

– Чего уж?! – возмутился муж. – Мы и так опаздываем на рейс. А у тебя билеты на премьеру... Да и не пойму я: молодого человека невеста выручает, а за моего молодого помощника моя жена так волнуется. Может, остановить, вернешься? А вы, молодой человек?

...Если честно, то Болотаев достоверно вспомнить не может, было ли последнее сказано, или это вовсе ему приснилось, ибо после бессонных ночей, такого потрясения и спирта в тепле уютной машины он расслабился и заснул.

* * *

Если бы Дада хоть раз напомнила Тоте об этом дне, а тем более попрекнула бы, то Тота почувствовал бы какое-то облегчение и прощение, но Дада об этом дне ни разу не упомянула, словно его и не было. А он ведь был. Да ещё какой, только не в судьбе Болотаева, который в тот день благополучно долетел до Москвы, поздно вечером уже был в общежитии и ещё хотел в тот же вечер пойти на переговорный пункт попытаться позвонить в дежурку. Но он этого не сделал – надо было готовиться к новой трудовой неделе, когда всё закрутилось и завертелось, и, правда, он звонил пару раз, но

ведь это дело непростое. Словом, прошло так две-три недели, и лишь позже, когда вновь на кафедре выписали командировку на Когалым, Тота плотно сел за телефон и был ошарашен: Дада арестована.

Более ему ничего не сказали, да он и не спрашивал. Обычно, прибыв в Сибирь, Тота первым делом выполнял командировочное задание, а потом в повестке была Дада – как бы на десерт и не более. Однако на сей раз Тота первым делом заинтересовался судьбой Иноземцевой, и, как оказалось, только он интересовался ею.

Тогда Тота подумал, что это не просто так, а где-то даже испытание и его самого, как он определил – на вшивость.

Конечно, он был стеснен и в средствах, и во времени, но он делал всё, что мог, хотя дело было непростое.

По своим делам Дада и не раз у этого Лёхи машину просила и не за просто так, а за деньги или спирт. И по всей вероятности, и в то утро Дада машину выпросила, а в критический момент эту колымагу подожгла.

Даже по версии следователя, с которым Тота встретился, и не раз, машину поджег помощник Алексей, который первым запаниковал. И конечно же, этот поджог их наверняка и спас, ибо только через час после этого появился попутный «Урал».

На этом инцидент был бы исчерпан – такое не раз в Сибири бывает, однако Лёхе ведь машину никто не вернет, у Иноземцевой таких денег нет, вот и решил он просто – написать заявление об угоне личного транспорта.

Болотаев дважды встретился с этим, как он определил, пропойцей Лёхой и даже обещал, что в течение года он по частям выплатит сумму ущерба.

– Да ты что? – на блатной манер отвечал Лёха. – И я буду по частям машину покупать? И весь год пешком ходить? Я ведь ясно и по-русски сказал: утром деньги – вечером я заявление заберу. И разве я не прав? За базар отвечать надо. А за своих баб тем более.

Обычно командировка длилась неделю, а на сей раз Болотаев, сославшись на работу, которую он тоже делал, пробил две. Тем не менее какого-либо прогресса в деле Иноземцевой он не добился, и адвокат прямо сказал: нужны деньги, и тогда либо Лёха отзовёт своё заявление, либо прокурор, получив своё, спишет всё на лёгкое хулиганство, и в этом случае грозит лишь условный срок, а так ей приписывают грабёж, угон, порчу и так далее. И самое интересное, Тота лично ходил в приёмную начальника энергетиков и даже дождался на улице Пал Палыча, но, оказывается, ещё до инцидента Иноземцева была уволена за нарушение трудовой дисциплины и к тому же при выносе её вещей из комнаты общежития обнаружили зэковский ватник с заточками.

Словом, о положительной характеристике с места работы и речи быть не может, и уже не первая судимость – рецидивистка.

Это был почти что пожизненный приговор Иноземцевой и, как понял Болотаев, вызов ему самому. А спасение только одно – деньги.

Вернулся Тота в Москву, стал искать деньги. Он думал, что у него много богатых друзей, особенно тех, кто привязан к эстраде, – оказалось, что Тота уже не их круга человек. В общем, никто в долг денег не дал. Нашел лишь в кредит одну тысячу рублей под двадцать процентов годовых. Это значит, что он теперь должен свою стипендию, восемьдесят рублей, отдавать кредитору в течение пятнадцати месяцев.

А как и на что ему дальше самому жить?

Об этом он и не подумал, потому что действовал не как финансист, а как он считал надо, то есть, наверное, как учили в институте культуры, а может, как подсказывала интуиция.

Вернулся Тота в Сибирь и прямо к Лёхе, думая, что тот несказанно обрадуется. А тот говорит:

— Что? Тысяча? Да ты что?! Ведь этой машине цены не было. — И оказалось столько достоинств, что красная цена — пять тысяч.

— Да ты что?! — Это уже Болотаев изумился. — За такую рухлядь?

— Но-но! — осадил его Лёха. — Ты классику читал? Торг здесь неуместен.

На следующий день Болотаев был у следователя прокуратуры — тысячу показал, на что тот прямо в своем кабинете, ничего не боясь заявил:

— Вторая судимость. Масса отягощающих обстоятельств. Отрицательная характеристика с места работы...

— Как отрицательная? — перебил Болотаев.

— Не знаю... Вот. Печать, подпись, дата. Так что учитывая наши добрые отношения, уважая моих чеченцев-друзей по армии — три тысячи и сразу, а не по частям... Но если дойдет дело до суда, то это всё утроится. Так что спешите... И пусть хотя бы дадут характеристику положительную с места работы. Отрицательных в нашей практике я и не встречал.

Обескураженный Тота поздно вечером возвращался в общежитие, когда чисто боковым зрением уловил, как какие-то подозрительные тени отделились от заснеженной стены, двинулись за ним, и по походке одного из них он вроде узнал Лёху, и надо было бы

интуитивно мобилизоваться, но он устал, очень устал и уже оправдывал в душе самого себя, что, мол, всё, что мог, он сделал и ещё, может, сделает, а на данный момент надо завтра возвратиться в столицу и там время покажет, как и без того мрачный мир и вовсе померк.

Очнулся он в какой-то машине. Окончательно пришёл в себя в приемном отделении больницы, откуда хотел и смог бы быстро уйти, потому что было очень холодно, грязно, всюду ещё не запёкшаяся кровь и какая-то вонючая слизь и никакого внимания.

Добрые люди, которые его обнаружили и доставили в больницу, уехали. Принявшая его врач с ходу спросила паспорт, и только тогда Тота понял, что его обворовали, но оглушили не совсем, потому что он всё же сообразил, что теперь идти ему некуда, а больница — и крыша над головой, и государственное учреждение, где не только врачи, но и милиция, может быть, поможет ему, а более теперь и некому.

Только теперь Болотаев ощутил состояние, когда ты в далеком, чужом краю, без документов, без денег и никого из знакомых, а тем более родных нет.

Вот теперь он с ещё большей болью стал думать об Иноземцевой... А какого ей? К тому же в тюрьме. А каков он сам? Кто теперь ему поможет?

От этих мыслей, а скорее от сотрясения, у Болотаева в голове начался страшный гул... Очнулся он в палате.

— Вы свою фамилию, имя помните? — Над ним доктор в белом халате.

Было ещё много вопросов и беглый осмотр, после которого был поставлен диагноз:

— Вам повезло — шапка у вас хорошая. Она вас и спасла... Кстати, к вам товарищ из органов.

Почему-то Болотаев подумал, что это должен быть тот же следователь прокуратуры с ухоженными ручонками, который даже побрезговал у него тысячу рублей взять. Однако появился простой капитан милиции — по виду работяга с большими, грубыми ручищами. Он, как, наверно, положено по инструкции, тщательно провел допрос потерпевшего, всё записал и в конце спросил:

— Особые пожелания есть?

— Есть, — бойко ответил Тота. — Как бы улететь в Москву — паспорта и денег нет?

Капитан немного подумал и сказал:

— Так. Есть у нас ваш земляк. Я ему скажу.

Было очень поздно, когда появился молодой человек в накинутом белом халате и, хотя в палате было десять человек, не мешкая подошёл к Тоте, по-чеченски поздоровался, позвал в коридор.

Тота всегда думал, что любого чеченца он смог бы узнать, однако этого — с чисто чеченским именем Ваха, он никогда бы не распознал.

Старший лейтенант милиции был по-служебному немногословен. Первым делом он передал больному солидный пакет с едой и напитками и без особых церемоний постановил:

— Раз так случилось — надо здесь полежать, долечиться, как врачи велят. С протоколом допроса я ознакомился. Справку на дорогу выдадим, деньги на билет — поможем. Вот только вопрос — Иноземцева, о которой вы печетесь, кем приходится?

Болотаев задумался. То, что можно было ляпнуть чужому человеку — мол, знакомая или почти невеста, теперь не скажешь и дал такой ответ:

— Она спасла мне жизнь и сама из-за этого пострадала.

— Понятно, — изучающе посмотрел на Болотаева милиционер. — А вот этот Лёха — его роль?

— Его роль? — переспросил Тота. — Не знаю.

— Придется выяснить, — сказал милиционер. — Поправляйтесь.

Через день Болотаев выписался из больницы и сразу, как ему сказали, направился в милицию, где его ждал земляк:

— Так. Вот справка по закону, а вот деньги на дорогу от меня. Если хочешь помочь гражданке Иноземцевой, то напиши заявление, что на тебя совершил нападение не кто иной, как гражданин Ушаков.

— А кто такой Ушаков? Этот Лёха? — Тота задумался. — А может, не он?

— Проверим. Это наша работа реагировать на заявления граждан. По заявлению Лёхи задержали Иноземцеву, а теперь появится и ваше заявление.

— Теперь меня затаскают по судам Когалыма как свидетеля? — опечалился Болотаев.

— Возвращайтесь в свою Москву, — был вердикт.

Прибыв в Москву, Болотаев посчитал, что он что мог для Иноземцевой сделал, по крайней мере по уши залез в долги, и теперь пора о ней позабыть, ведь сколько по жизни людей встречаешь, навсегда расстаешься и, слава Богу, не вспоминаешь. И для этого Болотаев даже написал заявление в ученый совет, чтобы ему поменяли объект исследования, а ещё радикальнее — даже тему диссертации.

Заявление Болотаева частично удовлетворили: тему значительно расширили — «сравнительный анализ» многих нефтедобывающих объектов, что, кстати, ему очень в дальнейшем помогло, а вот «Когалымнефть» из-за инцидента убрали и теперь туда ни на-

правления, ни командировки нет, а Тота так и не смог про Иноземцеву забыть, наоборот, он всё более и более страдает, не имея каких-либо сведений о ней, но оттуда вдруг пришло уведомление – почтовый перевод 500 рублей и приписка от Вахи: «Всё, что смог. А Иноземцевой, раз она жизнь спасла, надо помочь жить».

Заимев такие деньги, Тота решил, как получится, просто на ближайшие праздники, вылететь в Когалым, хотя бы земляка по-человечески поблагодарить, однако он его больше никогда не увидел, тем более не пришлось там побывать, ибо буквально через несколько дней на кафедре звонок:

– Болотаев, это вы? – встревоженный голос коменданта общежития. – Тут какая-то девушка к вам.

– Какая девушка? – Хотя он уже понял и, не желая говорить «со шрамом на лице», почему-то сказал: – С чемоданом?

– Да. С допотопным, – был ответ.

* * *

С нею было комфортно. Очень и очень комфортно, если бы... Если бы не её прошлое.

...Кстати, даже тюремное содержание Болотаева стало, если можно так сказать, более комфортным с тех пор, как в Енисейск приехала Дада.

У неё опыт – детдомовский, тюремный, – и она умеет найти необходимый контакт и возможность для передач. Поэтому у Тоты теперь и теплая одежда, и неплохое питание, хотя по распорядку он ещё в карантине и передачи запрещены. Но Иноземцева как-то умудряется. Конечно, за деньги.

«Но откуда у неё деньги?» – задается вопросом Тота. А потом сам же дает ответ: у Дады вроде всё от-

крыто, но в то же время все так закамуфлировано, что не понять... Однако с ней было очень комфортно, приятно.

...Начало марта. В Москве слякоть, грязь, тающие сугробы. Бежал Тота с кафедры до общежития и представлял: на проходной Иноземцева, как вышла из тюрьмы, в своем блатном ватнике... Вот начнутся сплетни по академии. А сколько вновь будет проблем?

Забежал Болотаев в фойе — всё-таки она была умница, — в углу был небольшой зеленый уголок. Она там незаметно приютилась на своем чемодане.

— Дада! — негромко сказал Болотаев.

Она вскочила. Они не обнимались, не объяснялись и даже толком не поздоровались. Тота резко взял чемодан, другой рукой схватил её руку, быстро повел к лифту. Только очутившись в своей комнате, Болотаев внимательно осмотрел её — очень похудела; а шрам — видимо, раньше она его припудривала — теперь потемнел. Одета она худо, бедно, провинциально.

— Когда освободилась?

— Позавчера... Спасибо вам. Ваш земляк Ваха сказал, чтобы я там более не оставалась. Это он посоветовал к вам. Я проездом.

— И куда?

Она замялась и после паузы:

— К подружке по детдому. В Воркуту.

— Это значит в никуда?

Она совсем обмякла, опустила голову.

Тота кинулся к ней, с силой и страстью обнял, так что она простонала, косточки хрустнули...

— У меня сейчас две пары семинарских занятий, — это Болотаев замещает заболевшего научного руково-

дителя, – а часов в шесть-семь я вернусь... Ну, располагайся. Я побежал.

У Тоты часто останавливались гости – земляки. Но это особый случай. И он очень хотел побежать к Даде, да у него еду приготовить не из чего. В магазинах полки пустые, даже если деньги есть, а у него их нет – он долг погашает.

Всё-таки не с пустыми руками он в общагу пришёл, а уже от лифта вкусный аромат.

Стол накрыт и столько блюд.

– Ты где взяла всё это? – удивился Тота.

– У соседей. Точнее, они сами предложили. Я нашла у вас лук, картошку, хотела пожарить, и они жаркое готовили, я предложила помощь. Вот так получилось и у нас, и у них. – Она демонстрирует стол. – А что?

– Что? Что?! – возмущен Тота. – Ты разве не видишь их?

– Очень вежливые, нормальные африканцы. Гораздо лучше, чем пьяные и грубые мужланы.

– Это, может, и так, – согласился Тота, – но с иностранцами надо быть очень осторожным. А что-то у них брать!.. Понятно?

– Понятно, – согласилась Дада, – что это не наша общага в тайге.

Общежитие было построено к московской Олимпиаде 1980 года, блочного типа. Небольшой общий коридор, санузел и двух- и трехместные комнаты. Болотаев занимал трехместную, большую комнату. У него прописан студент-земляк, который живет на съемной квартире и не появляется здесь. Соседи Болотаева тоже аспиранты. Правда, их цель – не защититься, а под разными предлогами как можно дольше пробыть в Москве, где они, пользуясь дефицитом во

всем, регулярно выезжают в свои страны, привозят всякие вещи — от спиртного и сигарет до джинсов, дубленок и иных «шмоток», на чем зарабатывают вроде бы хорошие деньги.

В СССР такое считалось спекуляцией, было уголовно наказуемо и обществом вроде бы порицалось, хотя почти все, кто жил в Москве, так или иначе к этой сделке или спекуляции порою бывали причастны, ибо иных вариантов приобрести что-либо нормальное не было.

Болотаев тоже пару раз со спекулянтами контактировал, себе джинсы брал, маме кожаное пальто и ещё кое-что по мелочи. Правда, всё это было не с соседями, которых Тота держит на дистанции.

Так, после приезда Иноземцевой, утром, стоя в маленькой прихожей, он грубо постучал к соседям и через закрытую дверь крикнул:

— Эй, вы! Ко мне девушка приехала, поэтому ведите себя тише воды, ниже травы. А санузел для вас только вечером и утром, по полчаса. Понятно?

— Да-да, товарищ Тота, — дружно ответили соседи, не открывая дверь.

А вот Дада из-за этого диалога сильно возмутилась:

— Как так можно?! — не находит она даже слов. — Это просто не по-человечески, невыносимо!

— О чём ты, Дада? — усмехается Болотаев. — Ты ведь их не знаешь.

— Не знаю, но знаю, что вы не правы. — Она нервно размахивает руками и как последний аргумент: — Неужели вы окончили институт культуры?

Если бы это сказал кто-либо другой, обида Болотаева была бы серьезной и, может, был бы конфликт.

Однако на Даду Тота обижаться не может, она без шума и незаметно навела во всем боксе аптечный порядок, всегда приготовлена еда, уютно, и, главное, она ничего не требует, не просит и, вообще, незаметна, как в сибирский активированный день, тиха, если её не трогать. А вообще-то она часами напролет что-то вяжет. Этот процесс порою идет и ночью при свете ночника, и тогда Тота сквозь сон слышит, как нежно спицы пищат, словно мыши в углу играют. И что самое интересное, она почти что неревнива или делает вид, что не ревнует. По крайней мере, вечером, когда Тота возвращается, она сообщает, что заходила, к примеру, блондинка Вера, или брюнетка Люся, или ещё какая-либо дама, и это всё без видимых эмоций. А вот когда объявилась одна уж очень навязчивая аспирантка и Тота был в комнате, Дада засобиралась было прогуляться, хотя до этого даже боялась выходить, но Тота остановил её:

— Уже поздно и ветрено, — и обращаясь уже к аспирантке: — Что-то хотела сказать или спросить?

— Да, наша гостья не желает быть на нашем вечере? Как-никак, а восьмое марта, Женский день?

Тота явно смутился, губы сжал, молчит, а девушка продолжает:

— Ну, как говорится, молчание — знак согласия. Я за вами завтра в пять зайду.

— Она не хочет, — выдал Болотаев.

— Почему не хочет? — и обращаясь к Иноземцевой, делая акцент на первом слове: — Наш Болотаев такой талант. Он такие вечера устраивает.

— Я знаю, — вдруг сказала Дада, — но вряд ли смогу, да и настроения нет.

— Вот и поднимется настроение.

– Уже спать пора, – выпроваживает Болотаев гостью. И когда она ушла, уже не глядя в сторону Дады: – Тебе там делать нечего... Хотя... – Он задумался и выдал: – И я, если мог бы, с удовольствием не пошёл бы, но нельзя – обязаловка, партзадание.

– Так вы член КПСС? – удивилась Дада. – А было бы интересно посмотреть, как вы исполняете партзадание.

– Я тебе отдельно самое лучшее после вечера здесь покажу, – без энтузиазма пообещал Тота, на что она без упрека заметила:

– Да не волнуйтесь вы. Мне-то и на люди не в чем выйти. Тем более в Москве.

Наступила пауза. Он стоял. Она, как впущенная в дом жалкая собачка, сидела на самом краю кровати, прямо у входа.

– Я вас понимаю – пала на шею, – сказала тихо и чуть погодя: – Дайте мне в долг, я к подруге поеду.

– И где твоя подруга?

– В Воркуте.

– И сколько?

– Семь сорок – общий вагон.

Тота полез в карманы. Всё содержимое выложил на стол. Дважды пересчитал мелочь. Со злостью вывернул карман. Тут же стал стучать соседям в стенку:

– А ну быстро сюда, господа иностранцы!

К удивлению Дады, соседи моментально появились в дверях.

– Так! – командовал Тота. – Эту даму надо прилично прикинуть.

– Что именно, товарищ Тота?! – почти хором сказали иностранцы.

— Ну-у, — замешкался было Болотаев, а потом, как с барского плеча, даже махнув щедро рукой: — Всё!

— Всё — это что? — снова последовал вопрос

— Так, туфли. Джинсы. Блузка, — сгибал он пальцы. — Далее кофта... что ещё? — Это он спрашивал уже у Дады.

Та лишь повела плечами: мол, ничего не надо. Однако Тоту уже не остановить:

— Ещё пальто, кожаное.

— Турция, Италия, Франция?

— Лучшее! И такое... э-э... помните вы одной чеченке достали? Такое... бордовое с воротником.

— О! Это две тысячи стоит.

Тота застыл, лишь кадык задергался.

— Ничего не надо, — вскочила Дада, — уходите, пожалуйста. — Она стала выталкивать соседей и, когда закрылась за ними дверь, уже другим тоном предложила: — Тотик, — так она его ласкала, — давайте выпьем чай.

На следующее утро, как завелось с появлением Иноземцевой, Тоту поутру разбудил аромат душистого чая. Выглаженный костюм, свежая сорочка, носовой платок, разбросанное содержимое карманов — всё сложено аккуратно.

Выйдя на улицу, Болотаев деньги пересчитал: как и накануне, ровно семь тридцать пять...

Пять копеек не хватило на дорогу Даде. И Тота даже не знал, хорошо это или плохо. В смысле что было бы лучше — уехать ей или остаться?

* * *

Конечно, задним числом все умны. Однако, уже сидя в тюрьме, Болотаев не раз вспоминал, что толь-

ко одна Дада Иноземцева, когда он был уже, казалось бы, состоявшимся ученым-экономистом-финансистом и вообще вроде бы взрослым человеком, сказала ему правду.

Это было 8 марта 1989 года, время очень тяжелое, непростое. Кризис, даже крах, во всём и прежде всего социалистической системы. Огромная страна катилась к развалу. В магазинах пусто. Карточная система. Почти все одинаково бедные. И мало у кого есть платья и костюмы, как говорится, для выхода в свет.

А вот Иноземцева, скрытно от Тоты, появилась на вечере, и некоторых даже шокировало её цветастое (голубовато-розовое) шерстяное, вязаное платье и черные лакированные туфли на высоких каблуках. А она и так высокая, крепкая. Словом, приковала она взгляды. Однако она не стала демонстрировать себя, скромно села среди пожилых женщин, где-то в центре зала, и тут слышит, что, оказывается, её соседки по ряду долго ждали этого вечера, а точнее концерт Болотаева, который он дает дважды в год, на Новый год и 8 Марта.

Эта информация, по мнению Иноземцевой, была более чем впечатляющей. Прожив короткую, но очень жёсткую жизнь, Дада думала, что хорошо разбирается в людях, почти каждого может оценить. И в этом отношении, конечно же, Болотаева она ценила не только как мужчину, а прежде всего как человека творческого начала.

Это чувство, чувство не влюбленности, а поклонения перед талантом и, как ей казалось, природной интеллигентностью, возникло у Дады, когда она увидела, как выступал Тота в сибирском кафе. Однако полумрак провонявшего суррогатной водкой, табаком и рабочим потом поселковое приполярное кафе-забегаловка и сце-

на актового зала Академии финансов. И это, понятное дело, не Большой театр, но деньги есть и поэтому и инструмент, и реквизит, и костюм на Болотаеве – классная черкеска!... У Дады даже дыхание перехватило от восторга, и она не заметила, как стрелой пролетел этот час искрометного выступления.

И ещё минут десять Болотаева просили на бис, и, пожалуй, громче всех проявляла эмоции потрясенная Иноземцева. И только когда Тота со сцены вдруг кинул букет роз в её сторону – не долетел, – она как бы очнулась, первой устремилась к выходу.

Всё же Дада думала, что Болотаев вряд ли её заметил, а тем более узнал, но он как только с тортом и цветами зашёл – от него слегка разило, – усмехнулся:

– А парик тебе тоже идет. Давно вооружилась?

– Да, для маскировки, – в тон ему ответила Дада.

– А почему черный, а не как родные?

– Под черным париком шрам меньше виден.

Эта тема была очень деликатной, поэтому Тота постарался перевести разговор на другую тему:

– А платье связано прекрасно. Такие цвета. Ты просто мастерица! – похвалил он.

– Это вы прирождённый актер, артист! – восторженно отозвалась она.

Так они в этот праздничный вечер говорили друг другу ещё много комплиментов, однако итог был грустным.

– Тотик, – тихо говорит Дада, – когда вы по ночам сидите над своей диссертацией, на вашем лице страдание. Это не ваше. А вот сегодня на вечере вы просто жили и сияли. Это ваше!

– За песни и танцы не платят, – усмехнулся Болотаев. – А за чеченские, тем более лезгинку, и по башке бьют.

— Но это то, что вам дано сверху, и по этому пути следовало бы вам идти.

...Это была абсолютная истина, которую и сам Тота прекрасно понимал. Однако никто по жизни об этом Тоте, помимо Дады, четко и откровенно не сказал. А мать, самый близкий, единственно близкий человек, наоборот, была изначально категорически против карьеры артиста, и с ней невозможно было спорить хотя бы потому, что она сама была артисткой и не просто артисткой, а заслуженной артисткой РСФСР, народной артисткой Казахской ССР и Чечено-Ингушской АССР.

...И эта мать, то есть любимая мама Болотаева, почуяла, что её единственного сына вновь хотят поставить на этот неблагодарный путь артиста, а вернее, кто-то донес. Словом, пользуясь праздниками, мать Тоты на следующий день — 9 марта — примчалась в Москву. Как назло, в этот выходной Тота рыскал по магазинам столицы в поисках провизии, а когда через три-четыре часа вернулся в общежитие, вместо Дады застал насупленную мать. И конечно же, Тота обрадовался, обнял её, но первые слова были:

— А где Дада? Здесь была девушка.

— Какая девушка? Как тебе не стыдно?! Как ей не стыдно?!

Тота уже выскочил в коридор, а ему вслед:

— Весь мир знает, что она уголовница, рецидивистка, аферистка, безродная, — а у матери голос четко поставлен, и даже у лифта Тота слышит, — охмурила ребенка наивного. Не пройдет!

От последнего Тота даже усмехнулся. Но далее всё было не очень весело. Поздние сумерки, вечерело. Сыро. Промозгло. Шёл мокрый снег. Под ногами грязь.

Почему-то Болотаеву казалось, что вокруг такая же, активированная из-за холода отношений, ситуация, когда его Дада спасла, а он... её след пропал.

Зная характер матери, через полчаса, а может, и час, не найдя Даду, Тота вернулся, но и матери нет, на столе записка: «Дорогой, больше меня не расстраивай. Я нашла тебе замечательную невесту. Летом сыграем свадьбу. Я готовлю. А сегодня меня пригласили на спектакль в Ленком. Ночевать останусь у Жанны. Завтра утром приеду... Помни, ты — моё всё! Не огорчай меня. Телефон Жанны помнишь? 243-15-67. После 23.00 будем дома. Позвони. Целую».

В этом была его мать — настоящая актриса. Вечно на гастролях, вечно в дороге и общение с ним на бегу, через такие письма и записки.

На сей раз Тота был даже рад, что мать уехала к подруге. Он тотчас помчался на Казанский вокзал, помня, что Иноземцева интересовалась расписанием поездов с этого вокзала. Не нашел. А вернувшись в общежитие, немного успокоился — под кроватью обнаружил допотопный чемодан Иноземцевой. Она говорила, что это чемодан отца, которого она очень смутно помнит. «Значит, Дада вернется», — успокоился Тота.

Но она не вернулась, буквально исчезла, а утром пришла мать и с ходу:

— Сынок, я в тебя столько вложила. Так на тебя надеялась, всю жизнь тебе отдала, ради тебя по тридцать концертов в месяц давала, а ты...

Тота очень любил свою мать и очень хорошо её знал. Мать всегда проклинала и ненавидела профессию артиста и всех артистов, однако, если бы ей сказали, что сцена и театр для неё закрыты, она бы от ужаса умерла. Мать любила играть и, как казалось Тоте, играла по-

стоянно, постоянно пребывая в некоей роли. Такова была её сущность, и Тота её даже за это, за бесконечную преданность своему делу, уважал. Правда, последний монолог, точнее упрек, который произносился всегда, он воспринимал спокойно, однако на сей раз что-то произошло, и он ответил:

– А что я?

– Как что?! До чего надо дожить и до чего надо довести бедного юношу, чтобы он помчался на вокзал и по рупору на весь свет объявил: «Гражданка Иноземцева, вас ожидает Болотаев у справочного бюро!»

– Откуда ты всё знаешь, нана?

– Я ничего не знаю, – с вызовом ответила мать. – Это меня весь мир знает!

– Это факт!

– Но-но! Что-то я слышу фальшивые нотки в твоем голосе.

– Давно не репетировал.

– Но-но! Никаких репетиций, сцен и прочее. Хватит, что я отдала без толку свою жизнь неблагодарной публике... Ты ученый-финансист. Защитишь диссертацию и домой. Я уже нашла тебе работу и невесту.

– Выгодная?

– Ты мне дерзишь?

– Я о работе.

– Ну, сразу министром финансов не станешь, но завотделом для начала неплохо... Что молчишь?

– Спасибо, нана.

– «Спасибо»! Ты как ребенок... Кого ты в комнату пустил? Даже фамилия Иноземцева о многом говорит, а имя – Дада! Ужас! Что у русских имён женских нет?

Тота молча слушал, а мать продолжала в том же тоне:

— Говорят, что она вообще... А этот шрам! Кошмар.

— Нана, — перебил её Тота. — Она мне жизнь спасла.

— Жизнь и смерть в руках Всевышнего... Впрочем, ты хоть знаешь, кто её мать, отец, откуда родом и так далее?

— Она сирота. Круглая. Детдомовская.

— Чтооо?! — словно одернули женщину. — Она детдомовская? — уже совсем иным голосом спросила мать. Её артистизм мгновенно исчез. Она даже как-то сразу осела, сгорбилась. Словно ноги ослабли, неуклюже присела на кровать. Долго молчала, глядя в никуда, и потом шепотом: — Ты ведь знаешь, сынок, как сослали нас в Сибирь. Я тоже осиротела. Попала в детдом. — Она заплакала. — А как было плохо... До сих пор в снах этот кошмар...

Эту историю Тота слышал. Однако, как сейчас, тихо, скорбно и долго она никогда не плакала.

...В тот же вечер мать улетала домой. Стоя перед зеркалом, выправив стать, она с удовлетворением рассматривала новый подарок сына — импортные сапоги.

— Спасибо, сынок... Мои как раз поизносились. Провожать меня не надо. У тебя защита. Время попусту не теряй. И честь беречь надо смолоду. Вон даже у русских так. Почитай Пушкина «Капитанскую дочь». А жениться ты можешь только на чеченке. И девушке чистой. Понятно?

— Да, нана.

— Сам найдешь или я займусь?

— Сам.

— Тем не менее надо будет обратить внимание и на мои кандидатуры. Ведь мать плохое не скажет. Разве не так?

— Так, нана, так.

* * *

Это на воле время летит, как птица. А в тюрьме, в неволе, ой как медленно, как мучительно медленно время ползет. Особенно когда такой срок. А каков срок всей жизни? Это, к счастью, неизвестно. А Болотаев в тюрьме спасается лишь тем, что живет воспоминаниями.

Так, 9 марта 1989 года к Тоте неожиданно приехала в гости мать. С тех пор Дада Иноземцева просто исчезла. Поначалу Тота думал, что Дада вот-вот объявится, ибо её чемодан, чемодан её отца, остался у него в комнате, под кроватью. Однако дни, недели, месяцы летели, Дада не объявлялась. К тому же и дела у Тоты стали напряженными.

На осень была назначена защита кандидатской диссертации, и стало просто не до Иноземцевой, он про неё практически забыл и лишь иногда, делая уборку либо случайно заглянув под кровать и увидев там старый чемодан, Тота вспоминал её. Пару раз даже думал выкинуть этот чемодан, но что-то удерживало его. У чемодана был особый звук при ударе, и Тота, когда порою загуливал, использовал чемодан как своеобразный барабан для ритма лезгинки. Правда, в последнее время, перед защитой, это случалось крайне редко.

Из семи аспирантов потока лишь Болотаев в срок, к концу третьего года обучения, вышел к защите, а тут вдруг неожиданность: диссовет лишили аккредитации, плановая переаттестация, от этого не легче. И хорошо, что из общежития не выселили и сохранили стипендию до защиты диссертации, которую назначили на 5 марта.

На защиту приехала мать. Ровно год Тота её не видел, но строго, раз в неделю, бегал на переговорный пункт, чтобы выслушать её наставления и каждый раз:

— Я тебе такую невесту нашла, красавица... Но сейчас главное — учёба. К защите готовишься?

Защита диссертации прошла блестяще. Мать была очень довольна, и хотя у неё уже был взят обратный билет и спектакль с её участием в Грозном, она решила остаться в Москве, ибо около деканата увидела объявление, что 8 марта в актовом зале состоится прощальный бенефис Тоты Болотаева, и приписка: «Просьба заранее дать заявки, свободных мест не будет».

Мать Тоты такого фурора не ожидала.

— Даже меня так нигде не встречали и не провожали, — со слезами на глазах обнимала она сына после концерта.

Подошедший декан сказал:

— Вот его стихия — музыка, танцы, песни, а он?..

На что мать ответила:

— Уважаемый профессор, я — заслуженная актриса России, и поверьте, гораздо лучше и выгоднее знать экономические законы.

— Какие законы?! — усмехнулся декан. — Тем более экономические? Тем более в наше время, в нашей стране?

— Спорить с вами не буду, не знаю, — улыбнулась мать Тоты, — но знаю твердо одно: меня, одной жертвы сцены, для одной семьи предостаточно... А мой сын — кандидат экономических наук! Его уже ждет дома прекрасная карьера банкира-финансиста.

Ехать в Грозный Тота особо не желал, но в стране Советов с твоим желанием мало считались, был институт прописки, и по нему через две недели после защиты аспиранта выписывали из общежития, точнее из Москвы, и необходимо возвращаться, то есть в течение недели прописаться в Грозном.

Конечно, как и в любом тоталитарном обществе, этот институт прописки можно было как-то обойти, однако перед Болотаевым непререкаемая воля мамы. И уже найденная хорошая работа с перспективой.

Болотаеву уже за тридцать, и он сам понимает, что пора остепениться, обзавестись семьей и так далее, что свойственно по традиции. И с Москвой надо рассчитаться, может, даже совсем и окончательно порвать, и, думая об этом, он имеет в виду некие угрызения совести: Дада Иноземцева исчезла и никакой весточки от неё нет, а целый год прошёл.

Поначалу Тота даже подумал, что, как говорится, баба с возу — кобыле легче, но потом, где-то через месяц, он почувствовал, что Дада в беде. Что делать? Чемодан Дады. Оказывается, он был закрыт на замок. С помощью маленького согнутого гвоздя Тота раскрыл этот допотопный чемодан: там немного поношенной одежды, несколько фотографий дочери Дады и то, что он хотел найти, — старая, истертая записная книжка.

Болотаев знал, что Иноземцева очень скрытный человек, и блокнот это подтвердил: вся информация зашифрована, а там, где ясно, — это служебные телефоны и адреса. Тем не менее Тота написал послание по нескольким адресам. Последовал только один ответ, где напрашивались в гости в Москву и спрашивали, кто такая Иноземцева.

На этом с историей Дады можно было бы и точку поставить, а чемодан?

Понятно, что в Грозный он чемодан не повезет, но и выкинуть его он не смог и после раздумий решил оставить его у соседей-африканцев.

— А что она, пропала? — удивлялись соседи. — Хорошая девушка. Очень.

Тота, как мог, объяснил ситуацию.

— Да, — вспомнили соседи, — твоя мать её тогда так отчихвостила. Ужас!..

— Русский-то вы лучше меня выучили, — решил поменять тему Тота, передавая чемодан.

— А если нас выпишут и она не объявится?

— Выкиньте.

— А может, сейчас?

— Хотите и сейчас.

— Да нет. Нет проблем. Как говорят русские, хлеба не просит... Правда, одна проблема есть. Дада очень просила тебе Тота не говорить, но она перед отъездом заняла у нас пятьдесят рублей сроком на месяц. А уже более года прошло.

— Понял. — Лицо Болатаева стало пунцовым. — Я отдам. Сейчас денег нет, но я отдам... Вот мой адрес в Грозном для гарантии и на всякий случай.

...В итоге после стольких лет Тота покидал Москву уже остепенённый, в смысле — кандидат наук, но с долгами, с большими для него долгами, которые повисли на нём из-за Иноземцевой. Тем не менее он на неё не был в обиде, ведь она ему жизнь спасла, а этот долг как откуп, а может, и искупление. Последнее. И точка...

* * *

Из тюрьмы на мир смотришь по-иному и мир видится по-иному. И если бы заново можно было жить, то Болотаев хотел лишь одно поменять — всегда быть рядом с мамой... Но бывало и так, что она сама прогоняла единственного сына от себя. Пыталась уберечь его. Впрочем, по порядку.

Случилось знаменательное событие. В честь пятидесятилетнего юбилея Мариам Болотаевой было при-

своено звание «Заслуженная артистка РСФСР» и выделена двухкомнатная квартира. Собственное жилье впервые в жизни у матери и сына Болотаевых. В эту квартиру и приехал Тота после аспирантуры.

— Как я рада, как я счастлива! — ликовала мать.

Тота этот оптимизм особо не разделял. Конечно, собственное жилье — это отлично. Однако квартира хоть и в новостройке, но на краю города, в микрорайоне. И эту квартиру надо полностью обставить, а какие деньги у провинциальной актрисы в заурядном национальном театре?! Вот и спит Тота на матрасе, на полу. Так это Тоту не тяготит, гораздо хуже другое: за годы жизни в Тбилиси и в Москве он привык свободно одеваться, битловскую причёску иметь. В Грозном такой стиль не приветствуется, а на работу, тем более в нацбанке, куда его мать по блату устраивает, и вовсе надо ходить в строгом костюме и при галстуке.

Рабочий день с девяти утра до шести вечера, а оклад чуть более чем у аспиранта — 110 рублей, хотя должность и называется «заведующий отделом экономических реформ».

Тема женитьбы, которая в последнее время постоянно обсуждалась, теперь отодвинута на некоторое время, ибо, как считает мать, во всем должен быть порядок. Значит, вначале ремонт квартиры, потом мебель, ковры и машина и только после этого — достойная невеста. Правда, есть ещё одно «но». Оказывается, у матери тоже есть долги, и немалые. О своих долгах, понятное дело, Тота и не упоминает. Как профессионального финансиста, мать просит Тоту посчитать время решения всех проблем, исходя из их зарплат.

Тут и финансистом быть не надо. При полной экономии всего и вся нужно лет десять для уплаты долгов.

Однако мать с этой задачей решила справиться очень быстро и уже планировала свадьбу сына на следующую осень.

На следующую осень мир, в образе Советского Союза, полностью перевернулся, а Страна Советов и даже советские граждане как бы исчезли... А до этого были серые будни чиновничьей жизни Тоты Болотаева, с редкими всплесками некоей активности.

Как выпускник Финансовой академии, Болотаев изучал расширенный курс банковского дела и даже практику проходил. Однако странная ситуация была в вузах СССР: изучали одно, а на деле — совсем иное. К тому же в целом по стране чехарда, вроде бы перестройка во всём, а на самом деле тяжеленный кризис и даже катастрофа, особенно в финансах. Инфляция, как стало модно говорить, галлопирует.

Отдел у Болотаева новый, вместе с ним всего три человека. «Новых экономических реформ» нет. А работы много. Болотаев напрямую подчиняется директору банка. Директор тоже человек новый, со стороны, вроде добрый, честный человек, но некомпетентный в банковском деле. Говорит, что за должность дал большую взятку и теперь должен возместить свои затраты и Тота будет жить не на одну зарплату, если будет делать всё, что скажет директор. Тота старается, работает по выходным и праздничным дням.

В стране кризис, а в нацбанк деньги текут рекой, и большая часть исчезает в виде льготных и беспроцентных ссуд, кредитов для поддержки малого и среднего бизнеса или разведения кур, отгонного животноводства и так далее.

Конечно, Болотаев денег не видит, но цифры впечатляют, и по прошествии времени он понимает, что какие-то силы вели страну к краху, к развалу. А в тот период сам Тота думал, что, участвуя косвенно во всех этих махинациях, и он должен получить кусок от пирога, тем более что директор об этом уже намекнул. И вот наступил Новый год, а вместе с ним и долгожданные премии: всего двадцать пять рублей. Возмущенный Болотаев рванул к директору.

– А что ты хотел? – удивился тот. – Сразу миллионером стать? Без вызова в кабинет? Ну и нравы!

В тот же день Болотаева вызвали в отдел кадров и предложили написать заявление об увольнении.

Мать Тоты возмущалась, плакала, проклинала на чем свет стоит директора:

– Какая подлость! На Новый год такой подарок! Я этого так не оставлю!

– Может, я уеду в Москву? – о своем выдал сын.

– Что?! Какая Москва?! Тебя женить надо. А работу я тебе найду, ещё лучше этой... И как ты меня одну оставишь?! Я уже старая!

– Ты у меня самая, самая! – обнял Тота мать. – А работу я сам найду, хорошую.

Так и получилось. На Новый год Тота позвонил своему другу, однокласснику Мише Хазину, и между прочим рассказал о своих проблемах. Михаил предложил ему сходить после новогодних праздников к своему отцу – замдиректора объединения «Грознефть», а Болотаев как раз специалист по экономике нефтяной промышленности. К тому же выяснилось, что русскоязычное население, которое в основном работало в «Грознефти», в массовом порядке покидает республику. Так что Болотаев сразу получил должность замначальника планово-экономического отдела и оклад в два раза больше, чем в нацбанке, и работа чистая и честная,

спокойная. Правда, пару раз это спокойствие было нарушено. Тоту вызывали в прокуратуру, но вызывали как свидетеля по поводу прежней работы. Особых показаний он не дал, но, видя, с каким рвением правоохранители докапываются до директора нацбанка, подумал, что того точно посадят. Но вышло наоборот, в рост пошёл — вице-премьер правительства.

«Да, хреново, видать, дела», — подумал Тота, но особо не горевал, ибо так получилось, что его начальник отдела неожиданно уехала навсегда в Израиль, и Болотаев стал начальником отдела, и зарплата ещё выше.

Так, помаленьку, и жизнь стала налаживаться, и быт улучшаться. Кое-какую мебель в квартиру Болотаевы купили. Вот только в центре Грозного страсти разгорались. Начались митинги. Чехарда не только на Кавказе, но и в Москве. С каждым днем обстановка становилась всё напряжённей. И тут отец Миши вызвал Болотаева:

— Тота, ты друг моего сына, поэтому хочу сказать, как старший и повидавший многое человек. В стране смутные времена, а здесь и вовсе будет бардак. Я уже вышел на пенсию, мы здесь почти всё продали и уезжаем в другую страну. И тебе советую, уезжай вместе с матерью.

— Это наша Родина, и нам некуда и незачем уезжать, — заявила мать категорично. — Вольному — воля, кто хочет, пусть уезжает.

— Нана, а эти митинги?! — озабочен Тота.

— А что митинги? Власть и свобода просто так не даются. Мы об этом мечтали. Год назад тебя, как чеченца, близко бы к «Грознефти» не подпустили, а теперь одни чеченцы работают.

Последнее утверждение, конечно, неверно, и там, где условия труда во всех отношениях достойные, во

все времена — конкуренция. И даже поэтому Болотаеву очень приятно, что за столь короткий промежуток времени работы— всего полгода — ему вдруг предложили высокую должность — замдиректора по экономике.

Скорее всего, это случилось по рекомендации уехавшего Хазина, но и Болотаев показал себя ответственным, трудолюбивым работником. Хотя, по правде говоря, все показатели шли резко вниз, но все понимают, что рушится вся система огромной страны и пощады для таких стратегически важных организаций не будет и не может быть, потому что «Грознефть» — это, пожалуй, единственное объединение, которое ещё функционирует и где ещё есть деньги, даже валюта и нефть. И поэтому, как только те силы, так называемые революционеры, которые с помощью митингов и демонстраций, а также при поддержке новой власти в Москве и в Грозном взяли верх, первым делом пошли захватывать, как учил ещё Ленин, не почту, телеграф, вокзал и банк, а именно объединение «Грознефть». И самым поразительным было то, что все правоохранительные органы никак не реагировали на весь этот беспредел.

Толпа вооруженных, грубых, бородатых и наглых мужчин с криками вломились в головное здание объединения. Испуганных сотрудников собрали в актовом зале, и тут, почему-то в грязных сапогах да на столе стоит чернобородый чеченец-здоровяк с пулеметом наперевес и на хорошо поставленном русском языке объявляет:

— Отныне власть принадлежит народу! Это всем понятно? Или у кого-то есть вопросы?

Если бы этот «революционер» был не чеченец, то Тота, скорее всего, постарался быть вне этой вакханалии, но, как говорится, за народ обидно, и он сказал:

— А разве не с 1917 года власть принадлежит народу?

— Что ты сказал? — грозно глянул сверху вниз здоровяк. — А ну повтори!

— Повторять нечего, а вот вопрос есть, — в тон ему ответил Болотаев.

— Какой у тебя вопрос? — перешел на чеченский «революционер».

Тота тоже перешел на чеченский:

— А ты у себя дома тоже, как свинья, по столам в грязных сапогах ходишь?

...Очнулся Тота в больнице. Рядом сидела мать. Плакала и поносила всех этих мерзавцев и бандитов, то есть «революционеров». Тота отделался легко, могло быть и хуже. Врачи рекомендовали пару дней отлежаться, отдохнуть и вообще сменить обстановку, климат, то есть уехать куда-нибудь подальше из республики. На что мать твердо сказала:

— Нет! На старости лет мой единственный сын должен быть рядом со мной... И прежде всего должен жениться. А от этой работы и этой нефти до сих пор пользы не было и впредь не будет.

Решение матери для Тоты — закон. Пошёл он в «Грознефть» трудовую книжку забрать, а там словно ничего и не было, всё как прежде, и даже усиленной охраны нет, и Болотаеву объяснили:

— Был звонок из Москвы, чтобы никто к нефти не подходил. Так что эти уроды, поджав хвосты, убрались восвояси.

Таким образом в объединении «Грознефть» образовался некий оазис, где очень спокойно, всё функционирует и высокая зарплата есть, а вот вне объединения — анархия и хаос.

...Не один раз, как обычные студенты в СССР, а два раза в разных вузах Болотаев сдавал экзамен по истории КПСС и поэтому прекрасно знал, к чему привела революция в России 1917 года, — это был переворот, репрессии, убийства и война. И Болотаев понимает, что если не найдутся какие-то здоровые силы, то будет катастрофа, которая сметет всё на своем пути — и «Грознефть», и его самого. Однако Болотаев верит в здравый смысл человечества, к тому же его благосостояние улучшается: на работе по госцене, а это, считай, копейки, он приобрел цветной немецкий телевизор «Грюндик». Правда, это из Восточной Германии, то есть ГДР, но всё равно — это мечта и особенно рада мать. А вот у Болотаева своя радость — уезжали навсегда из страны знакомые евреи и почти даром продали японский стереомагнитофон и в придачу кассеты с записями. Так что Тота каждый день торопится домой. А дни стали короткие, а уличное освещение, тем более в далеком от центра микрорайоне, начали отключать, мрак наступает во всех отношениях. И даже Болотаев, в самом зрелом возрасте здоровый человек, по вечерам с оглядкой к дому торопится, и тут доносится женский крик из тупика:

— Люди, помогите, спасите, убивают!

Болотаев бросился на крик, женщину он спас, но и ему досталось; побитого и окровавленного притащили его к квартире прохожие.

— Всё! Уезжай! Хоть куда уезжай! — плакала мать.

— Ну куда я уеду? — с перевязанной головой, слабо возражал Тота.

— В Москву!

— Тут работа, дом...А там что? Кто меня в Москве ждёт? И тебя я здесь одну не оставлю.

— Не спорь и не перечь матери! — был вердикт. — И мне будет спокойнее... А я, сам знаешь, без моего театра и сцены не смогу... Да и перебесятся скоро изверги, тогда и вернешься. Всё!

* * *

Когда человек попадает в экстремальную ситуацию, он начинает думать, что если на сей раз его пронесет, то далее он сделает всё возможное и невозможное, чтобы такое не повторилось. Однако всё быстро забывается, и ошибки повторяются. А остановиться и подумать о них некогда и неохота. Кажется, что всё и вся знаешь и что тебя злой рок судьбы обойдет... Правда, попав в неволю, человек трезвеет. Но поздно... это к тому, что в тюрьме Тота впервые подумал, если бы он тогда, в конце 1991 года, в Москву не уехал, то, ему кажется, всё было бы по-другому. Хотя...

Полтора года провел Болотаев в Грозном. За это время он два раза был в Москве, в командировке, когда вызвали на собеседование в Главк и через неделю, когда утверждали в должности замдиректора.

Эти командировки были по высшему разряду — в аэропорту встречала машина, шикарная ведомственная гостиница, служебные кабинеты и через день вновь отвозят в аэропорт. Это как бы жизнь элиты, и Болотаев даже не мог ощутить атмосферу столицы. И вот он вновь оказался в Москве уже в качестве иногороднего безработного, которому надо встать в милиции на учет, а то и шагу не ступить без регистрации, хотя бы временной. Жизнь в стране и в Москве стала тяжелой. Даже по внешнему виду столица огромной державы резко изменилась: всюду, в самом центре, грязь, мусор, люди мрачные, злые.

В магазинах — пустые прилавки. Кризис. Инфляция. Преступность.

У Болотаева особых вариантов и не было. На время он остановился в общежитии у своего товарища—чеченца. Здесь в неделю пару раз собирались земляки и порою со спиртным. И вот один раз «поляну накрывал» некий Мафиозо. Понятно, что Мафиозо — это не имя, а кличка. Мафиозо — «вечный» студент, и непонятно, где он учится, на каком курсе учится, учится ли вообще или закончил учебу. Этот Мафиозо очень известная фигура в студенческом городке. Спортсмен, когда-то выиграл первенство Москвы по борьбе, сломанные уши. Теперь он пьет, курит, играет в карты, казино, дискотеки. Ну и в спортзале иногда появляется. Каждые полгода меняет машины. Он, как тогда говорили, фарцовщик. Все или почти все иностранные студенты и аспиранты были под его контролем или «крышей». В общем, Мафиозо был уже немолод, где-то ровесник Болотаева, и Тота с искренним побуждением иногда говорил Мафиозо:

— Не трать время зря. Раз приехал учиться — учись. Вот видишь, я уже кандидат наук.

— Ну и что? И что дала тебе твоя диссертация?.. А сюда посмотри. — Он демонстрировал Тоте не только пачки рублей, но и доллары, которые Болотаев лишь у него и видел.

Пути Тоты и Мафиозо пересекались очень редко, но метко. Это случалось только на дискотеках, вечеринках, концертах, и понятное дело, что Тота всегда на высоте и девочки к нему «липнут». Словом, Мафиозо завидовал и недолюбливал Болотаева. А Тота в свою очередь свысока смотрел на «вечного студента» и спекулянта.

И вот так получилось, что после долгого времени они встретились. Мафиозо угощает. В магазинах шаром покати, а тут стол ломится от яств, и Тота впервые увидел и попробовал чудо-напиток виски.

— Ну как там, в Грозном? Как в Чечне? — всё интересовался Мафиозо у Болотаева. — Говорят, и тебя революция не пощадила, в Москву бежал.

Это было сказано в шутку. Все засмеялись, и Тота смеялся вместе со всеми. Потом Мафиозо говорил об искусстве и о матери Тоты как артистки и Болотаева назвал наш «балерин», что уже подвыпившему Тоте было даже приятно слушать, но вскоре он вырубился, уснул и вроде вечеринка славно прошла.

Однако через пару дней играли в футбол, и Тота не так сыграл, и один из земляков на всё поле:

— Слушай, ты, балерин, сын артистки, это тебе не балет, а футбол!

Для чеченца это было страшное публичное оскорбление, после чего Болотаев должен был бы с кулаками отстаивать свою честь, а главное, честь матери. Однако он это сделать не смог. Он просто опустил голову и, никому более слова не говоря, как побитая собака, покинул спортзал, ибо он был действительно дважды побит в Грозном и это сказалось на его психике: произошел какой-то глубинный надлом и, более того, вот этот некий внутренний стержень, который должен держать грацию и стать танцора, искривился, и он даже не хочет и не может более танцевать — душа не поет, тело не пляшет.

И Тота понимает, что его изначально унизили и оскорбили не в спортзале, а Мафиозо в комнате общежития. Более в этой комнате жить Тота не захотел. В тот же вечер он стал искать себе в аренду жилье и вре-

менно поселился в гостинице, где всё очень дорого. Он стал избегать встреч с земляками из Финакадемии. Однако он понимал, что, даже не видя их, он отныне сам с собой жить в ладу не сможет. По ночам не спалось, мучили мысли, как заставить Мафиозо извиниться, а это возможно лишь физической победой, а на это сил и решимости нет.

Вот так обернулась жизнь. Катастрофа в стране, кризис в душе, пустые карманы. И тут неожиданно Болотаев встречает своего научного руководителя Никифорова.

– На кафедре плохо, – сообщает он. – Инфляция всё обесценила, прежде всего науку. Преподаватели увольняются. А ты, раз уж вернулся и кандидат наук, давай к нам старшим научным сотрудником. А там доцент, докторантура, глядишь, и жизнь наладится, не всегда же будет так плохо.

– А как на такую зарплату жить, Николай Васильевич? – всё-таки поинтересовался Тота

– Ну, как все. Как-то будешь крутиться... Зато ты получишь бесплатно отличную комнату, уже в преподавательском общежитии. Встанешь в очередь на жилье, когда-нибудь да получишь. А сейчас – постоянная московская прописка, а это уже немало.

Вот так, словно по волшебству, жизнь Болотаева в один день наладилась. И он понял, что его уровень, по его мнению, гораздо выше, чем уровень какого-то Мафиозо и иже с ним, и поэтому он уже почти позабыл о своем позоре, как однажды вечером, после прочитанных лекций, Болотаев выходил из корпуса: настроение отличное, скоро Новый год, идет пушистый снег и прямо у входа, с вызывающим нахальством загнав свою шикарную машину на тротуар, в приоткры-

тое окно покуривает Мафиозо, в салоне звучит модная «Ламбада».

— О! Балерон, салам алейкум, — он даже из машины не вышел. — А ты резко в гору пошёл.

Болотаев пригнулся, глянул в салон и на чеченском сказал:

— Если бы не эти, — две девушки курили на заднем сиденье, — я бы тебе показал, кто балерон, — и уже на русском бросил: — Козёл!

— Что?! — заорал Мафиозо, выскакивая из машины. — А ну повтори! — яростно прошипел он.

— Так ты ещё и выпивший за рулем? — под натиском крупного соперника стройный Болотаев, пытаясь сохранить равновесие и спокойствие, всё же отступал и неожиданно, зацепившись за кусты, упал, получил удар ногой, и в это мгновение, словно током в скулу, он осознал, что никогда более не встанет, а тем более не будет танцевать, если и сейчас его вываляют в земле, тем более уже в статусе преподавателя... А если узнает мать?!

Это была не драка, а вихрь танца против полупьяной борьбы. Буквально через несколько секунд, отряхиваясь, Болотаев уже уходил, чуточку задыхаясь, но, даже не оборачиваясь, и он не знал, что поверженный Мафиозо бросился к машине, достал пистолет и кинулся ему вслед, но поскользнулся, падая, выронил пистолет и тот улетел куда-то в кусты.

Позабыв о Болотаеве, Мафиозо в потемках стал искать оружие, а в это время, оказывается, уже примчалась милиция, которую, нажав «тревожную кнопку», вызвал охранник корпуса академии. Они-то и застали Мафиозо с пистолетом в руках.

Через пару дней там же у корпуса Болотаева окликнул незнакомый чеченец:

– Я старший брат Майрбека.

– Какого Майрбека?

– Ну, тут его Мафиозо зовут.

– А-а, понял. – Болотаев осмотрел земляка, по одежде видно, что человек очень бедный. – Если бы ты был его братом, то одевался бы и жил, как он, в роскоши. Но этого отнюдь не видно. Поэтому зря ты приехал, он нигде не пропадет, но и пользы от него никому не будет.

– Он арестован.

– Знаю. Чем могу–помогу, но он этого не стоит.

– Нужна положительная характеристика из академии, ты – единственный преподаватель-чеченец здесь. Помоги.

– Сделаю, – пообещал Тота и только попрощался с братом Мафиозо, как увидел своих старых соседей-иностранцев по общежитию.

– О! Дорогой Тотик! – обнимаются по-братски и, отведя Болотаева в сторону, говорят: – Мафиозо – в тюрьме. Гад был и сволочь, туда ему и дорога.

– Но-но-но! – возмутился слегка Болотаев.

– Да-да, – согласились быстро африканцы. – Теперь ты наша крыша. Мы так рады.

– Какая «крыша»? – удивился Тота.

– Без «крыши» нам нельзя.

– Хорошо, – всё понял Болотаев, – об этом после поговорим. А сейчас скажите, чемодан Иноземцевой выкинули?

– Конечно нет! Так от неё письмо пришло, мы в Грозный пару недель назад переслали. Мы не вскрывали.

...Это была ошеломляющая новость. Надо было срочно звонить матери. Он пошёл обратно на кафедру, соображая, что сочинить, ведь о Даде прямо не спросишь, а может, и так случится, что мать и не упомянет о письме вообще и даже выкинет, не прочитав, а тут на его столе записка: «Звонила мама. Просила срочно позвонить в театр».

— Тота, — голос у матери приглушенный, — пришло письмо от Иноземцевой. Прости, я распечатала. Прочитать?

Болотаев что-то пробурчал.

— Слушай. Дословно. «Здравствуйте, уважаемый Тота! Я вновь осуждена. Теперь по делу. Надолго. Если вы ещё не избавились от чемодана Отца, то теперь выкиньте. Спасибо за всё. Простите. Прощайте. Д. Иноземцева».

— И всё?

— Всё. И обратного адреса нет. — Тота слышит тяжелое дыхание матери. — Слушай, сынок. Всю ночь не спала. А где этот чемодан? Она «Отца» написала с большой буквы... Это мольба. Она одинока. Я ведь тоже детдомовская... Даже не знаю. Каждую ночь плохие вижу сны. Береги себя. Береги! Сохрани Бог тебя от плохих людей!

* * *

Если бы Тота Болотаев хотя бы час просидел в тюрьме до получения письма от Иноземцевой, то он бы не мешкая занялся бы её поиском.

Однако масса дел и ещё мысль: зачем ему эта бездомная и безродная Дада с её проблемами и такой судьбой? К тому же порой Болотаеву казалось, что судьба Иноземцевой, как заразная болезнь, может и ему пере-

даться. Ведь в чём-то он с ней схож, если бы не мать, то он тоже почти что одинок. По крайней мере, родных братьев и сестёр у него нет.

А тут мать во время очередных телефонных переговоров вдруг спросила об Иноземцевой, и тогда Тота сделал официальный запрос в Министерство внутренних дел и получил ответ, что «Иноземцева Дада (без отчества), национальность – чеченка, уроженка г.Ухта Коми АССР, дата рождения – 30 июня 1965 года, осуждена по статье 105 УК СССР, часть 2, пункт «а» сроком на 12,5 лет. В настоящее время отбывает наказание в ИК-2 Кировской области, г. Котлас, район Лесхоза».

Тота был потрясен, но ещё более сильное потрясение получил он после консультации с юристом. Оказывается, пункт «а» этой статьи считается самым тяжелым – «убийство из ненависти». Позже, уже знакомясь с уголовным делом Иноземцевой, Болотаев выяснил, что осужденная сама настояла именно на этом пункте данной статьи, хотя это обстоятельство отягчает её участь и добавляет как минимум 3–4 года строгого режима.

Содержание этой справки и комментарий к ней Тота в точности передал матери, и её реакция была очень неожиданной:

– Она чеченка? Ты об этом знал?

– Нет, – отвечает Тота. – Правда, она говорила, что в детдоме её кличка была «чеченка-дикарка».

– Ты ей написал? Может, надо помочь? – И после некоторой паузы: – Ей надо помочь... У тебя-то у самого деньги есть?

– Есть! Всё нормально. Как там, в Чечне?

– Очень тревожно. А как в Москве?

В Москве не как в Чечне, но тоже всё хуже и хуже и Болотаев не то чтобы кому-то помочь, сам еле-еле сводит концы с концами, вновь влез в долги. Это и неудивительно – инфляция бешеная, а зарплата преподавателя заморожена, копейки, на которые ничего не купишь, да и покупать в магазинах нечего.

Это не просто кризис или катастрофа, это крах великой державы – СССР. Рушатся все устои. Правопорядка нет. Кругом воровство, преступность, грабеж и процветание бандитских группировок, в том числе и чисто этнических групп.

...Последние строки не из художественной литературы, а публицистика тех дней, то есть реальность бытия. И в этой ситуации к Болотаеву вновь пришли его бывшие соседи-иностранцы.

– Тота, помоги, пожалуйста, стань нашей «крышей».

– Какой «крышей», я преподаватель, а не блатной, тем более бандит.

– Вот и хорошо... Мафиозо нет. Идет борьба за лидерство. А ты – чеченец, ты старший, ты преподаватель и авторитет. И ты ведь Мафиозо убрал.

– Нет! – твердо сказал Болотаев.

– Ну хоть помоги... Даже Дада нас спасала.

Последнее сильно задело его.

– Ладно, – не задумываясь, Болотаев дал согласие, – я вечером к вам зайду, поговорим обстоятельно. Заодно я и чемодан Иноземцевой заберу.

Обговорив за чашкой чая всё, выяснили, что, как только Мафиозо исчез, на территории академии появились какие-то «качки», или, как их теперь стали со страхом и даже с восхищением называть, рэкетиры.

Тота понимает, что в принципе всё как в курятнике: раз местный петух исчез, появились другие. Однако он никак не представлял себя в роли Мафиозо, но и отказать в защите слабым, тем более иностранцам, тоже не гоже. Поэтому он что-то обтекаемое пообещал, мол, если ещё будут беспокоить, сообщите. И уже собирался уходить с чемоданом Дады, как дверь с силой толкнули, затем стали громко стучать и нагло, грубо кричать:

– А ну открыть!

– А вы что, дверь заперли? – удивился Тота.

Сам открыл дверь. Их трое, все в чёрном, молодые, крепкие, злые. Правда, увидев здесь незнакомого, тем более по виду кавказца, они чуть опешили, а Тота понял, что инициативу надо брать в свои руки, и обратился как преподаватель к студентам:

– Доцент Болотаев. А вы кем будете?

Наступила непонятная пауза, и Болотаев вновь вежливо спрашивает:

– В столь поздний час, что вы делаете в нашем общежитии? Как вы сюда попали?

Пришедшие переглянулись, и тот, что был постарше и покрепче и стоял позади, вдруг отодвинул напарника, вплотную подошёл к Тоте:

– Слушай ты, доцент, пошёл бы ты на... – А Болотаев стоит, как будто не понимает. – Ты что, оглох?! Пошёл на... – повторно, уже гораздо громче и угрожающе, прозвучал мат. Тота стоял как бы в оцепенении, словно не зная, в какую сторону идти, и тут этот здоровяк небрежно пнул чемодан. Это похлеще, чем сапогами на стол, это настоящий пинок, ибо чемодан отца Дады не простой, а акустический, с особым звучанием и с ним связана память о Сибири, о Даде, о танцах в пя-

тидесятиградусный мороз, когда он был как барабан, а теперь как набат — сигнал к действию, к вихрю танца борьбы...

Был шум, гам, драка. Болотаев думал, что все двенадцать этажей общежития встанут с ним стеной. Нет. Никто. Даже двое иностранцев, в чьей комнате это всё началось, в испуге забились в угол.

Когда всё закончилось и утихомирилось, бандиты ушли, иностранцы ещё пребывали в шоке, пока поверженный Тота со стоном не зашевелился. Вот тогда все бросились на помощь, хотели вызвать скорую и милицию, но Тота запретил. И несмотря на то что он был изрядно побит и всё болело, тем не менее в душе он ликовал, ибо главное: он не струсил, вступил в бой, да и пришедшие всё-таки убрались ни с чем. В подтверждение этого все иностранцы студенты-аспиранты стали восхищаться им, и к Болотаеву потянулись земляки-чеченцы: надо мстить!

Никому Тота мстить не собирался. Он очень жалеет, что вляпался в эту почти что криминальную историю, а ещё более его угнетает то, что за последние полгода он, мирный человек, столько раз попадает в различные передряги. А сейчас, накануне Нового года, под глазом фингал.

Почему? Ответ быстро прояснился. 26 декабря 1991 года не стало огромной страны Союза Советских Социалистических Республик (СССР).

Если бы об этом кто-то вслух сказал год-два назад, его сочли бы безумцем. И никто бы в это не поверил. Однако это случилось. Случилось как-то тихо, обыденно, спокойно, в общем, запланированно.

И конечно же, как говорится, лес рубят — щепки летят. В чей глаз попадут — неизвестно. Но Тота очень

страдает, и это, как он думает, от того, что он искусство предал, на финансы позарился и вот судьба ему мстит: он впервые за много-много лет не может принять участие в новогоднем представлении академии. Но это не беда, а вот есть иная неловкость — под Новый год женится его товарищ, коллега из Москонцерта. Старая джаз-банда, как они себя называли, должна вновь собраться в ресторане «Прага», и Болотаев там, как «три в одном», то есть солист, ударник, танцор и так далее. Да в таком виде? Но друзья уговорили: мол, синяки украшают мужчину.

Много времени прошло, как Тота покинул эстраду, правда, он интересовался и понимал, что, как и в остальном, здесь тоже настали иные времена. Однако он не представлял, что и искусство так быстро превратили в балаган и теперь лучшие артисты выступают не в лучших залах перед изысканной и взыскательной публикой, а в питейных заведениях перед бандитами, у которых есть деньги, а значит, и огромное влияние и власть.

Если бы это не была свадьба друга по ансамблю, то Тота сразу же покинул бы этот ресторан, а к эстраде тем более бы не подошёл. Но дружба есть дружба, а времена и нравы он не переделает, и вот Тота плюнул на всё и всех и представил, что он выступает в лучшем джаз-клубе мира, и просто стал всё исполнять в свое удовольствие, как умел и как хотел. И о чудо! Эта публика всколыхнулась, ожила. Вокруг эстрады появился плотный ряд восхищённых зрителей. И тут кто-то из коллег Тоте говорит:

— Здесь в зале какой-то вор-авторитет. Твой земляк.

— У нас нет воров-авторитетов.

— Ну, не знаю. В общем твой земляк просит, чтобы ты спел что-либо из репертуара Султана Магомедова и станцевал лезгинку.

Тота задумался и спросил:

— А на русской свадьбе удобно чеченские песни исполнять?

— Сейчас это очень круто, — последовал ответ. — А твой земляк здесь Султан.

— Султан — это имя? — не унимался Болотаев.

— Султан — это статус! — был ответ. И это вскоре подтвердилось.

Объявили, что для молодоженов от их друга Султана исполняется лирическая чеченская композиция.

В репертуаре народного исполнителя Султана Магомедова в основном были грустные напевы и илли, исполнение которых не вписывалось в торжество события, поэтому Тота до куплета сократил эту часть, и в это время кто-то объявил:

— А теперь — лезгинка! Тота, лезгинку давай! Покажи свой «Маршал»!

* * *

Заведующим кафедрой и секцией «Хореография кавказских танцев» был профессор Лордкипанидзе — высокий, статный, крепкий мужчина — настоящий горец и аристократ.

Перед защитой дипломных работ он собрал свою группу выпускников и сказал:

— Мы — кавказцы. У нас общий танец — лезгинка. Но у каждого народа, в зависимости от темперамента, истории, географии и, конечно же, традиций и менталитета, — своя особенная лезгинка; особый ритм, динамика, звучание и напор страсти. Поэтому я прошу

каждого из вас подготовить свой собственный танец как дипломный проект, как итог обучения и весьма желательно как ваше лицо, лично ваш стиль и как пожизненная визитная карточка танцора.

Когда на итоговом концерте Тота Болотаев закончил свой танец, весь зал, все члены государственной аттестационной комиссии стоя долго аплодировали. А Лордкипанидзе спросил:

— Ты в конце крикнул «Маршал», что это значит?

— «Маршал» — по-чеченски «свобода»! Это и приветствие, это и пожелание всем людям земли мира, дружбы, счастья... Маршал! — вознёс Тота руки.

— Маршал! — воскликнул весь зал.

...«Маршал» — индивидуальное авторское творение. И даже если сам Болотаев учил своих коллег, почти никто не мог исполнить этот искромётный, зажигательный танец так, как он. Потому что там была своеобразная, природная пластика автора и, как определил сам профессор Лордкипанидзе, «Маршал» — это мятежный, бунтарский и независимый образ Кавказа, это иллюзорная гибкость, как непокорная мысль джигита, в конце концов — это и есть дух самого Тоты Болотаева!

Танец «Маршал» — с резкими выпадами, краткими и долгими вращательными пируэтами на носках — требовал качественной масштабной сцены, требовал большой самоотдачи и просто физической силы; поэтому этот фирменный танец Тота исполнял очень и очень редко, а с годами только тогда, когда сам себя сдержать не мог, а танец, именно «Маршал», — вулканический взрыв, вырывавшийся изнутри.

...Этот танец Тота давно не исполнял: не было повода, позыва и просто места. И вот свадьба товарища,

центровой ресторан столицы «Прага». К тому же, как сказали Тоте, среди приглашенных в зале некий авторитет, чеченец Султан, который попросил земляка исполнить чеченские мотивы, а вслед за этим, как само собой разумеющееся, начинает звучать лезгинка.

Эта часть выступления была многократно ансамблем обкатана. Тота должен был выйти танцевать. Однако случилось иное. Почти весь зал встал в круг, а в центр грациозно вышел уже немолодой мужчина — точно блатной, а Тота сразу определил — чеченец и видно, что это и есть Султан.

— Давай, Султан! — заорал зал.

Танцевал Султан как мог, как хотел; правда, это была не лезгинка, а что-то вроде шейка. Зато точка в танце была впечатляющей, когда Султан достал пистолет и пару раз выстрелил в потолок.

Болотаев испугался, но, оглядевшись, понял, что здесь такое практикуется не впервой и красочный потолок изрешечен и мало кто удивился, тем более испугался — уже привыкли. А Султан вдруг по-чеченски, словно знает Тоту тысячу лет, крикнул:

— А ну, жим къонах*, покажи лезгинку!

Тота не заставил себя дважды просить. Он вышел в круг. С ансамблем у него был кодовый знак, обозначающий ритм мелодии. Это медленное вступление — «Чеченский вальс» Шахбулатова, потом чуть быстрее мелодия «Высокие горы» Паскаева и следом искрометный «Маршал», во время которого Султан уже не выдержал и выпустил в потолок всю обойму.

— Вот это класс! — как закадычного друга Султан сжал в объятиях Болотаева, и Тота ощутил его медвежью мощь. — А ну пошли. — Султан, как полновласт-

---

* Жим къонах *(чеч.)* — молодой человек, молодец.

ный хозяин, через весь зал повел Тоту к своему почетному столу и в знак особого расположения заставил Тоту сесть на свое место, а когда стал знакомить с соседями по столу, Тота чуть язык не прикусил – напротив него сидел тот самый здоровяк, с которым он в общежитии подрался.

Видимо, здоровяк тоже Тоту признал, закурил, опустил голову. А Султан заметил, что его земляк как-то скован, и ободряюще говорит:

– Давай, давай, ешь, пей. Мы ведь отдыхать, гулять пришли. Что с тобой?

– Всё нормально. – Они стали говорить по-чечenски.

– А синяк? Поскользнулся или ты драчун? – вдруг, как бы шутя, спросил Султан, а Тота в том же тоне ответил:

– Вот этот на днях поставил.

...В два часа ночи три черных «мерседеса», что для Москвы того периода было сенсацией, подъехали к общежитию Болотаева. Лично Султан вызвался Тоту подвести. Будучи изрядно подшофе, в окружении охраны, они ещё долго говорили обо всем, то есть о культурном и историческом состоянии и миссии чеченского народа, о философском значении кавказского танца лезгинки, о смысле жизни, и как итоговый результат Султан с барским размахом объявил:

– Отныне, Тота, все эти владения твои! Ты здесь хозяин. Понял? Это я сказал – Султан! – Они крепко-крепко по-братски обнялись. – Поехали! – последовал приказ.

Более они не встретились, лишь по телефону пару раз общались, но одна эта встреча сыграла колоссальную роль в жизни Болотаева.

Тота не любил застолий, потому что даже небольшое потребление спиртного вызывало у него тяжелые последствия, а под напором Султана в тот раз он так разгулялся, что даже на Новый год из комнаты не мог выйти, зато к нему отчего-то народ с подарками повалил, и он даже не может сообразить, к чему бы это.

Но вот праздники закончились, и пришедший в себя Болотаев только вышел на работу, как его неожиданно вызвали в ректорат.

— Тота Алаевич, — вежливо говорил сам ректор, — сами видите, какие настали времена... Кто балом правит, впрочем, и страной. В общем, у нас, у академии, как вы, наверное, знаете, есть так называемая «Демонстрационная площадка».

— Это на Ленинградке? — спросил Болотаев

— Да... Так вот, эту площадь буквально за копейки у нас под прессом в аренду забрали. При этом вся коммуналка осталась за нами... Ну а если честно, то эта территория давно заброшена, демонстрировать ныне нечего и содержать обременительно. Словом, эти «арендаторы» почему-то резко отказались и сказали, что теперь вы наша «крыша» и забор.

— Я?! — изумился Тота.

— Нас это устраивает, — быстро выдал ректор. — Территория огромная. В хорошем месте. И пока другие бандиты, в том числе и те, что при власти, глаз не положили, надо как-то это всё освоить и застолбить... Не зря ведь мы вас учили бизнесу и финансам. Откройте некое ООО — общество с ограниченной ответственностью. Вы — президент. Моя жена, для порядку, — вице-президент. А дочка — главный бухгалтер. В таком тандеме нас никто не тронет. Но вам

надо на деле показать, что мы не зря вас столько лет учили.

В тот же день – это январь 1992 года – Болотаев стал знакомиться с объектом – место шикарное. Выход прямо на проспект. Парковка. Рядом метро. А площадь – три этажа плюс подвал – около десяти тысяч квадратных метров. И всё это в крайне запущенном состоянии. Много лет это помещение не используется, отопление отключено, обесточено, всюду хлам, пыль, окна побиты.

– Кто на такое позарится? – была первая реакция Болотаева, а потом, подумав, он вернулся к ректору с почти готовым бизнес-планом, где первый пункт, как обычно, – нужен стартовый капитал, и не хилый.

– Это и ежу понятно, – возмутился ректор. – Кто нам деньги даст? Тем более столько.

– Кредит, – подсказывает Болотаев. – Вон сколько наших выпускников у власти и в банках. Их портреты в фойе повесим, мол, наша гордость, пригласим по одному или всех вместе и пусть родному вузу помогают. Это ведь не безвозмездно, а кредит под процент. А если надо и в долю возьмем.

– Соображаешь! – улыбнулся ректор...

Уже 1 мая состоялось открытие Первого торгового центра. Все иностранные студенты и аспиранты и не только Финансовой академии, но и остальных вузов столицы буквально молились на Тоту, потому что для них были открыты торговые площадки и всё стало красиво, цивилизованно, масштабно. А самое главное, Тота договорился с таможней – просто дал «на лапу», и его клиенты получили зеленый коридор для ввоза импортного товара.

От всякого барахла до машин и электронной техники продавалось здесь. Сюда же перевели академическую столовую. Здесь же ещё три кафе и очень модный «Макдоналдс». Есть химчистка, салоны красоты и даже мойка машин.

Если бы Тота изначально хотя бы представлял, какой объем работ ему придется вести, то он бы просто испугался такого масштаба. Однако всё шло по-нарастающей, и Болотаев довел число посетителей до 25 тысяч человек в сутки. А какой оборот средств?! Даже финансист Болотаев потрясен, сумма впечатляющая. Правда, Тота в финансовую часть особо не влезает, там супруга и дочь ректора рулят, а иначе он бы и не справился — столько организационно-хозяйственных проблем — от охраны и пожарников до канализации и всяких проверяющих инстанций.

Ровно год и восемь месяцев, до августа 1993 года, Тота Болотаев работал в торговом комплексе буквально круглосуточно, здесь же ел и спал. Бывало, что целыми неделями он не мог побывать в своей комнате в общежитии и даже полностью отстранился от научно-педагогической деятельности, хотя и продолжал числиться доцентом, но это всё благодаря поддержке ректора.

Позже, вспоминая этот бешеный период жизни, Болотаев понимал, что сама судьба послала ему испытание и не зря им ещё в школе внушали опыт стахановского движения — многократного превышения норм производства.

Стоила ли, как говорится, игра свеч? Наверное, думал Тота, стоила. Хотя, если бы ещё раз повторилась такая же ситуация и такое предложение, он

бы наотрез отказался, потому что было очень тяжело, очень рискованно и очень ответственно. Однако в тот период распада одной державы и становления новой, в период революции и переворота необходимы были неординарные действия, чтобы остаться на плаву жизни, ибо в этот период он заработал приличный начальный капитал и были маленькие отрезки времени, когда он всего три раза, всего на три-четыре дня, смог покинуть объект и даже Москву.

Эти три поездки сыграли огромную роль в жизни Болотаева. И в тот напряженный период они были как бы отдушиной, хотя как сказать...

8 Марта – особый день. Тота просто обязан мать поздравить, и она ждет его звонка в театре.

– Ты и сегодня работаешь? – удивлена мать. – Что это за работа? Так ты просто торгашом стал?! Мой сын – торгаш!

– Нет, я президент фирмы, точнее компании.

– У президента фирмы, тем более компании, должно быть всё, даже самолет, чтобы полететь повидать мать.

– Всё, я завтра же вылечу.

– Нет! – говорит тогда мать. – Не приезжай. Здесь всё хуже и хуже. Бардак. Народ, даже чеченцы, отсюда уезжают. Зал пустой. Никто на спектакли и концерты не ходит. А ведь без театра, без искусства и культуры, как быть?!

– Нана, брось всё. Приезжай сюда. Пожалуйста.

– Нет! Если и я уйду, то театру конец!

– Так ведь в театр никто не ходит.

– Не ходят, потому что спектакли сегодня на улице, а к власти пришли артисты.

Долгая пауза.

— Значит, артист не может быть у власти? — с легкой иронией спрашивает сын, на что мать строго отвечает:

— Артист должен быть и может быть только на сцене, где, даже умирая, признаются в любви. А артистизм во власти — горе народу!

Вновь наступила пауза. Тота не мог с ходу эти постулаты усвоить, а мать вдруг опять огорошила:

— У тебя с этой контакт есть? — Она и имя не назвала, но Тота понимает, о ком речь.

— Нет.

Вновь долгая пауза.

— Даже не знаю, почему-то я постоянно о ней думаю.

А вот Тота в тот период об Иноземцевой не думал, ему и некогда было о ней или о ком-либо ещё думать — работа занимала все силы, всё время и все мысли. Однако слова матери были сказаны не просто так, и ему стало совестно, ведь у Иноземцевой никого нет.

В тот же день Тота решил послать Иноземцевой телеграмму, заодно поздравить с Женским днем, но, оказывается, в закрытые учреждения телеграммы посылать нельзя. Написал письмо. Короткое. И забыл. Про Даду Иноземцеву вновь забыл, потому что там «убийство из ненависти», да и работы у него невпроворот... А тут от неё письмо, очень короткое и, что самое удивительное, несколько слов — приветствие, благодарность — на чеченском языке. А суть лишь одна — всё нормально. Зато у Тоты теперь не всё нормально. В справке МВД указано, что национальность Иноземцевой Дады — чеченка, и в письме она уже пишет по-чеченски. Да и вообще, он обязан ей помочь. А как? Чем?

А тут случай: неожиданно Султан позвонил с просьбой сдать в аренду территорию для его знакомых.

– Без проблем, – ответил Болотаев и, сообразив, что у Султана приличный срок заключений, с ходу стал рассказывать о своих проблемах.

– Она что, чеченка? – перебил его Султан.

– Теперь получается, что да.

– Близкая тебе?

– Да. – Теперь Тота не рад, что затеял этот разговор.

– Тогда не по телефону... Я сегодня уезжаю. Дела. К тебе на днях зайдет от меня человек.

* * *

Сидит Тота Болотаев в тюрьме и думает: ну ни в чём ему в жизни не повезло. Особенно с народом. Всё-таки что ни говори, а советская власть выпестовывала личности, и к 90-м годам чеченцам было чем гордиться.

Наконец-то первым секретарем обкома КПСС, а точнее первым лицом в республике, впервые был избран чеченец. Министром СССР стал чеченец. И председателем Российского парламента, вторым человеком в стране, тоже стал чеченец.

Так это только в политике, а ведь и в иных сферах были свои лидеры. К примеру, Султан... Вот был бы жив Султан или хотя бы был такой, как он в свое время, и Тота ни дня в тюрьме не провел бы. Однако времена изменились, а было ведь совсем по-иному.

На второй день после звонка Султана к Тоте подошёл пожилой, худой высокий мужчина с характерными манерами и аристократа, и блатного вора.

– От Султана. Серов, – сухо представился он. – Мне нужна максимальная информация.

Всё, что знал, а знал он немного, Болотаев про Иноземцеву рассказал.

— М-да, — задумался Серов. — Сто пятая — довольно серьезно. Пока что вытащить практически невозможно.

— Так я и не прошу вытащить, — извиняется Тота.

— А что вы хотите?

— Ну хотя бы узнать что да как. Может, как-то помочь.

— Вы хотите свидания?

— А можно? — выдавил Тота.

— Посмотрим, — как будто это эксперимент, сказал Серов, прощаясь. И по мнению Болотаева, этот эксперимент наглядно показал суть времени, а точнее, кто правит в стране. Ибо на его официальный запрос в МВД пришёл очень скупой ответ: только через четыре месяца. А криминальный мир уже через неделю и при этом так исполнил просьбу, что Тота вовсе не рад, да вынужден сердечно благодарить и непременно исполнить, потому что Серов сообщил:

— По данному сроку максимум что можем. Во-первых, вот копия уголовного дела, на всякий случай. А во-вторых, на майские праздники ей и вам подарок. С 27 по 30 апреля — трое суток свидание. В 9 утра 27-го вы должны быть на проходной — просто предъявите паспорт. Вас будут ждать.

От последней услуги он просто огорошен, и единственно, что мог сказать:

— Сколько я вам должен?

— Вы о чем? — удивился Серов. — Имя Султана... — Он уже собирался уходить, как вдруг остановился. — Кстати, видно по делу, Иноземцева — молоток! И для неё что угодно нужно исполнить.

Тота понял, что отказываться от свидания нельзя. Если Султан узнает, то будет неловко, не по-мужски это, тем более не по-чеченски. А если по делу, то в тот период работа в торговом центре только-только набирала оборот и никак нельзя было покидать объект, а не то чтобы уезжать на несколько суток, тем более что Тота ни матери, ни ректору и никому более не сказал, куда едет и к кому. Он просто решил, что к обозначенному сроку он выедет. Вдруг по дороге возникнет проблема или нестыковка, а Котлас — город зэков, где-то в тундре Архангельской области, он сразу же развернёт маршрут.

В общем, Тота решил, что программа-максимум — передать увесистую передачу продуктов, может, и деньги, а может, и увидит он Даду через стекло и обратно. Ну нет. Почему-то всё прошло как по маслу. В полночь на поезде он прибыл в Вологду. Прямо тут же пересел на грязный, вонючий поезд до Котласа. Всю ночь не спал, боялся пьяных, шумных и развязных попутчиков, но и тут обошлось без происшествий. В семь утра на вокзале в Котласе он взял такси и в восемь сорок пять был на проходной. И тут только паспорт предъявил, где-то с полчаса ждал, а потом его спросили, нет ли наркотиков, оружия, спиртного. Даже его багаж не осмотрели, а повели по огромной территории очень-очень далеко. В довольно живописном месте, с соснами и беседками, стояло несколько добротных деревянных срубов. В самый крайний провели Болотаева. Внутри было чисто, скромно, без излишеств. Тепло.

— Вот телефон для связи, — сказал сопровождающий капитан, — дрова, вода и сухой паёк на трое суток есть. Если не хватит или ещё что, звоните. Просто поднимите трубку, — ответит дежурный. — Выходить

запрещено, закрываем снаружи. Кстати, заключённая Иноземцева даже не в курсе. Так что имейте в виду. Здравия желаю.

* * *

В череде жизненных событий есть очень редкие, но особые моменты, как картины-шедевры, которые навсегда оставляют отпечаток в памяти человека. Одна из таких картин Болотаева – пребывание в Котласе.

Когда капитан ушёл, Тота выглянул в маленькое окно. Если бы не толстые решетки, то вид просто изумительный: огромные величавые сосны, всё ухожено, чисто. Тишина. И воздух сладкий, весенний.

Этот пейзаж можно было назвать даже картинным. Потому что в нём было что-то от грандиозной советской эпохи, в виде большого, уже прогнившего в одном месте рупора, который грубо, толстыми гвоздями, был прибит к сосне.

Тоте показалось, что здесь, на краю света, вдалеке от столицы, до сих пор ещё и не знают, что Советского Союза уже нет, что теперь есть Российская Федерация – демократическая страна, где есть свобода слова и так далее.

...Ждал долго. Накопившаяся усталость и бессонная ночь давали о себе знать, так что он лёг на нары и уже погружался в сон, как услышал какой-то шум. Вскочил, бросился к окну. Понял, что новая эпоха в этой стране не прижилась. И, главное, он понял на всю жизнь, то есть запомнил эту картину: в этой стране надо делать всё что угодно, лишь бы не попасть в тюрьму, которая и за века не изменится... А перед ним был следующий вид.

По аккуратно вымощенной дорожке шла колонна: две женщины с автоматами, знакомый капитан и между ними Дада – худая-худая, телогрейка болтается, как на вешалке. Тота никогда бы не узнал её, если бы не шрам, который теперь на её землисто-сером лице стал матово-черным.

Словно видит фильм, Тота прильнул к окну. Он не хотел, чтобы его заметили, будто бы за это и он мог попасть в их реальность. К счастью, колонна исчезла из поля зрения Тоты, но шум шагов неумолимо приближался, скрип иссохших досок крыльца, грубая команда офицера. Только теперь Тота понял, что и эта изба запирается снаружи на несколько замков. Иноземцеву грубо втолкнули, с гулом за ней захлопнулась дверь, а Тота стоял, оцепенев, как будто всё это происходит в кино или во сне. И тут Дада подняла голову:

– Тотик, – прошептала она, отпрянула к входной двери и, тихо заскулив, медленно стала оседать, словно пыталась от всего спрятаться, сжавшись и превратившись в маленький, дрожащий жалкий клубочек.

...В тот же день Болотаев должен был выехать в Москву, у него уже были куплены билеты на вечерний поезд, но случилось иначе. Её внешний вид вместе с затхлой вонью тюрьмы – выбитые зубы, стойкая синюшность вокруг её угрюмых глаз – так удручающе подействовали на Болотаева, что он, как и она, готов был раскиснуть, тем более что в какой-то момент ему показалось, что теперь и он не выберется из этой клетки. А мать? А что он тут делает и кем ему приходится эта Иноземцева?

А она, словно прочитав его мысли, затряслась мелкой-мелкой дрожью и так истошно завыла, что та-

кая же дрожь, как в колючий мороз, прокатилась судорожной волной по телу Болотаева и от этой амплитуды колебания пошёл слабо угасающий импульс, который тоненькой юлой проник в какой-то очень чувственный орган, так что Тота вмиг представил заполярную зимнюю ночь, минус пятьдесят и только Дада пришла на помощь...

Он, как хищник, бросился к ней, рванул вверх, с силой обнял, так что хрустнули её позвонки, и в таком состоянии, не давая ей коснуться пола, глядя в её бездонные глаза, горячо прошептал:

— Дада, мы ещё будем танцевать «Маршал».

Слабая улыбка преобразила её лицо, и она также шепотом, мечтательно спросила:

— Правда, будем?

— Конечно будем, Дада! И прямо сейчас!

Тота уже было зажёгся, да вдруг резко зазвонил телефон.

— Это вы, гражданин Болотаев? — сухой женский голос. — Я начальник бюро пропусков. На вас неправильно оформили анкету посетителя.

— Э-э, что неправильно?

— Вам надо вернуться на КПП.

— Так я уже был там.

— Это исправительно-трудовая колония строгого режима, — ещё выше и жёстче женский голос, словно она не по телефону, а в окно кричит. — Порядок здесь устанавливаем мы. Я сейчас пришлю наряд.

— Э-э, постойте... — от напора Болотаев смутился, с надеждой глянул на Даду, а она известным жестом намекнула — «бабки». — Секундочку, пожалуйста, — сказал Тота в трубку, прикрыл её рукой и шёпотом спросил у Дады: — Сколько предложить?

— А вы сколько дали?

— Я ничего не давал. По большому блату.

— А, — выдала Дада. — Эта старая выдра без мзды никого отсюда не выпускает.

— Сколько? — повысил голос гость.

— Ставка — десять... долларов. Можно и пять.

— Понял, — повеселел Болотаев. — Товарищ начальник, — в трубку говорит он, — предлагаю на выходе — пятьдесят.

— Пятьдесят чего? Деревянных?

— Зелёных.

— Ой! Да вы что?! Иного я от вас и не ожидала. Только для порядка я сейчас подойду.

— Конечно, конечно, — даёт согласие гость, а начальница бюро пропусков говорит:

— Только у меня по анкете всё же пара вопросов... Вы родились в Алма-Ате? Ваш отец — Болотаев Ала, многократно судим, ликвидирован при попытке к бегству.

— О чём вы говорите? — вскипел Болотаев. — К чему это сейчас?

— Да так, — чеканный тон. — Просто судьба вашего отца и отца Иноземцевой одинаковы.

Пауза. Тишина. Только Тота тяжело задышал, словно и его на расстрел привели.

— А откуда вы всё это знаете? — спросил он жёстко.

— Служба такая — Родину защищать!

— Ну, раз так, то я тоже кое-что знаю и скажу, как сын пострадавшего от этой службы... Ранее я погорячился, а ваша ставка — не пятьдесят, а всего пять, но не той родины, которую вы якобы защищаете, а Америки... То есть пять долларов США. Но учитывая, что

нас здесь двое, я вновь расщедрюсь и подам вам десять долларов США, в рублях.

— М-да! Дерзите? Думаете советской власти нет?

— Я ничего не думаю, — перебил её Болотаев. — И не намерен более вас выслушивать. Буду общаться только с начальником. Простите. — Он бросил трубку. Глянул с каким-то раздражением на Даду. А та ещё у входа стоит в неопределенности; исподлобья, как бы изучающе, смотрит на Тоту, словно видит впервые.

— Что? — уже без ласки обратился к ней Тота. — Теперь получишь по полной программе?

— Давно получила, — слабо улыбнулась она. — А от вас такого не ожидала. — Она ещё что-то хотела сказать, тут вновь резкие, протяжные звонки.

Оба долго смотрели на взбесившийся аппарат.

— Слушаю! — поднял Тота трубку.

— Бюро пропусков, — уже иной, моложавый женский голос. — Гражданин Болотаев. Вы не заполнили наиважнейший пункт анкеты посетителя.

— Какой?

— Кем вам приходится заключённая Иноземцева?

— Э-э, это так важно? — задумчиво сказал Тота, отворачиваясь от заключённой.

Он боковым зрением заметил, как Дада осторожно опустилась на краешек табурета; повинно, очень низко склонила голову, словно хотела укрыться. А из трубки игривый голос:

— Можем предложить варианты.

— Вариант один — жена! — крикнул Болотаев. — Законная жена! — бросил он трубку. В какой-то задумчивой прострации застыл. Тишина, а потом хилые всхлипы осуждённой.

— Нужен мулла, — не оборачиваясь, выдал Тота. — Вариант есть?

— Это на воле — всё дефицит, — отвечает Дада. — А тут были бы деньги — всё есть.

— Да ты что?! — воскликнул Болотаев. — Сколько? Как? — Он с задором развернулся на каблуках. А Дада умилённо снизу вверх смотрит. Вся в слезах.

— Я приняла ислам — как спасение... Тут мужская колония. Есть татарин — мулла, мой учитель.

— Во дела... И как?

— Позовите дежурного... Любой каприз — сто долларов.

— А если тысячу? — предложил Тота.

— Тогда они меня выпустят, — улыбнулась Дада.

...Лозунг Финакадемии, где учился Болотаев, гласил: «Деньги решают всё! Всё решают большие деньги!»

Конечно, Даду не выпустили — этот вопрос и не ставился, а вот муллу доставили. Это был очень маленький, слабенький, на вид добродушный старичок; так что Болотаев не удержался и спросил:

— А вас-то за что посадили?

— В СССР Коран читать, учить, пропагандировать запрещено.

— Так, Советского Союза давно нет, — засмеялся Тота.

— Э-э, молодой человек, — говорит мулла. — Советов нет. А большевики ведь остались. Кругом.

...Где-то в полдень, когда они наконец-то остались одни, Болотаев повалился на кровать, а Дада, укрывая его, говорила:

— Поспите. Отдохните. У вас такой усталый вид.

К вечеру она стала будить его:

— Вы опоздаете на поезд.

Тота сладко потянулся, открыл глаза:

— Как ты преобразилась, — удивился он.

— Вы опоздаете на поезд.

— Поезд подождет, — был ответ.

Когда внезапно вновь зазвонил телефон, они спали.

— Гражданин Болотаев. Капитан Скворцов. Через тридцать минут явится наряд за осужденной

— Что?! — удивился Тота. — Трое суток прошло?

— Так точно!

— А можно ещё сутки?

— Никак нет... Вы можете покинуть территорию до прихода наряда или после.

— После, — сказал Болотаев и, несмотря на то что в трубке ещё что-то говорили, бросил её. Он хотел о многом расспросить Даду, поговорить с ней, а он трое суток проспал, точнее, отсыпался. А теперь за оставшиеся полчаса о чем спросишь? Хотя нужно было и время ещё было, но он не мог. Так они почти молча досидели, и даже когда наряд явился, Тота ещё как бы пребывал в прострации, и единственно, что он сказал:

— Продукты забери, — протянул Даде полный пакет.

— Не положено, — строго сказал капитан, и тут Болотаев словно проснулся. Валюта кончилась. Теперь он достал пачку российских денег и, не считая, половину пачки молча сунул в карман офицера.

— Вы что, как вы смеете? — возмутился капитан, вынул рубли из кармана с явным намерением швырнуть на стол, но, оценив пачку взглядом и на вес, он

аккуратно засунул обратно в карман и, глядя в никуда, произнес:

— Деревянные, но тоже подспорье... Ефрейтор, возьми пакет.

— Вы за ней, пожалуйста, присматривайте, — попросил Тота.

— Ещё как присматриваем, — ухмыльнулся капитан. — Кстати, по-чеченски её имя Дада — это пахан?

— Ну, — замешкался Болотаев.

— Так вот она и есть местный пахан. Правда, здесь у вас совсем преобразилась... Так! Руки за спину, — скомандовал капитан и тут задумался, приблизился к Тоте и шепотом, как заговорщик: — Просьба превеликая. Для жены. Надо!

— Что?

— Можно цветной телевизор в Москве достать? Очень нужен.

— Я понял, — ответил Тота. — Вот вам моя визитка. Жду в Москве. Телевизор подарю...

— Тогда у неё всё будет в ажуре.

Эти трое суток пролетели, как три мгновения, а навсегда запечатлелся в памяти Тоты последний эпизод.

Как и привели, также строем и руки за спиной Даду уводили. И теперь Тота смотрел ей вслед, и она, зная это, обернулась, улыбнулась и помахала ему рукой, послав воздушный поцелуй, что уже было нарушением. Идущий сзади конвоир грубо толкнул её автоматом. Дада огрызнулась, вроде подчинилась. Но когда до угла здания, где она скрылась бы из вида, осталось несколько шагов, она вновь обернулась, подпрыгнула и загарцевала в лезгинке, что Тоту вовсе не удивило. Это был мужской танец, где под конец она окончательно поразила его, выдав с некоей издевкой

его же коронный финт-па, как горный орел — крылья, во всю ширь!

— «Маршал»!

— Сумасшедшая, — прошептал Тота и подумал: «Точно чеченка. Бунтарь!»

* * *

Только попав в тюрьму, Тота Болотаев стал думать, что, как ни странно, многое роднит его с Дадой Иноземцевой. Даже срок ему дали такой же, как и ей. Но у неё дело очень серьезное и конкретное, а, впрочем, разве она виновата? По крайней мере, с тех пор, как Тота ознакомился с копией её судебного дела, он был потрясен. И у него было столько вопросов к ней, но он их почему-то так и не задал. Прежде всего не задал потому, что, как ему показалось, и ей не хотелось об этом говорить. А в двух словах всё сложилось так.

Когда мать Тоты выставила Иноземцеву из общежития, то она фактически оказалась на улице без никого и ничего. Как позже Тоте стало известно, она попросила в долг у соседей-иностранцев сто рублей, ей дали пятьдесят. Для Москвы это не деньги. Иноземцева по объявлению устроилась на работу уборщицей улиц, и всё, может, со временем наладилось бы, однако и прошлое не отпускало. Дада как-то связалась со своей подругой по детдому, что осталась жить в Ухте, и та сообщила, что баба Клара при смерти, почему-то вспомнила Даду: мол, перед смертью хочет перед ней покаяться и кое-что поведать.

Дада помчалась в Ухту. Бабы Клары уже не было. Но эта очень жесткая и жестокая по жизни женщина, как она любила говорить — истинный ленинец-коммунист, — под конец долгой жизни решила ис-

поведаться, покаяться в грехах. Кое-что поведала и об Иноземцевой.

Конечно, в этой истории, тем более переданной не из первых уст, было много туманного. Однако кое-что в судьбе Дады прояснилось.

Всем, в том числе и Даде, было понятно, что Иноземцева не настоящая её фамилия. А вот Клара знала настоящую и, записав, сдала в архив. Но архив сожгли. Специально сожгли, и это другая история. И Клара точно помнила, что Иноземцева, ещё будучи грудным ребенком, вместе с отцом появилась в поселке — поселении Ухта — где-то в конце 1966 года.

Ее отец — чеченец. В прежние времена, не церемонясь, ребенка бы определили в детдом, а родителя — по заслугам. Но середина шестидесятых — это оттепель. Оттепель во всем. И отца с ребенком не разлучили, тем более что дело было совсем непонятное и мало кому знакомое. В итоге где-то через год после очередных судебных процессов Иноземцеву, точнее её отца, то ли освободили, то ли перевели на вольное поселение.

И вот отец Дады покидал территорию поселка-поселения. В одной руке у него был огромный чемодан, а другой он вел за руку уже шагающую девочку. На выходе из зоны стоял комендант — местный хозяин всего и вся — подполковник Приходько. Как будто он ничего не знает и не ведает, он потребовал у отца Дады документы о переводе на вольное поселение.

Рассматривая постановление, комендант выдал:

— Да, времена пошли. Кого надо в расход либо в топку, отпускают да ещё извиняются. Жиды в Москве власть захватили. А вас чеченов-предателей мало было выслать, в море топить надо было, в море. Ста-

лин так и хотел сделать, но те же жиды отговорили... Ну ничего, мы ещё есть и будем, и таких, как ты и твою дочь...

Тут чеченец влепил подполковнику оплеуху. Приходько его тут же застрелил.

Дочь кинулась к отцу, крича:

— Дада! Дада! Дада!

...Девочку отвезли в санчасть и, чтоб не было лишних хлопот, решили дать ей новое имя и фамилию.

— Как девочку назовём? — спросили через пару дней у коменданта

— Какую девочку?

— Та, что Дада кричала.

— Так и назовите — Дада.

— А фамилия?

— Ну кто она? Иноземцева.

— А отчество?

— Много чести им. Без отцовства и отчества... Исполнять.

Вместе с этой информацией Дада узнала, что ныне Приходько живет под Москвой, в Одинцове. Дада поехала туда. Дом, где жил Приходько, окружен высоким глухим забором с массивными воротами, через которые просто так не войти и не достучаться.

Но Дада сообразила, что ранним утром должен приехать мусоровоз. Пожилой работник — узбек мусор выносил, а Дада тут как тут с вопросом:

— А не нужна вам в хозяйстве домработница? Согласна на любые условия.

Узбек по-хозяйски осмотрел Даду и спросил:

— Откуда? Документы есть? Подожди, — он скрылся за воротами, не скоро, только минут через десять, вернулся. — Проходи, — сказал он и предупредил: —

Хозяин старый, но всё видит и слышит. Так что веди себя так, как положено вести себя с господином. И исполнять всё. Понятно?

— Понятно.

Так Иноземцева проникла в дом — это бывшая загородная дача какого-то маршала, в которой теперь жили лишь Приходько и его слуга — узбек.

По материалам дела, в частности по показаниям узбека, собеседование происходило в спальне хозяина. Приходько ещё был в постели и после двух-трех протокольных вопросов приказал для проверки сделать ему массаж. На что пришедшая даже не среагировала, а сама повышенным тоном стала хозяину задавать вопросы.

Приходько возмутился. Узбек кинулся было женщину выгонять, но Дада была вооружена, хотя в деле следователь этот момент специально опустил и обозначил, что Иноземцева воспользовалась кухонным ножом.

Узбек отделался испугом, в угол забился и, пока милиция не приехала, даже не шелохнулся. А милицию сама Дада по телефону вызвала.

...Позже следователь у Дады спросил:

— Почему вы не ушли, тихо не покинули место преступления?

— Денег на дорогу не было. — И это факт, всего три копейки по описи.

— А знаете, — сообщил следователь, — сколько под той кроватью Приходько было денег, золота и драгоценностей?

— Не унес с собой?

— Не унес — всё в крови и испражнениях. Вы всё выместили?

— Не всё... И никогда это не выместится и не надо.

— Жалеете?

— Жалею. Лучше б сам подох, чем руки марать... Просто не выдержала.

— Тогда может классифицируем как убийство по неосторожности или как самооборона?

— Нет, — твердо сказала Дада. — Я его убила умышленно. За отца... Я его ненавидела! Впрочем, как и он ненавидел нас.

* * *

Лишь когда сам оказался на тюремных нарах, Тота Болотаев в деталях попытался восстановить всю картину своей поездки в Котлас. А тогда, по приезде в Москву, было не до этого. Вновь всё время стал пожирать, и именно пожирать, этот созданный им самим торговый центр, который теперь носил название «Ленинградка», потому что находился прямо на Ленинградском проспекте и теперь статус стал не ООО — общество с ограниченной ответственностью, а ОАО — открытое акционерное общество.

На этом статусе настоял сам Болотаев, и хотя и по теории, и по практике финансовой деятельности это был риск, но в то же время без этого статуса расширение, масштаб и рост тоже были невозможны. А всё это было налицо — оборот, выручка и прибыль росли, и вдруг случилось необъяснимое. Как-то с утра его вызвал ректор и говорит:

— Грядут тяжелые времена. Надо всю деятельность сворачивать.

— Как сворачивать? — удивился Болотаев. — Только набираем обороты. Всё налажено.

— Болотаев, ты ещё молод и, наверное, забыл, в какое время и в какой стране живешь.

Тота задумался и после недолгой паузы спросил:

— Что делать?

— Всё продать и сваливать в Европу.

— У меня мать в Грозном.

— И её забери с собой.

— Так она и сюда не едет, хотя слухи из Грозного ужасней ужасного.

— Ты её там не оставляй, — советует ректор. — Ведь у тебя теперь здесь жильё есть.

— Благодаря вам есть, — говорит Тота. Ему вместо положенных дивидендов предложили квартиру умершей тёщи ректора.

— Вот и привези сюда мать, раз своя квартира в Москве появилась, —говорит ректор.

— Мать не то чтобы приехать сюда, наоборот, меня в Грозный зовет: прямо напротив театра квартира продаётся — её мечта!

— Да кто сейчас в Грозном квартиру купит?! — удивлен ректор. — Даже из Москвы все бегут.

— Можно я к матери поеду? — вдруг взмолился Болотаев.

— Квартиру купить? — спросил ректор. — А деньги есть?

Тота замялся.

— Понятно, — сказал ректор, чуть подумав, — ты в Швейцарии был?

— Нет. За границей не был.

— Тогда вначале туда, а потом полетишь к матери.

Не ректор, а его дочь помогла с визой и объяснила все нюансы поездки. В Цюрихе по указанному адресу в обозначенное время Тота вошёл в здание крупнейше-

го банка «UBS». Иностранными языками он не владел, правда, вызубрил несколько дежурных фраз, но и те не смог выговорить. Но его, оказывается, ждали. Сразу же провели до лифта, а потом по коридору — в отдельный, чисто деловой кабинет.

— Кофе, чай, вода? — спросили по-английски. Это он понял, но отказался, тем не менее кофе и воду принесли и, как Тота понял, попросили подождать.

Легкий, еле слышный стук, дверь открылась, ухоженная, респектабельного вида девушка вошла в кабинет:

— Амёла Ибмас, — представилась она. — Нам нужны ваши паспорта, оба: и заграничный, и внутренний, вас должны были об этом предупредить, — вежливо, но очень сухо говорила она.

— Да-да, — ответил Болотаев, протягивая документы.

— Вы должны знать, что всё это сугубо конфиденциально и вас рекомендовали известные люди, которым мы доверяем.

— Да-да, спасибо.

— Я сниму копии с паспортов и вернусь. — Она встала. — Может, ещё кофе или чай?

— Нет, нет, спасибо, — сказал Тота, и когда увидел впервые эту банкиршу со спины, то её фигура напомнила ему почему-то Даду. Правда, после этого, сколько бы Болотаев с ней ни общался, более о Даде он уже не вспоминал и не сравнивал, ибо эта девушка была действительно настоящий консультант-банкир, из иной среды, иной закваски, иного взгляда, где главное — деньги, а этих денег, вопреки ожиданиям, оказалось на его счету очень мало — всего тридцать восемь тысяч долларов.

По правде, никто не обещал Болотаеву конкретных сумм, а то, что у него в швейцарском банке открыт счет, – уже хорошо, и очень приятен последний вопрос Амёлы Ибмас:

– Может, вы хотите взять наличные?

Конечно, хочет. Потому что мать назвала сумму, за которую продается желанная квартира в Грозном, – пятнадцать тысяч. Значит, надо было брать тридцать. С этой, по тем временам огромной, суммой Тота прилетел в Москву. И надо понимать, как ему было тяжело с этой наличностью, ведь по тем законам иметь при себе иностранную валюту приравнивалось чуть ли не к шпионажу. Тем не менее, в чем Тота окончательно убедился, лучше иметь деньги в кармане, чем не иметь. А ещё он понял, как финансист понял, что в России произошли фундаментальные изменения, потому что настоящими деньгами стали доллары, а не рубли. И даже мать, когда в очередной раз по телефону зашёл разговор о покупке квартиры, выговорила сумму – пятнадцать тысяч – и шепотом:

– Ты понимаешь какими знаками?.. Сынок, а это не опасно?

– Не волнуйся. – После Швейцарии Болотаев понастоящему возомнил себя крутым бизнесменом. – Я только что из Цюриха. Тебе подарок купил. Здесь кое-какие проблемы решу и через пару дней прилечу.

Проблемы оказались не кое-какие, а поистине грандиозные. Как позже все это оценили, при поддержке западных, прежде всего американских, консультантов и не без помощи местных руководителей в стране произошел переворот. В Москву ввели войска. Танки стали стрелять по зданию парламента. Ситуация была

крайне напряженной. Паники в столице ещё не было, зато запаниковала мать Тоты.

Теперь у Тоты в Москве своя квартира, есть телефон, и мать в день несколько раз звонит и умоляет его приехать домой, подальше от этой стрельбы, к тому же и желанную квартиру в Грозном могут другие перекупить.

Тота и сам хочет хотя бы на день-другой к матери слетать, но как в такой сверхответственный и решающий момент можно покинуть работу, где, несмотря ни на что, всё функционирует, торговля бойко идет? Оказывается, можно. Просто ректор вызвал Болотаева и сказал:

– Чеченцем быть в России всегда нелегко, но впредь будет совсем плохо.

– Спикер парламента России – чеченец! – не без гордости выдал Болотаев.

– В этом-то и беда... Уезжай.

– Меня мама зовёт.

– Вот и прекрасно.

– А на сколько дней можно?

Ректор задумался и после паузы сказал:

– Побудь с мамой.

Это был самый добрый и лучший совет.

Тота помчался домой. В республике всё изменилось. Всё, абсолютно всё стало хуже. Грязно. Грозный обезлюдел. По ночам улицы уже не освещаются. Перебои с энергоснабжением. Процветает криминал. Словом, полная вакханалия. Нормальные люди, у кого есть возможность, уезжают, продают всё за бесценок, а мать Тоты, наоборот, хочет купить квартиру, раз представилась такая возможность.

Квартира шикарная, четырехкомнатная. Хозяева, видать, были люди обеспеченные, они уже давно уехали за границу, а квартира продается с мебелью. Всё роскошно, чисто. Просто заходи и живи.

Эта квартира в самом центре, на проспекте Революции, второй этаж, прямо над магазином «Спортивный», и через дорогу, просто рукой подать, – родной театр.

– Моя мечта сбылась! – ликует мать.

– А что будем делать со старой квартирой? – интересуется сын

– Как ты женишься, я обратно уеду в микрорайон, а вы будете жить здесь.

– Жить будем вместе, – сказал Тота, – и чтобы ты никуда не уехала, я продам старую квартиру.

К удивлению Тоты, на объявление о продаже квартиры никто не отреагировал. Это был тревожный сигнал, и поэтому Тота сказал матери:

– Отсюда надо уезжать.

– Только-только налаживается жизнь и уезжать?

– Что значит «налаживается»? – возмутился сын. – Посмотри, все бегут отсюда.

– Да, бегут! – артистизм в голосе матери. – Думают, что наша республика, как тонущий корабль, идет ко дну. Пусть бегут! Скатертью дорожка! Но мы – настоящие чеченцы – должны здесь жить. Разве не так?

Что на это мог сказать сын? А мать продолжает:

– Теперь, когда всё вроде бы обустроилось, ты должен жениться, – и после долгой паузы, уже понизив тон: – Кстати, от этой девушки... от Дады какие известия есть?

– Есть, – сухо отрезал Тота, и более они о ней не говорили, и сам Тота более о ней не вспоминал, ибо события стали развиваться стремительно.

В Москве военное противостояние завершилось. Вице-президента и председателя парламента арестовали, посадили в тюрьму, и никто не стал этому возражать, ведь, как говорится, победителей не судят. И победители стали наводить свой порядок, точнее, захватывать всё и вся, а для этого надо было «зачистить поле деятельности от ненужных элементов». И вот до Тоты в Грозном дошла ужасная весть — в одном из столичных кафе расстреляли Султана и его друзей.

В прессе появилась следующая информация: «В результате бандитских разборок разгромлена чеченская банда вместе с её вожаком, неким Султаном».

Позже Тота узнал, что, по слухам да и по «почерку», это сделали спецслужбы.

Для Болотаева это известие стало шоком. И хотя он с Султаном был знаком недавно и видел его всего раз, тем не менее, зная, что Султан есть, Тота чувствовал себя уверенно. Теперь Султана нет. Нет этой опоры и силы, а беспредел, беззаконие и бандитизм остались, последнее теперь в иных руках.

...Тота понимал, что ему нельзя задерживаться в Грозном, в Москве идут большие перемены и надо было быть на месте, но мать — святое и она затеяла некий, хотя бы, как она выразилась, косметический ремонт в новой квартире, и только Тота может матери помочь. Однако из Москвы пришла ещё одна очень тревожная и даже поразительная весть: в аэропорту Шереметьево, при попытке покинуть страну, задержали ректора академии. Эта новость тоже была шокирующей. Болотаев понял, что и это событие касается его. Он срочно вылетел в Москву. Из аэропорта Внуково позвонил домой ректору. Трубку взяла дочь.

— Ой, Тота, как хорошо, что вы объявились. Секунду. — А после Болотаев услышал: — Папа просит вас срочно к нам. Как можно быстрее!

— Он дома? — удивился Тота.

— Да-да, быстрее!

Такой перемены Болотаев даже не представлял. Ректора просто не узнать, так он сник и постарел. И даже голос и интонация резко изменились.

— Болотаев, я проиграл, — сказал бывший ректор и чуть погодя: — Точнее, мы все проиграли... Я вынужден был всё отдать, сдать.

— Правильно сделал, папа, — поддержала дочь. — Главное — твое здоровье и свобода. Разве не так, Тота?

— Да, конечно, так, — согласился Болотаев.

— В общем, — продолжила дочь, — торговый центр забрали, и, к сожалению, вы ведь квартиру бабушки, оказывается, на себя не оформили, там не прописались?

— Нет, — ответил Тота. — Не успел... А при чём тут это? Я ведь её купил.

— Её, как нашу собственность, конфисковали. Тота, прости. Мы за неё рассчитаемся. Деньгами вернём.

Всё это было очень неожиданно для Болотаева, но он твердо сказал:

— Нет проблем. Ничего не надо. Только я пойду, свои вещи заберу с работы и из квартиры.

— Мы всё забрали... — Дочь указала на упакованные вещи и среди них старый чемодан отца Дады.

От такого поворота событий Тота не только говорить, но даже соображать не мог, а тут ещё одно пожелание:

— Тота, возбуждено уголовное дело. Понятно, что всё надуманно и сфальсифицировано. В общем, прои-

гравших судят, — говорит дочь. — А лишние свидетели ни к чему... Словом, вы не могли бы снова вернуться в свою Чечню. Там вас никто не найдет и искать не будет. Ведь Чечня независима. Отделилась.

Болотаев, не совсем ещё всё понимая, посмотрел на бывшего ректора. Тот опустил голову, а дочь продолжила:

— Мы проиграли. Надо бежать. Кто куда может. Мы — в Израиль. Ты — в Чечню.

— Зачем мне бежать? — очнулся Тота, вновь вопрошающе уставился на бывшего ректора.

Тот прошептал:

— Проиграли... Пока надо чуть отступить.

— Да, надо переждать, — поддержала дочь.

— Долго? — единственное, что смог спросить Тота.

— Хотя бы до Нового года... А там будет видно.

... В том-то и дело, что «там», то есть в перспективе, ничего не было видно. Его, как инородное тело, вытолкнули из Москвы. И в принципе за все эти годы, что он в столице провел, его собственность в два раза возросла. Он приехал сюда с одним чемоданом, а уезжал — с двумя. Правда, второй — это был старый чемодан Иноземцевой. Не смог он его выкинуть. Повез в Грозный. А там, чтобы мать его не увидела, отвез чемодан на старую квартиру, в микрорайон.

Вот так этот старый чемодан, который принадлежал какому-то чеченцу, всё-таки прибыл в Чечню, в Грозный.

* * *

На свободе человек как-то живет, не мучается над ненужными вопросами, а вот в тюрьме в голову лезут

такие мысли, столько возникает вопросов, что можно и с ума сойти, и некоторые сходят.

Главный вопрос: кто, когда и зачем эти тюрьмы выдумал?

В древности, на Востоке, преступников, а может, и не преступников, в общем, людей от общества изолировали очень просто — бросали в глубокие ямы — зинданы. И все... Охраняли, чтобы не вылезли. Но не кормили, никак не обслуживали. Еда — только если местные жители что-то в яму кидали. Однако вокруг этих зинданов была такая вонь. Особенно в летнюю жару. Столько инфекций и болезней, что зачастую по просьбе тех же местных жителей с целью профилактики зинданы поджигали...

Эти мысли посетили Болотаева оттого, что он вдруг обнаружил, что и в Сибири, к удивлению, бывает очень жарко и душно, как в последние дни, и как бы инфекцию не подхватить и не заболеть... Правда, это уже конец XX века. В тюрьме и охраняют, и гигиену пытаются поддерживать. А вот с едой у Тоты проблем почти нет. Ведь Дада к нему в Сибирь, в Енисейск, приехала и все не уезжает... «И откуда она деньги берёт? — думает Болотаев, а следом каждый раз вспоминает, как он несколько лет назад, в начале 1994 года, чуть было не смалодушничал, мягко говоря.

...Поздней осенью 1993 года прибыл Тота домой, в Грозный. Слякоть, грязь. Тоска. Тоска во всём. Как перед концом света. Все, кто мог, из города уже убежали. Именно убежали, а не уехали или ушли. Это был побег с тонущего корабля. А вот Тота, наоборот, приехал.

Болотаев думал, что раз из города все бежали, то работу он вроде бы должен найти. Не тут-то было.

Работать негде, предприятия, организации не функционируют. Республика в блокаде. Газа нет. Связи нет. Электричество с перебоями. В новой квартире, в самом центре, кое-какие признаки урбанизации ещё временами бывают, но в целом фон печальный и новости: то там убили, то ограбили того-то, ночью и даже днём стреляют, взрывают. И что самое страшное и невиданное доселе — людей стали воровать и выкуп требовать. В общем, анархия и только человек с оружием и бородой считается человеком, точнее, господином.

Поначалу, узнав, что Тота приехал навсегда, мать очень обрадовалась, а потом, даже если сын захочет просто выйти на улицу, у матери начинается паника, и она умоляет Тоту уехать.

— Уедем вместе, — говорит сын.

— Нет. У меня здесь театр, сцена, — отвечает мать.

— Какой театр?! — смеется сын. — Какая сцена? И где здесь зрители?

— Нет! — Мать становится в позу. — Я актриса чеченского национального театра. Я заслуженная артистка РСФСР, и если даже я с нашей сцены сбегу, то тут окончательно и бесповоротно восторжествует бескультурье и мракобесие.

— Тогда и я с тобой здесь останусь.

— Нет! — кричит мать. — Мужчинам здесь опасно. Без бороды — опасно.

— Я отращу бороду.

— Не шути... Пожалуйста, уезжай. И мне будет спокойнее.

— А ты? Одна.

— Я не одна. Театр через дорогу.

— Так в вашем театре никого нет.

— Главное — я есть! — заключила мать.

— И я буду! — твердо сказал сын и чуть погодя спросил: — Кстати, нана, а кто сейчас балетмейстер театра?

— Какой балетмейстер?! Ни балетмейстера, ни худрука, ни даже директора театра нет. Все сбежали. Отсюда все бегут.

— Но ты ведь не убежала.

— Никогда и ни за что! — привычный артистизм и в её позе, и в голосе.

Однако на сей раз эта стать быстро сникла, и она тихо продолжила:

— Сынок, тут вот какое дело. Порядка нет. Зарплаты нет. И ты прав, главное, зрителя нет. Все разбежались. Теперь чеченский театр и чеченские артисты базируются в Москве... Я их не обвиняю. Но если все убегут, то где Чечня, чеченцы, наша культура? Где театр?

— Вот видишь, а ты меня гонишь.

— Я о другом, — строг голос матери. — К великому сожалению, наш чеченский театр, впрочем, как и наш народ, сегодня разделился. Я никого не виню и ничью сторону не принимаю. Я не политик, я актриса. Но я твердо знаю, что чеченский театр, как и чеченская культура и искусство, могут быть и должны быть только здесь. В Грозном, в Чечне.

— Воистину так! — поддержал Тота мать.

— Так-то так, — согласилась мать. — Но дело в том, что среди тех, кто остался здесь, нет ни одного дипломированного специалиста.

— Так, я окончил институт культуры.

— Именно. И вот что я думаю, точнее, это просьба оставшегося коллектива. Без дипломированного специалиста нас не признают. Мы тебя на общем собрании выберем и утвердим в качестве художественного

руководителя театра. Всё оформим, а потом ты как бы уедешь в командировку.

– Нана, – перебил её Тота. – Какая ты умница! Давай начнём, а с командировкой посмотрим.

Наверное, интереснее – в творческом плане – периода в жизни Болотаева не было. Театр практически был парализован. А Тота вдруг его возглавил. У него после покупки квартиры ещё оставалось чуть более одиннадцати тысяч долларов, что в то время, тем более в Грозном, было внушительной суммой. И почти вся эта сумма пошла на нужды театра и актеров. Все понемногу получили зарплату. Поставили автономный котел на дизельном топливе. В театре появились свет и тепло. Тепло стало и в коллективе.

Тота начал готовить к Новому году гала-концерт с приглашением солистов из других регионов. Заодно сам стал восстанавливать свою физическую и балетную форму, втайне мечтая поставить свой сольный концерт.

Как понял Тота, не только его мать, но и весь коллектив – от сторожа и уборщицы до осветителя и солистов – болели за театр, жили им и иного смысла в своей жизни не видели.

Это был такой коллектив энтузиастов и истинных патриотов своего дела, своей нации, что Тота был поражен и заражен их энтузиазмом, необыкновенным обаянием и очарованием настоящего театра, высокого искусства и мастерства.

Благодаря Болотаеву жизнь в театре закипела, он развил такую бурную деятельность, что у него не было ни времени, ни сил, чтобы просто перейти проспект и попасть домой – поспать, поесть, переодеться. Театр стал как бы лучом света в темном царстве, куда потяну-

лись люди, потому что по ночам Грозный без электричества погружался во мрак, а национальный театр весь в огнях, светится. Обозначен новогодний праздничный репертуар, красочную елку поставили.

Этот праздник кое-кому не понравился. Среди дня явилась толпа бородатых вооруженных людей — они громогласно объявили, что ёлка, Новый год и прочее-прочее — это христианские праздники, языческая ересь и вообще вражеская пропаганда и агитация. Ёлку свалили, игрушки растоптали.

Болотаева, который назвал это актом вандализма и мракобесием, чуть не побили и вручили повестку в республиканский шариатский суд для переаттестации.

В суд, тем более в шариатский, Тота демонстративно не пошёл. Однако ему быстренько показали, у кого власть в руках. В театре вновь появились вооруженные, обросшие, грубые молодчики. Теперь Болотаева вызывают прямо в Президентский дворец — на заседание совета старейшин. И туда Тота не хотел идти, но не только мать, но и весь поредевший коллектив театра его упросил.

— Болотаев, — обратился к нему очень пожилой, с виду религиозный деятель, — республика на особом положении. Осада. Комендантский час и режим ЧП, а у вас танцы, пляски, ёлка, Дед Мороз. Может, вы ещё и Снегурочку из Москвы пригласите?

Этот вопрос застал Тоту врасплох.

— А деньги откуда? Кто вас финансирует, если мы не даем?

— У меня были кое-какие сбережения, — тихо сказал Болотаев

— Брехня! — крик из зала.

— Диверсант.

— Кремль, Запад и евреи его подослали, спонсируют!

Болотаев такого не ожидал. Даже не знал, что сказать, а его спрашивают:

— Разве вы не знаете, что по нашей религии плясать, петь, играть — словом, устраивать цирк и клоунаду — запрещено?

— Э-э, — замялся Тота. — Чеченцы, кажется, всегда и пели, и танцевали. Вы ведь знаете — илли, узам, эшар, ловзар.

— Молчать! Это язычество.

— А комната для молитв есть в театре?

— Там даже женщины без платка ходят. И по вечерам женщины с мужчинами танцуют, песни поют.

— Мы репетируем, — нашелся Тота. — Готовим концерт.

— А ты — художественный руководитель? Танцевать учишь? Лучше бы ты их молиться научил и сам молился.

— Иди, Болотаев, — был вердикт. — Никаких танцев и песен... О душе надо думать. К смерти готовиться. И вообще, займись достойным мужским делом, а пляски и песни — удел никчемных людей.

Когда Тота возвратился в театр, первой его встретила мать, с тревогой спросила:

— Что там было? У тебя расстроенный вид.

— Ничего, — сердито ответил сын. — Никто мне не запретит здесь, у себя дома, танцевать лезгинку.

— Может, ты уедешь? — тихо промолвила мать.

— Нет! — твердо выдал сын, а затем слегка улыбнулся. — Помнишь, что сказал Эсамбаев? Я буду танцевать! Мы будем танцевать!

В тот же день, точнее уже вечером, во время репетиции к нему прямо в зал в грязной обуви явился обросший вооруженный молодой человек и наглым тоном спросил:

– Ты Болотаев Тота? Получи. – Он протянул Тоте бумагу.

– Что это такое? – Тота рассматривал повестку.

– Повестка в шариатский суд.

– Какой суд? – удивился Тота.

– Придешь – узнаешь.

– Никуда я не пойду, – Тота демонстративно разорвал бумажку и, указывая на дверь, – освободите помещение. Это театр! Храм культуры и народа! А вы в таком виде, при оружии.

– Тота, перестань! Ты их не знаешь. – Артисты попытались образумить своего руководителя.

– Что значит «перестать», – возмущался Болотаев. – Ведь в мечеть, если он туда ходит, в таком виде его не пустят.

– Ну вы, безбожники, – усмехнулся пришедший. – Этот развратник с мечетью сравнили. – Он с презрением, смачно и вызывающе плюнул.

– Как ты смеешь?! – вскрикнул Болотаев и кинулся было на гостя, но его уже схватили. Успокаивали.

После репетиции, по местным порядкам, время было уже очень позднее и опасное, коллеги предложили проводить Тоту до дома, учитывая, что ещё есть комендантский час. На что Болотаев попытался усмехнуться, но встревоженность была, ибо он вспомнил, что пару лет назад и не за такое его прилично поколотили.

Однако теперь он руководитель и не имеет права бояться, поэтому громко заявил:

— Если мы — люди искусства — прогнемся, то мракобесы здесь окончательно восторжествуют! Никого и ничего не бойтесь: это наша Родина, наш театр, наш танец и мы будем танцевать!

С этими словами он покинул здание театра. Прямо перед ним окна их квартиры и даже свет керосинки виден. Но чтобы войти во двор, надо с проспекта Революции завернуть на улицу Мира и там арка, где его ждали... Нещадно стали бить. Мать спасла. Она нутром почуяла неладное, пошла навстречу сыну и застала эту картину. С криком и проклятиями, как волчица, она бросилась на эти мрачные тени...

Очнулся Тота в больнице. Перед ним в беззвучном режиме включен телевизор. На экране, внизу, бежит текстовая строка, в эфире — новости, а в стороне он их не видит, но слышит голос матери:

— Доктор, когда он придет в себя?

— Не знаю, не знаю. Сотрясение мозга.

В этот момент показывали, что президент России амнистировал мятежников и из тюрьмы выпустили бывшего председателя парламента России Хасбулатова под домашний арест.

«Вот она — причина!» — после сотрясения всё стал понимать Болотаев. Как только чеченца Хасбулатова посадили в тюрьму, у всех чеченцев в России дела стали плохи. У него всё отняли и попросили убраться поскорее из Москвы.

«И что удивительно, — продолжает думать Тота, — его ректор попросил не появляться в столице до Нового года, словно знал, что к этому времени всё, как говорится в России, устаканится». Так оно и есть, Хасбулатова освободили, и мать Болотаева более не желала в Чечне оставлять. Прямо из больницы вывезла

Тоту в Минводы, посадила на поезд до Москвы (самолет пока противопоказан, хотя Тота чувствует себя нормально). Вот и получилось так, что новогоднюю ночь он встречал в пути и, благо что состав почти пустой, один в купе.

1 января 1994 года утром Тота прибыл на Казанский вокзал. Даже на вокзале людей совсем мало, а город вообще пустой. Холодно. Ветер. Колючий снег.

Вроде и провел Тота в столице немало лет, и знакомых и их телефонов и адресов аж два блокнота, а податься, оказывается, некуда. Будто прибыл в первый раз в незнакомый город.

Как обещал матери, по прибытии Тота первым делом стал искать переговорный пункт, чтобы позвонить в Грозный. Оказывается, в связи с праздником функционирует только центральный телеграф на Тверской.

Как назло, ни домашний, ни театральный номера не набираются. В Грозном к этому привыкли – перебои во всем.

Весь день Тота бродил по Тверской, через часполтора повторяя заказ; уже очень устал и промерз до костей, но услышать мать очень хотел и услышал. Он думал, что её успокоит, но, как всегда, она его успокаивала, сообщила неожиданную новость:

– Тота, вчера принесли телеграмму от ректора. Поздравляет и просит срочно ему позвонить.

– Тота, срочно приезжай. – По голосу бывшего ректора Тота понял, что веселье в разгаре.

– А я в Москве. Сегодня прибыл.

– А номер телефона? Где остановился?

– Пока нигде.

В трубке тишина. Долгая пауза, покашливание, и после этого уже совсем изменившимся, серьезным тоном бывший ректор сказал:

— Немедленно приезжай ко мне.

Когда Тота прибыл к шефу, празднование Нового года продолжилось.

— Тота! — поднял рюмку бывший ректор. — Мы проиграли бой, но не сражение!.. Сегодня ночуешь здесь. А завтра всё решим.

Решили. Точнее, бывший ректор решил так:

— Слушай меня... После праздников я получаю кафедру, завкафедрой. Ты там доцент, параллельно поступаешь в докторантуру. Значит, у тебя работа, комната в общежитии и московская прописка.

— Так это всё у меня было и два года назад, — без обиды усмехнулся Тота.

— Но-но-но! Как сказал классик, шаг вперед — два шага назад, — и, перехватив взгляд Тоты, произнёс: — Ты на меня обижен?

— Конечно, нет.

— За квартиру небось обижен.

— Даже не думал, — улыбнулся Тота. — Я ведь маме в самом центре такую квартиру взял.

— М-да, — грустно вздохнул профессор, — ты так говоришь, будто эта квартира не в Грозном, а в Париже или хотя бы в Москве.

Они замолчали, задумались.

— Ничего, — сказал бывший ректор. — Я тебе помогу с докторской.

— А кому ныне нужны эти степени и вообще наука?!

— Нужны. Всегда нужны! Вот увидишь! — убеждал бывший ректор, и Болотаев вновь окунулся в изуче-

ние проблем экономической эффективности нефтяных месторождений России. Правда, теперь ему не надо было особо мотаться по бескрайним просторам Сибири. Эту работу теперь исполняли молодые аспиранты и дипломники, а Болотаев делал свод, анализ и готовил конструктивные предложения в виде научных статей для различных сборников и журналов, что в итоге должно было стать основой докторской диссертации, научным консультантом которой был бывший ректор, который, в свою очередь, словно отрабатывая какую-то повинность, с особым усердием помогал Болотаеву.

Это была жизнь ученого. В условиях России начала 90-х — это почти что нищенское существование и такой же незавидный статус, словом, неудачник.

В прежние времена Болотаев и представить не мог такую унылую жизнь, без страсти и азарта. Да, видимо, побои в родном городе, особенно последние, вроде бы окончательно и бесповоротно вышибли из него всякую прыть и искру. Даже его шеф удивлен:

— Что-то с тобой случилось. Тота, я тебя не узнаю. Какой-то ты стал грустный, тихий.

— За маму волнуюсь. В Грозном всё хуже и хуже.

— Ну вывези ты её оттуда.

— Не едет. Ни в какую... Говорит, что там её дом и она обязана его украшать.

— М-да, — тяжело вздохнул профессор. — В такой ситуации одно спасение — наука!

— Кому она нужна?! — грустен голос доцента.

Однако, когда он в руки взял даже на вид очень солидную монографию «Эффективность нефтяных месторождений Западной Сибири», стало весьма и весьма приятно, и почувствовал он себя достойно, к тому же его фамилия была первой.

— Как-то неудобно, — сказал Болотаев шефу.

— Всё верно, — постановил бывший ректор. — По алфавиту вначале буква «Б», а потом «Н» — Никифоров. А если по-серьезному, то ты ни разу нюни не пустил и даже не упомянул об отобранной квартире, а тем более о трудах в торговом центре. Так что это маленькая компенсация. К тому же тебе докторскую защищать. — И после паузы: — Ты её матери пошли.

Так Тота и сделал, хотя и думал, что мать вряд ли поймет значение и тем более содержание книги. Однако реакция матери была неожиданной.

— Вот это дело! Вот это молодец! — говорила мать, а потом, после паузы, уже вполголоса: — Тота, пришла весточка: в старой квартире, что в микрорайоне, нас затопили... В общем, там я увидела этот допотопный чемодан. Той девушки.

Она замолчала, и Тота молчит, не знает, что сказать, и если бы мать спросила, что он там делает или зачем привёз, он бы стал говорить, что её отец чеченец и в её уголовном деле так и написано, что она по национальности чеченка, и только поэтому и так далее. Но мать после паузы также тихо и, как показалось Тоте, очень участливо поинтересовалась:

— Она ещё в тюрьме?

— Да, — ответил сын.

— Дала Іалаш йойла иза!*

* * *

По правде, отношение Тоты к Даде было, как и прежде, неоднозначное. Он питает к ней симпатию. Вместе с тем её судьба, её проблемы, к тому же и её пораженное лицо. Словом, у него и без неё жизнь нелегкая, но он

---

* Дала Іалаш йойла иза *(чеч.)* — Да хранит её Бог.

теперь понимает, что они по жизни уже повязаны, а после последней встречи в Котласе он всё чаще и чаще вспоминает Даду с щемящей тоской.

Тем не менее всё это как кратковременные эмоции, чувственность, страсть и жалость. Жалость оттого, что он понимает: у неё никого нет и вся перспектива её жизни мечтается, если можно так сказать, с ним. Вот это его и пугает, поэтому он особо с ней и не идет на контакт, да и она его особо не донимает, а тут этот чертов чемодан и вопрос матери, будто из-за него она до сих пор в тюрьме.

«Это обстоятельство непреодолимой силы», — сам себя попытался успокоить Тота и вновь, как и прежде, почти что об Иноземцевой забыл, как забывают о старой, любимой, но уже изношенной вещи, закинутой до особого случая в глубокий подвал, и это почти всегда — навечно, хлам...

Но Дада по-своему боролась за эту жизнь, и вот одна знакомая из торгового центра специально пришла в академию:

— Тота, вас искал мужчина. Сказал, что он капитан из Котласа. Вот телефон. Очень просил позвонить. Жизненно важное дело. Так и сказал.

«В тот раз — телевизор, а теперь, наверное, холодильник нужен», — подумал Тота.

Да ныне он сам еле-еле сводит концы с концами. Однако не позвонить Тота не смог, и то, что он услышал, как и всё, связанное с Дадой, было потрясением:

— Иноземцева беременна.

— Что?! — изумился Болотаев.

— Ваша землячка беременна.

Это было так неожиданно, что Тота очень растерялся, и вновь спросил:

— Что-о-о?!

— То, что она беременная от вас, — был жесткий вердикт и такое же продолжение: — Иных вариантов нет и не могло быть. — Голос в трубке по-военному четкий, грубый, но к концу тон явно спал. — Если здесь родит, то ребенок, как и когда-то мать, попадет в местный детдом, при зоне... Понятно?

Болотаев молчит. Он даже не знает, что произошло, а в трубке вновь жесткий тон:

— У неё никого нет, а вы...

— Что я должен делать? — промямлил Болотаев и следом: — Вы можете мне помочь?

— Уже помог, уважая её. А вытащить её отсюда поможет тот, кто и до этого организовал вам роскошную встречу.

— Вы сказали «вытащить»? — удивился Тота. — В смысле — из тюрьмы?

— Разумеется.

— И сколько это стоит?

— Это стоит, — был грубый ответ.

Не только содержание, но и тон этого капитана-надзирателя взбесил Болотаева. И первая мысль была, что этот уголовный мир в сговоре и пытается развести его, как фраера. В то же время образ Дады, той Дады, которую он знал, никак не вписывался в эти умозаключения Тоты.

После долгих, очень тревожных раздумий Тота решил, что если это «развод», то вскоре капитан как-то выйдет на связь и Тота его «раскусит». Однако дни шли, никакого контакта, и вдруг он видит сон: Сибирь, страшный мороз. Он один едет в каком-то теплом трамвае. Именно в трамвае, который никуда не свернет и только на остановке двери откроет. А на улице стоит

замерзающая Дада. Будучи на сносях, она обеими руками придерживала большой живот и умоляюще смотрела на него, но он даже голову не смог повернуть в её сторону.

Проснулся он в поту. Непонятное чувство вины и постоянное беспокойство стали его терзать, и тут вновь мать по телефону справилась о Даде. Сразу же после этого звонка Тота позвонил в Котлас, а капитан ему с ходу:

— Я и так, вопреки всему, пошёл на контакт с вами. Больше не звоните. — Частые гудки, под такт его пристыженного сердца.

Болотаев взялся за дело. В тот раз всё организовал некий Серов — интеллигент в наколках, которого ему прислал Султан. Ныне Султана нет, убили. Но ведь кто-то из его окружения должен был остаться.

Тота включил «чеченскую связь», что-то сродни цыганской почты. Он не сомневался, что этот Серов найдется, лишь бы он был живой или снова не отбывал срок.

Серов объявился. Выслушав Болотаева, он сказал, что наведет справки. Ровно через неделю он появился вновь:

— Ради памяти Султана готов сделать всё и вся. Но сами понимаете, что это дело очень серьезное и деликатное... В общем, я сделал всё что мог. По данному делу это копейки: за год — тысяча, итого — десять штук.

— Чего? — не понял Болотаев.

— Десять тысяч зелени.

Сумма огромная, за неё можно было купить квартиру в спальном районе Москвы. И, кстати, Тота об этом подумывал, ибо на его банковском счете в Цюрихе ещё оставалось чуть более восьми тысяч долларов.

Это был стратегический запас, и вообще престижно было иметь какие-то деньги в швейцарском банке. Теперь не до этого. К тому же у Болотаева каждодневно возрастает чувство вины и ответственности. И ему кажется, что если он эти десять тысяч, как откуп, отдаст, то ему самому станет легче. А следом возник ещё ряд препятствий – нет визы в Швейцарию. К тому же, по словам шефа и его дочери, не дай Бог органы узнают, что у некоего чеченца Болотаева в Цюрихе счет, начнутся вопросы – откуда да как? А там глядишь и шпионом обзовут.

Словом, узнал Тота, что твои деньги – это когда они у тебя под подушкой лежат. Хотя время такое бандитское, что и под подушкой хранить неспокойно. Однако Тота понял, что задумал он благое дело, ибо всё решилось очень просто: на его новый служебный номер поступили звонки междугороднего сигнала. Тота думал, что это мать, а тут:

– О! Господин Болотаев! – Он сразу же узнал этот голос с европейским акцентом. – Да-да. Это Амёла Ибмас. Я по делам вылетаю в Москву. Хотела бы с вами встретиться. У вас есть возможность?

– Да-да, конечно.

– А какие пожелания?

– Э-э, – замялся Тота.

– Я поняла. В Москве поговорим.

– А у вас, госпожа Ибмас, есть какие пожелания? – нашелся Болотаев.

– Одно нескромное есть. – Она смеется. – Мечта в Большой театр попасть.

– Нет проблем, – заявил Тота, хотя сам за все эти годы, к своему стыду, ни разу не был там. А вроде обязан был, хотя бы как выпускник института культуры.

* * *

В жизни каждого человека есть событие, которое если не переворачивает, то явно как-то изменяет его жизнь и запоминается навсегда...

Почему-то Болотаев сразу же придал огромное значение звонку из Швейцарии. Во-первых, как мыслит он, такой звонок, скорее всего, прослушивается. Во-вторых, каким образом мадам Ибмас узнала его номер. И в-третьих, самое приятное и романтичное, Амёла Ибмас очень симпатичная, европейская девушка... Впрочем, и он не последний парень на деревне. Словом, его обаяние неотразимо...

На самом деле всё протекало прозаично. За полчаса до представления они встретились перед Большим театром. Ибмас мило, по-европейски, улыбалась, но в глазах лишь деловой настрой и благодарность за балет. А Болотаев с ходу спросил:

— Как вы узнали номер моего служебного телефона?

— Вы клиент самого древнего и крупного банка в мире, — был ответ.

Как и во всех театрах Москвы, и в Большом был приличный буфет, где шампанское, коньяк и закуски к ним для приятного, расслабленного просмотра. Однако Ибмас от всего отказалась, даже в антракте со своего места не вставала. Правда, после представления её взгляд изменился, глаза увлажнились.

— Спасибо вам. Я получила такое наслаждение, — говорила она. — Кстати, а вы ведь тоже по образованию балетмейстер? И недавно руководили чеченским театром.

— Откуда вы всё знаете?

— У вас есть ко мне вопросы? — ушла она от ответа.

— Есть, — выдал Тота. — Я хотел бы получить остаток своих денег. Очень нужны.

— Прямо в Москве?.. Нет проблем.

Оказывается, Ибмас остановилась в самом дорогом отеле «Метрополь», рядом с Большим театром. Расставаясь с Болотаевым, она подала руку и сказала:

— Завтра утром я поеду в Подмосковье. Меня пригласили на дачу. — Она называет фамилию одного из самых богатых людей России, совладельца крупнейшей нефтяной кампании. — Послезавтра приходите вот по этому адресу в одиннадцать часов. Буду ждать.

По указанному адресу находился офис московского представительства банка.

— Господин Болотаев, — официально говорит Ибмас, — вы были директором крупного торгового центра и по рекомендации наших клиентов и ваших партнеров, мы, вопреки уставу нашего банка, открыли вам счет. Но дело в том, что на счете клиента нашего банка должно быть минимум триста тысяч долларов... Раз вы решили забрать остаток — это восемь тысяч сто долларов, то мы их выдаем вам и благодарны за сотрудничество. — Она мило улыбается, подает руку. — Надеюсь, что вы ещё вернетесь в бизнес. Прощайте.

Вопреки ожиданиям, эта встреча оставила крайне неприятный осадок, словно его как-то попытались допустить на краешек элитарного клуба богатых людей земли, но он не подошёл — на порядок меньшую сумму, чем членский взнос, в банке имел, но и это, как небольшой задаток, не оставил.

В общем, такая европейская красавица, как Амёла Ибмас, ему не по зубам, а надо заниматься судьбой уголовницы Дады Иноземцевой.

...Взяв у Тоты десять тысяч, Серов сказал:

— Это номинал. Ради памяти Султана работаю без комиссионных и постараюсь от души.

Тота понимал, что такой процесс, как досрочное освобождение заключенной, если он даже будет, дело не одного месяца, а может, и года, к тому же этот Серов на сей раз показался ему просто как спившийся интеллигент или переживший свое время хиппи семидесятых, у которого, как у блатного, нет визитки, контактного телефона и постоянного места жительства. В общем, совесть у Тоты чиста, он что мог и не мог, но сделал, а там будь как будет. Написано на роду Иноземцевой скоро освободиться, он будет очень рад... Однако он совсем не обрадовался.

У Тоты с утра две пары лекций, и он гладил брюки, как постучали:

— Болотаев, там какая-то странная беременная женщина на проходной. То ли бомжиха, то ли ещё хуже... В общем, вас спрашивает. Что делать? Прогнать?

— Бегу, — крикнул Тота.

Утренний час пик. Все идут на работу и занятия. В углу холла домашнее, вечно зеленое деревце, на которое Тота не обращал внимания. Теперь под ним, как выброшенная кошка у чужой двери, у батареи отопления приютилась Дада.

Увидев Болотаева, она тяжело встала. Теперь она прячет не только часть лица, но и живот пытается прикрыть. На ней куцеватое, старомодное и поношенное пальто явно с чужого плеча. На ногах валенки, даже название которых в Москве не помнят. Словом, вид у неё далеко не респектабельный, особенно лицо — землянисто-серое, болезненное, измученное.

— Дай паспорт, — первое, что сказал Болотаев, даже не здороваясь.

— Паспорта нет, — без зубов шепелявит она. — Вот. — Она протянула какую-то справку.

— Она что, только откинулась?! — вдруг завизжала комендантша общежития на проходной.

— Э-э, — замешкался Болотаев, его прежний авторитет явно пошатнулся, да вдруг высокая Дада перегнулась через стойку и что-то сказала комендантше, что та в страхе отшатнулась.

Уже в лифте, когда они остались одни, Тота спросил:

— Что ты ей сказала?

— Да так. Это по-нашему, — уклонилась Дада. — Она тоже сидела, и я ей напомнила.

— А как ты узнала? — удивился Болотаев.

— Опыт, — чуточку улыбнулась Дада. — Грустный опыт.

— Всё позади, — без особого энтузиазма сказал Тота.

Беременная женщина, тем более Иноземцева, тем более в таком виде и состоянии, его и смущала, и угнетала, и тем не менее, хотя бы для приличия, он взял её за руку, даже хотел обнять, но отпрянул.

— Всё за свое, — зло фыркнул Тота, в рукаве Дады он обнаружил твердь металла. — Опять кого-то зарежешь?

— Надо будет — зарежу, — процедила она.

С первой минуты между ними возникло напряжение.

— Вот, располагайся, — уже в комнате говорил Тота. — Как видишь, я по-прежнему как аспирант

живу... Ты перекуси, отдыхай. У меня две первые пары, опаздываю. — Он пулей выскочил.

После лекций Болотаев пошёл к знакомым — снова из-за Иноземцевой в долг просить. Потом ходил на рынок, как-никак, а у него теперь в комнате беременная женщина... Ему даже страшно к себе возвращаться, а другого выхода нет. И что он видит? Дада вылизала всё. Всё блестит. Чисто. Уют. Вкусно пахнет. А она спит. И не на его единственной кровати, а на полу, прислонив живот к батарее. Хотя он и пытался не шуметь, но Дада тут же проснулась.

— У вас здесь тепло, спокойно. — Она спросонья потянулась. — Давно я так не спала... С последней нашей встречи.

Как Тота уже знал, Иноземцева в совсем короткий срок могла в корне преображаться. Вот и теперь было видно, что она скинула с себя эту тюремную вонь и крысиный цвет.

— А где ты мясо взяла? — спросил Тота.

— К вашей комендантше на проходную спустилась. К тому же мне кое-что по-женски нужно было.

— Зачем? Так нельзя!

— Почему?! Мы с ней так, кое-что обтерли, а то ментам всё сольет.

— При чем тут менты?! — возмутился Болотаев. — И что это за жаргон?

— Простите, — глубоко выдохнула Дада, — я постараюсь более так не говорить и не поступать.

— Да уж, постарайся.

Хорошо покушав, Тота раздобрел:

— Вечером пойдем, надо тебе одежду купить.

— А можно я сама пойду?

— Ну а сможешь? — как гора с плеч. — Москва другой стала.

— Завтра разберусь. — За этот день Дада во всех отношениях преобразилась, и она уже справляется. — Тота, а вас теперь девушки не донимают?.. И кровать лишь одна. Неужто постарели?

— «Постарел», — обиделся Болотаев. — Ты не знаешь, что вокруг нас, чеченцев, творится. Здесь прессуют, в Чечне ещё хуже. За мать боюсь.

— А я в ваших глазах не чеченка? — неожиданно перебила Дада.

— Э-э, — замялся Тота. — Ну, почему... Давай спать. Тебе надо отдохнуть. — Он постарался уйти от ответа. Теперь их отношения носили совсем иной характер — меж ними был человечек.

Это обескураживало Болотаева.

— Так. Ты ложись на кровать, а я — на полу.

— Нет, — твердит Дада и во множественном числе говорит: — Нам удобнее и теплее у батареи, на полу.

— Я кровать к батарее подвину.

— Не надо... Мы втроем спокойно поместимся.

— А третий кто? — удивился Тота. — А-а. А сколько месяцев? — вдруг вырвалось у него, и он сам от этого вопроса смутился. И она оскорбилась, покраснела, а потом засмеялась: — Посчитайте сами!.. Но не надо так сильно переживать. Вы мне и так очень многое сделали, и я вам обузой не буду. Я уеду на Север.

— Давай спать, — теперь Тота её перебил.

— Давайте... Мы на зоне привыкли спать на очень узкой скамейке. Так что ложитесь, и вы нас даже не услышите.

Почти что так оно и получилось. Наутро Тота проснулся от заманчивых ароматов.

— Вот тебе деньги, — после отличного завтрака Болотаев дал ей триста долларов. — В валюте разбираешься?

— Только в этом на зоне и интерес.

— Тогда здесь рядом, на Ленинградке, торговый центр. Найди модуль 24 или 32, назови моё имя. Я им много помогал, может, и тебе они помогут.

— Это чеченцы?

— Нет... Впрочем, какая разница? — возмутился Тота.

— А как мне представиться? Невестой можно?

— Уже с животом? — злится Болотаев.

— Ладно, не волнуйтесь... не пойду я в ваши модули и ваш центр. Тут подсказали, есть китайская барахолка. Там всё дешево.

— Как знаешь. — Болотаев торопится. — Ключи оставишь на проходной. У меня — лекции.

В этот день Тота припозднился, были дела, а Дады в общежитии нет. Он уже стал волноваться, даже в темень окна вглядывался и хотел выйти, как услышал в коридоре шум. С морозной улицы, вся румяная и довольная, ввалилась Дада с какими-то баулами.

— Ну как я вам?! — Первым делом она закружилась перед хозяином. За эти пару дней она сильно преобразилась. Главное — блеск в глазах. — Вам нравится? — даже закокетничала Дада.

— Конечно! — признался Тота. — А что так припозднилась?

— Менты — сволочи. По одежке вычислили. Дважды задерживали, обыскивали.

— Да ты что? А это? — От испуга Болотаев даже позабыл название.

— Заточку? Ха-ха-ха! Я ведь её давно выкинула.

— Фу! Слава Богу, — облегченно вздохнул Болотаев. — А как ты от них избавилась?

— По одежке вычислили. Прямо в метро остановили. А как мою справку увидели да узнали, что я чеченка, то...

— А как они узнали, что ты чеченка? — перебил Тота.

— Имя у вас странное, спрашивают, чье? Я сказала. Неправильно сделала?

— Ну, — пожал плечами Болотаев. — Просто ныне к чеченцам отношение плёвое. Мы для них сплошь бандиты и террористы.

— А ко мне всегда было отношение плёвое, мне не привыкать. — Она сделала паузу и с неким укором глянула на Тоту. — А что, такую чеченку не воспринимаете?

— Нет-нет, — стушевался он. — Ну и что было дальше?

— Обыскали карманы, составили протокол.

— А доллары?

— Доллары не нашли. Этому меня научили... Всё равно долго держали, ждали ответ на запрос и просто издевались.

— Они не видели твое положение?

— Конечно, видели... А когда выпустили, я поняла, что по времени, да и вообще... в метро в таком виде. В общем, двинулась к вашему центру. По пути у обменника стала менять валюту — вот тут вновь меня задержали. Может, пасли.

— И что?

— Сто обменяла, половину отобрали. Зато в модуле, как ваше имя назвала, вот! — Она вновь любуется своими покупками. — Всё почти бесплатно отдали. Как я вам?

— Отлично!

— А ещё я магнитофон купила, японский. — Она достала небольшую коробочку. — А у вас есть чеченские записи? Будем лезгинку танцевать!

— Ага! — усмехнулся Тота. — В твоем-то положении как раз лезгинку и танцевать... Я устал. Давай ужинать и спать.

Настроение Дады вмиг испортилось.

— Я завтра уеду, — резко бросила она.

— И куда? — спросил Тота, но вместо ответа раздался резкий стук в дверь.

Двое милиционеров, двое — в гражданском и комендантша вошли в комнату.

— Ввиду террористической угрозы проверка документов.

Паспорт Болотаева, бегло осмотрев, вернули, а вот справку Иноземцевой изучали, словно она была написана на незнакомом им языке.

— Придется, гражданка, с нами пройтись в отделение.

— О чём вы говорите? Вы разве не видите её состояние? — возмутился докторант. — Я не позволю. Это издевательство и нарушение прав человека!

— Мы — на службе.

— Она беременна!

— Мы защищаем спокойствие наших детей.

— А она и её плод не наши? — вскипел Болотаев. Он побледнел, сжал кулаки. — Я не позволю!

— Вызовите наряд! — последовал жесткий приказ.

— Ой-ой! — вдруг простонала Дада, обхватив живот, она села на кровать, потом со стоном сползла на пол.

— Ей плохо! Схватки! Скорей скорую! — крикнула комендантша, бросаясь к беременной.

Более всех испугался Болотаев, представив, что Иноземцева тут же родит. Проверяющие попятились в коридор. О чём-то там побубнили и ушли. Приехала «скорая помощь». Сказали, что схватки были ложными, мол, такое бывает. В целом состояние беременной нормальное. Зато Болотаев чувствовал себя вовсе не нормально. От свалившейся на голову проблемы он не знал, что делать и как быть. Всю ночь не спал. А рано утром вновь явились участковый и наряд милиции. Попросили не только Иноземцеву, но и Болотаева проследовать в отделение милиции для того, чтобы взять отпечатки пальцев и фото в архив.

— Я доцент. У меня с утра лекции! — возмущался Болотаев. — Я здесь живу десять лет. Меня все знают.

— С Чечней и чеченцами у нас отныне особые отношения, — был сдержанный вердикт. — А вот кем гражданка Иноземцева вам приходится? — Вопрос уже был задан в отделении.

— Жена! — с вызовом ответил Тота.

— А где вы её пропишете? — Болотаев молчит, а ему напоминают. — Кстати, у вас временная прописка и через год она закончится.

Болотаев продолжает молчать, а сотрудник милиции говорит:

— Гражданка Иноземцева, вы в течение трех дней должны были стать на учет.

— Не смогла по состоянию здоровья, гражданин начальник.

— Тем не менее закон есть закон.

— Я исправлюсь... Может, вы меня пропишете и паспорт выдадите?

— А где вас прописать? — строг милиционер. — С вашей биографией... Москва — не отстойник.

— Что вы хотите сказать? — злобно процедил Болотаев.

— Всё! Всё нормально, — вмешалась Дада. — Я проездом в Москве. Закон не преступала.

— А мы и не позволим, — перебил её сотрудник. — И молчи, пока я не задам вопрос. Поняла?

— Как вы смеете?! — вскочил Болотаев. — С женщиной?! — Он ещё что-то хотел сказать, но Дада почти силой усадила его обратно и говорит, вроде бы только Тоте, но чтобы слышали все:

— Москва, конечно, не отстойник, но вся страна параша. И живут не по законам, а по понятиям... И нам не привыкать. Так что держитесь, доцент, — подбодрила она Болотаева.

Эта унизительная процедура продолжалась долго. Когда вернулись в общежитие, морально раздавленный Болотаев без сил повалился на кровать. Потом выдал:

— Я отсюда уеду... В Европу. Эти оскорбления невыносимы.

— Тота, простите, — говорит Дада. — Это из-за меня. Но я не разделяю вашу печаль. Наоборот, это самый счастливый день в моей жизни! Вы опять назвали меня женой.

— А что я ещё мог сказать? — вскочил Тота. — С этим пузом!.. Запомни, я в жены возьму только девственницу! И настоящую чеченку! Понятно?!

Долгая пауза. Тишина. Оба застыли. Первое движение совершила Дада. По обыкновению, она со всеми, особенно с Тотой, пыталась предстать со здоровой стороны лица, а тут она демонстративно села так, чтобы Тота видел её изуродованный профиль, и видно, как изнутри кипит, часто дышит, нервно сжимает руки.

Тота уже пожалел, хотел сказать, что погорячился, что он не то ляпнул и так далее. Но в этот момент случилось совсем неожиданное. Дада вдруг зашлась смехом. И не каким-то там нервным, истеричным с надрывом, а так, как только она могла смеяться, когда ей было действительно очень хорошо, как в то время, когда он приехал к ней на зону.

— Ой, Тотик, ой! Рассмешили!.. Ну вы, Тотик, даете?! Девственник девственницу захотел! Возжелали. Ой-ой-ой! Ха-ха-ха!

— А что?! — возмутился Болотаев, встал в позу, как будто вот-вот выдаст яркое па лезгинки. — Только так и будет! — постановил он.

— Будет, будет, — сквозь смех выдала Дада. — Только вы об этом более никому не говорите.

— А что?! — ещё более повысил голос Тота.

— Ничего. — Её голос вмиг стал жестким. Она опустила голову, обхватила её обеими руками и, нарушив тишину, прошептала: — Простите... Я нарушила ваш покой. Я завтра уеду.

— Куда уедешь? — Голос Тоты стал металлическим.

— На Север...

— И кто тебя там ждет?.. Такую. — Снова тишина.

Тота подошёл к ней, тронул за плечо:

— Ладно. Прости.

Она одернула плечо.

— Ну, не обижайся. — Голос мужчины стал гораздо мягче. — Оставайся. Разберемся. Как-нибудь тебя устрою.

— Ни за что... Тем более рядом с вами.

Вновь очень долгая, мучительная пауза. Оба напряжены. Молчат. Первым не выдержал Болотаев:

— Я пойду в магазин, кое-что нам куплю. — Его тон явно примирительный и виноватый.

Однако Иноземцева в этот момент резко вскинула голову:

— Нет! Никуда вы не пойдете. Вначале уйду я. — Она решительно встала. — Только один вопрос — мой чемодан, чемодан отца выкинули?

— Нет! — поспешно ответил Тота. — Храню! — Он даже радостно хлопнул в ладоши и тут сделал танцевальное па. — А ведь это идея. Дада, кто тебя ждет на Севере и куда ты поедешь? Лучше на юг.

— Какой юг? — встрепенулась она.

— У меня в Грозном квартира. Правда, она на окраине, в микрорайоне. И с мебелью не густо, но необходимое есть и, самое главное, твой чемодан там.

— Точно там? Не выкинули?

Ее не пришлось долго уговаривать, и это понятно — чемодан отца. Хотя понятно и иное: а был ли у неё выбор?

Уже ночью она шепотом спрашивает:

— А вдруг мать на квартиру нагрянет?

— Не нагрянет. У неё и ключей-то нет... У меня через пару недель предзащита, и если всё будет нормально, то я приеду. А до этого по любому вопросу обращайся к моему товарищу — соседу, у которого ты возьмешь ключи от квартиры... Понятно?

— Понятно. — По теплой влаге на груди Тота понимает, что она плачет и тихо шепчет: — Я так мечтала попасть в Грозный, в Чечню, как мечтал и мой отец... Надо же, чемодан отца там.

Без паспорта на самолет не пустят. Купили плацкартный билет на поезд.

Чечня в блокаде. Железнодорожного и воздушного сообщения нет, поэтому взяли билет до ближайшей

станции — Беслан. Там Дада должна найти — а они будут — таксистов-чеченцев, и они довезут до Грозного.

Ночь. Казанский вокзал. Тоте не понравилось, что в купе Дады ещё двое мужчин и женщина.

— Может, я поговорю с проводницей, доплачу и тебя переведут в другое купе?

— Не волнуйтесь, — успокаивает его Дада. — Надо будет, сама договорюсь.

— Деньги спрятала? Еда есть, — волнуется Болотаев. — Будь осторожна. В Чечне опасно... И куда я тебя посылаю?

— Что вы волнуетесь? Ведь ваша мать тоже там.

— Мать всех знает. И её все знают. А ты?

— Не волнуйтесь, Тотик. Ведь это не зона. Я сумею постоять за себя и за него. — Она протянула ему руку, и он нащупал в рукаве заточку.

— Дада, ты же говорила, что выкинула. Брось сейчас же. — Тота не на шутку разволновался. — Тебя ведь будут обыскивать на границе.

— Всё, всё! Успокойтесь! — улыбнулась Дада и сделала какое-то ловкое движение рукой. — Всё. Выкинула. Смотрите, нету.

Тота пощупал рукав. Действительно, ничего не было.

— Куда выкинула?

— Вон туда, под вагон.

Поезд ушёл, а Тота, хотя и было темно, долго искал эту заточку в том месте, куда указала Дада, но так ничего и не нашел.

На следующий день и в последующие дни у Болотаева были лекции. Денег не было, но он отпросился, написал заявление и ещё раз попросил в долг и самолетом вылетел вслед за Дадой в Беслан.

Позже сама Дада не раз рассказывала, какой страх она испытала, подъезжая к Беслану. Страх не за себя, а за ребенка, что она потеряет его, как и первого, ещё не успев родить. И вдруг, ещё не сойдя с поезда, она увидела Тоту, идущего навстречу с протянутыми к ней руками. Она бросилась к нему и заплакала от радости и счастья! И всегда, вспоминая этот день, она считала, что все горести её жизни можно было забыть и всем всё простить ради этой минуты женского счастья!

* * *

Будучи по специальности финансистом, Тота Болотаев знал о множестве функций денег. Но в тюрьме он узнал, что функция лишь одна — всемогущество — даже в тюрьме. Точнее, особенно в тюрьме... А впрочем, в тюрьме-то и без денег выжить можно, вроде крыша над головой есть и какое-никакое, но питание гарантировано. А вот на воле обо всем этом надо самому заботиться.

Ох, с каким бы удовольствием, рвением и азартом Тота сцепился бы в борьбе за деньги, будь он на свободе... Однако...

Однако это кажется так. А на самом деле всё не так просто. И твои рвение и азарт быстро гасятся теми же деньгами, точнее их функциями, одна из которых, если грубо, гласит: денег всегда не хватает, дефицит. И за них — те, которые взял в долг, — надо отвечать.

Это к тому, что Тота устроил Даду в Грозном, но от этого легче не стало. В Грозном, в Чечне, ситуация плохая, и там теперь не только мать, но и беременная Дада.

Вообще-то, как ранее не раз писалось, нормальные люди, у кого есть возможность и голова, уже давно из

Чечни бежали и продолжают бежать, а Тота туда сунул беременную. И она одна.

Прибыв тогда из Грозного в Москву, понял, что натворил, хотя Дада и прислала телеграмму: «Всё отлично. Огромное спасибо. Не беспокойтесь...» Надо беспокоиться и прежде всего не от нехватки, а от отсутствия денег и наличия долгов. И если бы он, как первоначально было, остался бы просто танцором-хореографом, то это вроде понятно — неоцененный гений! А быть как бы профессиональным финансистом и даже лекции по курсу «Финансовый менеджмент» читать и при этом кругом быть в долгах — это, конечно же, морально угнетает. И даже выхода нет, и никакого источника дохода, чтобы как-то рассчитаться и жить дальше, не видно. И после долгих горестных раздумий у Болотаева остался один лишь ход — в московский офис швейцарского банка, там у него на счете ещё оставалась мелочь — более ста долларов, но это теперь для него деньги.

По телефону ему сообщили, что прежний его куратор уже не работает, но, к счастью, в данный момент в офисе находится новый куратор — Мюллер. В тот же день Болотаев и Мюллер — очень приятный человек, примерно ровесник Тоты, — встретились в кафе.

Не зная, с чего начать, Тота справился об Амёле Ибмас и, к удивлению, получил следующую информацию.

— Амёла Ибмас перешла работать в другой, небольшой, приватный банк, — непривычное для европейца раздражение в голосе нового куратора. — При этом она повела себя очень неправильно.

— Что она сделала? — удивился Тота.

— Всех богатых русских клиентов переманила с собой в новый банк.

— Зато меня, бедного, оставила вам, — угрюмо усмехнулся Болотаев.

— Да, — подтвердил Мюллер и продолжил: — Впрочем, я не должен был вам сообщать эту конфиденциальную информацию, но её поведение возмутительно.

— Её могут наказать?

— Юридически не к чему придраться, клиент имеет право свободно поменять банк. Однако здесь ведь была агитация. Мы потеряли такую клиентуру... А я, её преемник, остался, в принципе, ни с чем. От этого страдает моя зарплата.

— А репутация Ибмас от этого пострадает? — поинтересовался Болотаев.

— Конечно! Наш банк и я — её... сами понимаете. Хотя в целом в банковском секторе её шаг оценили как достоинство.

— Не понял.

— Всё просто. У Амёлы Ибмас свой особый подход к нашей деятельности. Она допускает такие методы работы с клиентами, которые я, да и никто, допустить не может.

— Какие?

— Ну к примеру. Позвонила вам и напросилась в Большой театр... Было такое?

— Было, — удивился Тота. — Вы следили?

— Конечно, нет. Это сама Амёла Ибмас, как и всё остальное, обязана указать в отчете работы с клиентом.

— Вот это да, — потрясен Тота. — А эта наша встреча будет отражена?

— Разумеется.

Тота слегка был шокирован.

— Значит, она и вы не имеете права встречаться с нами вне банка?

— Отнюдь, наоборот. Для бизнеса не должно быть преград, но ведь есть и моральные аспекты.

— Амёла Ибмас аморальна? — удивился Тота.

— Да что вы, нет, конечно, нет! — испуг в голосе Мюллера. — Я не в том плане. Просто почему-то Амёла может с русскими работать. А я так не могу. И никто, как она, не может общаться с русскими.

— Отчего так?

— Не знаю. Правда, знаю, что она, если честно, молодец! За свой труд она потребовала надбавку к зарплате. Ей отказали, и она ушла в другой банк, где больше платят и ценят.

— А разве она не права? — поинтересовался Тота.

— Права, — согласился Мюллер, — но я и банк пострадали... Кстати, я хотел с вами, господин Болотаев, встретиться. Я приезжал пару недель назад и не смог найти вас.

«Амёла Ибмас нашла бы», — подумал Тота, а Мюллер о том же:

— Вот Амёла, как говорят у русских, вас бы из-под земли достала... Ха-ха-ха! Правильно я сказал?

— Да. — Тота тоже засмеялся. — А где вы так хорошо научились русскому языку.

— Здесь, в Москве... Ха-ха-ха, русский выучил, а менталитет — нет.

— Так я не русский, — сказал Тота.

— Знаю. — Банкир махнул рукой. — Для нас вы все на одно лицо — русские.

— Понятно, — выдал Тота. — А зачем вы меня искали?

— О! Это такая деликатная тема. Дело в том, что, как вы знаете, наш банк — один из крупнейших в мире. Наш клиент не может иметь на счете менее трехсот тысяч долларов США. — Тота почувствовал, что его лицо вспыхнуло от нахлынувших чувств, даже голова слегка закружилась. А банкир продолжал: — Так что ваш счет мы закрыли... Спасибо за встречу. Наш банк заплатит за ваше кофе. Я тороплюсь. — Он хотел встать, но Болотаев остановил его:

— Постойте, я об этом знаю, и Ибмас мне об этом говорила, но у меня ведь изначально не было на счете трехсот тысяч, было на порядок меньше, а счет открыли?

— Да, — ненадолго призадумался банкир, — видимо, по чьей-то протекции, в надежде на ваши доходы... Помните, вы были гендиректором крупного торгового центра?

Болотаев ничего не ответил. Ему было грустно и тяжело. И даже когда Мюллер встал, Тота всё ещё сидел, пребывая в какой-то прострации.

— Вы меня простите. Прощайте. — Мюллер протянул руку. — Может быть, когда-нибудь вы ещё откроете счет в нашем банке.

Тота с силой пожал протянутую руку и не без злости ответил:

— Отныне это будет смыслом моей жизни.

Крепкое рукопожатие Мюллеру явно не понравилось, но он всё равно учтиво улыбался:

— У вас жесткая мужская хватка... Думаю, что это очень достойная цель и вы её достигнете. Поэтому хочу исправиться и говорю «до свидания».

Оставшись наедине, Тота тут же забыл о своих мечтах открыть счет в швейцарском банке. Он лишь думал

о том, рассчитался ли этот господин за кофе, или это придется сделать ему. С досадой думал и о своих ста долларах, пропавших при закрытии счета.

К удивлению Тоты, эта встреча оказала на него огромное влияние. Масса удручающих впечатлений и даже каких-то маний и сновидений стали преследовать его. И так получилось, что именно в этот период его пригласили на чеченскую свадьбу, и, конечно же, Тота должен был станцевать. И не просто станцевать, чтобы украсить торжество, но и показать пример классической лезгинки и заодно получить удовольствие и просто встряску от искрометного танца. А танцевать он умел и знал, что все будут в восторге от его танца. И он станет кумиром, хотя бы на час!.. Но нет! Он не смог танцевать. Танцами он не заработает на жизнь, не расплатится с долгами. И будучи, как многие творческие личности, очень суеверным, Тота решил, что все его беды из-за того, что он связался с этой непутевой Дадой.

...Позже, гораздо позже, вспоминая этот кошмарный период своей жизни, Тота понял, что все его беды были связаны с событиями на его Родине. Там, как болезненный гнойный нарыв, до предела накалялась обстановка, которая сулила лишь одно — войну. К ней призывали, готовились, вели. От этого боль в душе. От этого притеснения со всех сторон, потому что в России кризис, виноват враг — Чечня и чеченцы. Тота морально разбит и деморализован, и даже мать во время очередного телефонного разговора говорит:

— Что-то не нравится мне твое настроение. Что с тобой? Возьми себя в руки.

— Я за вас волнуюсь! — выдал Тота.

— За кого «нас»? — удивилась мать.

— За тебя. За тебя, — исправился Тота и следом. — Давай, как многие, уедем в Европу.

— Никуда я не уеду, — как всегда, жестко твердит мать, — и никто тебя в Европе не ждет, и никому ты там не нужен...

Но оказалось, что нужен. Как-то на кафедре Болотаев обнаружил на столе записку: «Звонила Ибмас. Просила выйти на связь». Телефон и номер гостиницы.

Тота тотчас позвонил.

— О Тота! Добрый день! — неунывающий голос Амёлы. — Мы можем встретиться?

— Конечно! — с ходу соглашается Болотаев, а сам мучительно размышляет, у кого бы попросить в долг, ведь на встречу надо идти в самую дорогую гостиницу «Метрополь», куда пригласила Ибмас на деловой ужин. Но чеченец Тота не позволит, чтобы за него заплатила женщина. Тем более что она — гостья. Однако Ибмас, как только они расположились в ресторане гостиницы, сообщила:

— Здесь за всё заплачено... Я перешла в другой банк.

— Я знаю. Встречался с Мюллером.

— О! Да? Ваш счет закрыли?.. Думаю, они поторопились. Мюллер — мой коллега, хороший парень. На меня ворчал?

— Нет, — соврал Тота.

— Ну, у нас в Европе — демократия, полная свобода слова, литературы и каждый имеет право говорить и делать то, что он хочет... Хотя мой переход в другой банк не одобряли. Очень маленький, но влиятельный банк предложил мне бóльшую зарплату. Я сообщила об этом управлению своего банка, но они никак не отреагировали. И я ушла. Я бедная, одинокая женщина, на

руках у меня больная мать, и, естественно, я перешла туда, где мне больше платят. Разве я не права?

— Права, — согласился Тота, а следом согласился и с мнением, что она не такая, как все, ибо европейка стала выдавать следующие тезисы:

— Чрезмерная свобода личности, которую так провозглашают на Западе, безусловно, порождает эгоизм, что погубит человечество.

Следующая её мысль была не менее интересной:

— Толерантность — хорошо, но никто ещё не отменял естественный отбор и конкуренцию. — Говоря о жизни в Европе, она затронула вопрос об отношениях полов и нравах. — Конечно, каждый имеет право жить как хочет, но ведь нельзя это пропагандировать, навязывать, культивировать, хотя бы потому, что это ведет к импотенции и деградации строя и общества...

Чем больше они общались, тем более Болотаев поражался ею, особенно когда она сообщила:

— Боссы старого банка хотели меня проучить, дабы и остальным не повадно было. Но я была готова к этому. И у них ничего не вышло.

— А вы не боитесь?

— Нет. Потому что всё по-честному... Я думаю, что мой коллега сказал вам, что я увела клиентов. Я никого не увела, это они за мной пошли.

— Мюллер сказал, — оживился Тота, — что вы умеете договариваться с русскими.

Ибмас пожала плечами, а Тота выдал свою версию:

— Может, оттого, что очень хорошо говорите по-русски. Где вы научились?

— У меня мать советская немка, — сообщила она. — Кстати, почему я встретилась с вами? Моя мать почему-то очень интересуется Кавказом и особенно чеченцами.

Недавно я ей сказала, что был у меня клиент-чеченец, она очень заинтересовалась и попросила, чтобы я через вас получила какие-либо книги о чеченцах. Словом, чеченские книги, литературу. Вы мне можете их достать?

Всё что угодно ожидал Тота от этой встречи, но не поиск чеченских книг, к тому же в Москве. Это было непросто, к тому же Ибмас попросила это сделать до её отъезда, ведь это просьба матери.

Вновь она назначила встречу в «Метрополе». Вновь Болотаеву не совсем комфортно даже входить в это здание, тем более что охранники с особым пристрастием осматривали содержимое его пакета с книгами. А узнав, что это книги о чеченцах, то вовсе не хотели впускать, но, когда он сказал, кто его пригласил, отношение к нему сразу же изменилось.

Ровно в обозначенное время в холле появилась Амёла Ибмас. Не только Болотаев, но, наверное, все присутствующие обратили на неё внимание. Ранее, даже в Большой театр, она одевалась очень простенько и блекло. А ныне этот строгий, темно-синий деловой костюм на её высокой, крепкой фигуре выглядел роскошно. И сама она излучала силу и уверенность.

— О! Господин Болотаев. — Она, как всегда, протянула руку. — Я хотела предупредить вас. Простите, но мне надо ещё минут десять—пятнадцать поговорить с клиентом. Вы не могли бы подождать?

— Конечно. Конечно, — согласился Тота.

— Спасибо. — Она очень мило улыбалась. — Вы будете кофе, чай?

— Нет, нет. Спасибо, — отказался гость, но Ибмас, перейдя на английский, сказала:

— Портье, принесите, пожалуйста, нашему гостю кофе и воду.

Кофе был в очень маленькой кружечке, всего пара глотков.

«Всё здесь показушное», – подумал Тота, но, когда он попробовал напиток, понял, что до этого он, оказывается, аромата настоящего кофе и не знал.

Болотаев ещё пребывал под впечатлением этого вкуса, когда в холле вновь появились Амёла Ибмас и довольно крепкий, зрелый, по всему видно, очень обеспеченный, вальяжный мужчина.

– Позвольте представить моего знакомого, – неожиданно для Болотаева сказала Ибмас. – Тота Болотаев. Крупный ученый, финансист, в области нефти.

– Очень приятно. Голубев Рудольф Александрович.

– Как видите, ваш коллега, – рекомендовала Ибмас. – Тота, дайте визитку.

– Нет с собою, – ещё более замешкался Болотаев.

– Вот моя. – Голубев протянул свою визитку, а Амёла говорит:

– Я думаю, что у вас будет взаимовыгодное сотрудничество.

Попрощавшись с Голубевым, Ибмас пригласила Болотаева в кафе и там первым делом строго заявила:

– Хочу предупредить, что по неписаным правилам знакомить клиентов, даже бывших, запрещено. И я такое делаю впервые.

– А зачем? – перебил её Тота, но она резко сменила тему:

– О-о! Какие книги! Так много! Как я их отвезу?

– Ну, выберите.

– Нет-нет. Всё отвезу. Мама очень обрадуется... Я вам рассказывала. Мама чеченцев любит. Кстати,

говорит, что очень-очень друг другу помогаете. Это правда?

– Ну, – пожал плечами Тота, вспоминая, как его, и не раз, бывало, пинали чеченцы в Чечне.

Однако реноме надо поддержать, и он артистично выдал:

– Конечно!

В этой паре изначально вожжи правления были в руках Ибмас, и она, прощаясь, повелела:

– Так. У вас визитка есть, завтра же позвоните Голубеву.

Болотаев не позвонил, потому что оказалось, что Голубев – председатель совета директоров акционерного общества «Сибнефтегаз» – это одна из крупнейших новых нефтяных кампаний России. И Болотаев не по слухам и газетным статьям, а по данным отчетности знает, какие там вращаются деньги. А визитка – это знак вежливости и не более. Однако буквально через день позвонила Ибмас:

– Тота, вы не позвонили Голубеву? Завтра в десять утра он вас ждет.

Это прозвучало как приказ, но это и надежда, и спасение. Зарплата доцента Болотаева в пересчете на валюту – двенадцать долларов в месяц. А преподает он ради комнаты в общежитии, ради прописки в Москве и какого-то статуса, что вот-вот он защитит докторскую диссертацию и тогда его оклад удвоится.

Конечно, это смешно. Но так люди жили, и Болотаев жил и, может, выжил бы, если бы не долги, кругом долги. Поэтому, а выбора не было, оказавшись на следующий день в центре Москвы – здесь находился офис «Сибнефтегаза», – Тота был просто потрясен от вида и масштаба здания (здесь пару лет назад находил-

ся известный академический государственный музей), охраны и припаркованных иномарок.

Нет, в такое здание обшарпанного доцента в свитере не пустят. Пришлось вернуться в общагу, надеть лучший, то есть единственный, костюм.

Голубев его принял. Правда, любезность, что была в холле «Метрополя», напрочь отсутствовала. С тоном одолжения, а как иначе, Голубев сразу же отправил Болотаева к заместителю гендиректора компании, некому Бердукидзе.

Услышав грузинскую фамилию, Тота обрадовался. Однако, хотя кабинет Бердукидзе был гораздо скромнее, чем у Голубева, сам кавказец был совсем строг, холоден и даже, как показалось Тоте, высокомерен.

— Вы окончили институт культуры? — был почему-то вопрос. И если бы этот грузин сказал следом «в Тбилиси», то это ещё можно было понять, но он следом спросил: — Артист?

— Хореограф, — не без досады процедил Тота, и, пытаясь хоть как-то выправить ситуацию, он по-грузински сказал пару фраз. От этого возникла ещё большая напряженность.

— Я в Грузии никогда не был, языка не знаю, только фамилия прадеда осталась, — сухо пояснил он, рассматривая какую-то бумагу. — Ваш послужной список небогат.

Болотаев напрягся.

— Да, это ваше досье, — пояснил хозяин кабинета. — У нас очень респектабельная компания. Все дела ведутся основательно и строго. Знаете, что это значит?

— Нет, — резко ответил Тота.

Видимо, это не понравилось хозяину. Он немного призадумался и сказал:

— Знаете, если честно, то даже к вашей национальности в правлении были вопросы... Ну, вы понимаете.

— Понимаю, — выдал Болотаев. — Может, я пойду?

Не дожидаясь ответа, Тота уже хотел встать, но он заметил, как изменился взгляд Бердукидзе и даже некая мягкость и прощение появились в его следующих словах:

— Конечно, вы вольны в своих действиях, пока. Но между Голубевым и очень важным нашим деловым партнером была некая договоренность, и мы, то есть вы и я, должны постараться. — В это время зазвонил телефон. Этот звонок был очень приятен хозяину. Настроение Бердукидзе явно улучшилось и он бы ещё, может быть, продолжил разговор, да посетитель мешал, и поэтому он сказал: — Я перезвоню, — и устало глянул на посетителя. — Давайте откровенно. Это — частная компания, и никто, понятное дело, просто так вам денег давать не будет.

— Я и не прошу, — жестко вставил Болотаев.

— О! Да, — недовольная пауза. — Конечно... В общем, давайте так, как мне сказали. Учитывая ваши организаторские способности при запуске какого-то торгового центра, вы назначаетесь заместителем директора по коммерции текстильной фабрики «Салют». Это в Подольске.

— Текстильной фабрики? В Подольске? — ошарашен Тота. — Так я и не знаю, что такое текстиль, тем более в Подольске.

— Есть шанс узнать, — бесстрастный ответ.

Болотаев был зол. Был зол в первую очередь на себя. Но он понимал, что если он сейчас просто уйдет, то дело не только в деньгах, а совсем в ином. Что подумает и скажет Ибмас? Он, может, её более и не увидит.

Ведь неудачники, у которых нет даже трехсот тысяч долларов, в её круге не водятся. А он хочет в её круге быть и, если честно, быть совсем рядом... Поэтому Болотаев мучительно призадумался, и тут последовала обнадеживающая информация:

– Текстильный комбинат –непрофильная специализация. Повешен нам на шею как нагрузка. Если вы его хотя бы чуть оживите, то... Это градообразующее предприятие, и его пока банкротить нельзя, но и на шее держать такую махину, столько людей очень обременительно.

– Так в чём там проблема? – заинтересовался Тота.

– Нужен хлопок, но по нормальной цене. Поезжайте в Подольск. Там директор – отличный мужик, но, как говорится, советской закалки. А ныне рынок – надо крутиться или...

– Или неудачник, как я?

– Нет, я не это хотел сказать, – впервые за всю встречу улыбнулся хозяин кабинета. – Я хотел сказать, или надо иметь связи и крышу, как у Голубева... Впрочем, вы ведь тоже по протекции.

– Но крутиться надо самому.

– Отчасти. Потому что крутиться самому – это одно. А крутиться под «крышей» такой компании – это совсем иное. Ибо мы обеспечим вас, когда можно будет, юридической и иной поддержкой. К тому же подольский комбинат – это такая махина, столько земли и коммуникаций в перспективе. Но надо пока его поддержать, до банкротства. Дерзайте. – Хозяин кабинета встал.

Болотаев также вынужден был встать.

– Последний вопрос, – сказал он, – как мне быть с преподавательской деятельностью?

— По-дружески и по-кавказски: ни в коем случае не увольняйтесь. Вы можете раз в месяц бывать в Подольске, а можете и вовсе туда не ездить. Но для начала, конечно, надо ознакомиться с сутью деятельности.

С приказом на руках Болотаев появился на текстильном комбинате в Подольске. Директор крепкий, пожилой. Сразу видно, что человек — трудяга.

— Но ныне время иных людей. — Это он сам говорит и тут же добавляет: — Вы уже третий на этой должности за полгода... Банкротят страну — значит, всё банкротят. И никого они не пощадят.

— И вы сдались? — вырвалось у Болотаева. Он об этом уже пожалел, но было поздно, директор с суровым презрением смотрел на него.

— Мы выстоим, — грубо объявил он. — Не такое и не таких Россия видала. — Он ещё что-то хотел сказать, но, глядя в личное дело Болотаева, заинтересовался иным. — А вы что, окончили институт культуры? Я тоже, в Перми. Тоже балетмейстер. Был директором местного Дома культуры, и вот угораздило.

Так, на ниве искусства, у них завязался разговор, который после чая перешел и в парную, где язык, как известно, у всех развязывается, вплоть до того, что Тота даже остался там же, при заводской бане, ночевать. Наутро он проснулся разбитым, зато в общих чертах проблему освоил.

В Советском Союзе была плановая экономика и специализация. Например, в Средней Азии и Казахстане выращивали хлопок, а текстильные заводы построены в Центральной России — вот интеграция, кооперация и план.

Теперь Страны Советов нет, все самостоятельны, и там, где хлопок выращивают, стали строить совре-

менные заводы по переработке сырья. И, наконец, под давлением Запада в России приняли антидемпинговый закон по текстилю, на основании которого российским предприятиям запрещено поставлять свою дешевую хлопковую продукцию в Европу.

— В общем, выход только один, — резюмирует свою речь директор комбината, — искать левый хлопок.

— Что это значит? — удивился Тота.

— Как строй не называй — социалистический, капиталистический или феодальный, а люди жить хотят, хорошо жить хотят и рискуют, то есть воруют.

— Что воруют?

— Хлопок воруют. Особенно в этом преуспевают узбеки, хотя и говорят, что закон там суров. Однако рискуют, как-то доставляют этот левый хлопок в вагонах к нам в Россию. Этот левый товар копейки стоит. — Здесь директор сделал многозначительную паузу, испытывающим взглядом уставился на нового заместителя по коммерции и задал вопрос: — Справитесь?

— С чем?

— Надо найти таких поставщиков.

Как ученый-финансист-экономист, Тота Болотаев частенько решал сложные задачи, где было много неизвестных, да теории математического анализа и дифференциального уравнения помогали найти ответ. Однако формулы были решаемы в нефтяной отрасли, где какая-то статистика и отчетность были, хотя и воровство и левая продукция тоже были.

Это всё в России, в нефтяной трубе, где всё и вся счетчики фиксируют, но люди, как хотят, считают. А что такое хлопок? Тем более из Средней Азии и Казахстана, где Тота никогда не был.

В общем такие задачи со столькими неизвестными Болотаев решить не мог, поэтому он просто тихо отошел в сторонку, мол, произошла ошибка. Но ему позвонили из приемной Бердукидзе, даже потребовали зайти:

– Болотаев, вы что-нибудь делаете по заданию Голубева? Хлопок в Москве не найти. Надо поехать в Узбекистан, Киргизию, Туркмению, Казахстан. Туда, где хлопок выращивается. Надо поработать.

– Я там никогда не был, – оправдывается Тота, – да и не знаю, что такое хлопок... Словом, я не подхожу, не способен.

– О чём вы говорите?! – возмутился Бердукидзе. – Уволиться может любой, но не вы. О вас почти каждый день справляется Голубев, а у него справляются о вас звонки из Цюриха.

– Вот это да, – удивился Тота. – А может, я позабочусь, чтобы звонков из Цюриха не было.

– Как хотите, – развел руками заместитель генерального директора и, словно в унисон с мыслями самого Болотаева, с удивлением произнес: – А эта мадам из Цюриха очень нахрапистая, очень. Я таких в Европе и даже здесь не встречал... Вцепится, как бульдог. – Он встал, выпроваживая посетителя. – Надеюсь, вы избавите нас от этого пресса.

У Тоты и так проблем хватает. Достаточно и того, что в Чечне творится: уже открыто и руководство России, и правители в Чечне к войне призывают, друг друга провоцируют, обстановку нагнетают, и любому понятно, что Чечня – это даже не моська, а Россия образца 1994 года – это не добродушный слон из известной басни: этот слон растопчет, хочет растоптать, чтобы даже «мокрого» места не осталось.

Эта напряженность так или иначе давит на психику почти всех чеченцев, а в случае с Болотаевым эта ситуация совсем обостренная, ибо в Грозном одинокая и, что скрывать, как и многие творческие люди, весьма строптивая и своенравная мать, которая не хочет оттуда выезжать, а теперь, уже по вине самого Тоты, там ещё и Дада Иноземцева, и что ужаснее всего – беременная. Словом, случись что, а точнее, вдруг война – единственное оружие, которое, возможно, может помочь и спасти, – это деньги, а они напрочь отсутствуют. И Тота понимает, что он – зрелый здоровый мужчина, как теперь модно говорить, с двумя высшими образованиями, не может обеспечить даже самого себя. А тут не хватало этой напасти вызволять от банкротства какой-то комбинат, искать левый хлопок. Нет! Болотаеву надо найти эту сумасбродную банкиршу Ибмас и послать её навсегда и подальше... В принципе, это констатация того факта, что вход в некий клуб, у кого есть триста тысяч долларов, для него недосягаем.

И, пока Тота пытался выйти на связь с Ибмас, она сама неожиданно объявилась – позвонила на кафедру. Оказывается, она снова в Москве, снова остановилась в «Метрополе», куда срочно вызвала Болотаева.

Странное дело, столько лет Тота прожил в Москве и много-много раз бывал в самом центре, но почему-то до знакомства с Ибмас даже близко не подходил к этому серому, мрачному зданию «Метрополя», где швейцары точно знают, что у тебя в кармане пусто, смотрят на таких, как ты, с презрением и подозрением: мол, как сюда занесло? Вновь Ибмас вызвала.

От этой роскошно-вычурной атмосферы фешенебельной гостиницы Тота страдает. А в этот день так получилось, что он пришёл сюда пораньше, зная, что

это последняя встреча и, конечно, по правде говоря, ему Амёла Ибмас очень симпатична, но не по зубам... «Впрочем, легко заниматься самобичеванием» — так думает Тота, потому что это не просто чёрная полоса в его жизни, это чёрная полоса в жизни всего чеченского народа.

С такими объективно-горестными мыслями Тота стоял на углу «Метрополя», как прямо перед ним вырос его давний товарищ по «ресторанным» гастролям, замечательный музыкант Остап.

— Тота, сколько лет, сколько зим?! — Они крепко обнялись. — Ну, ты где, как, Тота?

— Да так, — уклончиво отвечал Болотаев. — А ты как?

— Тоже не ахти. Теперь вот здесь.

— «Метрополь»? Круто!

— Какой там. Эти нувориши жадные, тупые, а искусство вообще не понимают. — Докурив сигарету, музыкант пошёл в гостиницу. Чуть погодя, в назначенное время, и Болотаев вошёл в холл «Метрополя».

На сей раз к нему подошёл официант и предупредил:

— Мадам Ибмас просила вас чуточку подождать. У неё переговоры... Вам кофе, чай или что-то ещё?

— Спасибо. Ничего не надо, — почему-то Тота был очень раздражен.

Он мечтал сказать два слова Амёле и уйти.

Эта банкирша по-прежнему обращается с ним как с бедным и несчастным родственником-неудачником.

Как бы в знак протеста, Болотаев по-барски вальяжно расселся на широком диване. В это время появился Остап:

— Тота, беда... Наш ударник, видно, снова ушёл в запой.

Болотаев «собрал» конечности. Кивком предложил товарищу сесть рядом.

— Вчера гуляли, — в это время продолжал Остап. — У подруги днюха была... Голова гудит... Слушай, Тота, угости пивком.

Эта просьба как удар под дых. Он пришёл сюда, чтобы попрощаться с Ибмас, и денег всего — на метро до общаги. А музыкант о своем:

— Всё-таки правильно ты, Тота, сделал, что бросил наше гиблое дело — шутовство за гроши.

— Ну, кто-то ведь делает бабки на концертах, и не хилые, — возразил Болотаев, чтобы увести разговор.

— Да это единицы и то по блату или через диван. Сам знаешь — время прохиндеев и наглецов. Даже нот не знают, слуха и голоса нет, а сплошь народные и заслуженные... Впрочем, плевать на них. Башка болит. Угостишь пивком? Как-никак в таком заведении стал общаться. Молодец!

Что мог сказать Болотаев? И вдруг его осенило:

— Человек! — негромко, но повелительно окликнул он официанта. — Молодой человек, давеча вы мне предложили кофе, чай или ещё что-то. Что подразумевалось под этим «что-то»?

— Всё, что в нашем меню.

— А за чей счет?

— За счет принимающей стороны.

— Хм! — усмехнулся Болотаев. — Тогда будьте любезны, нам два двойных виски и кофе... Пойдет? — это уже к коллеге.

— Отлично, брат!

Эти небольшие порции они быстро оприходовали, а затем музыкант попросил:

– Может, повторим?

После второй уже Тота командовал:

– Бог любит троицу, – после чего старый товарищ сказал:

– Вот ты мужик, Тота... Сам Бог тебя сегодня послал, а то голова раскалывалась. Спасибо тебе. Пойду работать.

А Тота осмотрелся и не то чтобы отрезвел, он-то и не опьянел, но спустился, как говорится, на землю – на халяву пить, тем более за счет женщины-иностранки.

– Официант! – позвал он и перешёл на шепот: – Слушай, брат, выручи. Вот часы в залог – завтра деньги принесу.

– Ну зачем? Всё оплатят.

– Нет, – категоричен Тота. – Поймите и помогите. Прошу вас

– Понял, – улыбнулся официант. – Только часы возьмите. Здесь всё на доверии.

Болотаев с трудом выдавил улыбку:

– Что, часы старенькие? Не стоят? – уже резкость в тоне.

– Да нет, что вы?! Хорошо, – согласился официант. – Просто у нас это не практикуется.

– Спасибо. – Болотаев почти силой заставил официанта забрать часы.

После такого количества возбуждающих напитков он почувствовал себя уверенным. Вновь по-барски расположившись в кресле, он уже с некоторым презрением смотрел на этих нуворишей, которые изредка появлялись в фойе.

«Зачем я её столько жду?» — всё более и более довлела над ним мысль, и он уже собрался было уйти, как вновь рядом появился Остап.

— Тота, ещё в одном выручи, постучи маленько.

— Да я уже вечность не играл, — хотел было отшутиться Болотаев и, оглядевшись, надменно произнёс: — Перед этими?

— Что, западло? — обиделся Остап.

— Да ладно, — поддался Тота, — только собьюсь — не вини.

— Не волнуйся, брат, здесь только тихая-тихая музыка... Как говорят эти олигархи — деньги тишину любят.

На ходу они обсудили репертуар. В ресторане — полумрак, сцена небольшая. В просторном зале лишь пара столиков занята. Тота сразу же заметил мадам Ибмас. С нею за столом — довольно упитанный пожилой мужчина. За соседним столиком два амбала, видать, охрана. Как заметил Тота, перед Ибмас и её визави — только вода, и по лицу Амёлы видно, что у них диалог непростой, очень напряженный.

Как только заиграла музыка, почти все, кто был в зале, машинально посмотрели в сторону ансамбля. Музыкальные инструменты, как и отель, на высшем уровне. Ударника из зала почти не разглядеть — гора барабанов, тарелок и гирлянд, и тем не менее Тоте показалось, что острый взгляд Ибмас его заметил, так что она отвлеклась от собеседника, с удивлением уставившись на эстраду. Правда, это продолжалось недолго, ибо её собеседник вновь стал о чём-то с диктатом говорить, налегая животом на стол. Отчего-то Болотаев понял, что для Ибмас разговор в тягость, и поэтому Тота сказал:

— Остап, давай Deep Purple «Highway Star»!

— Да ты что, здесь нельзя... Всё должно быть чинно и тихо. Только классика, в их понимании.

— «Lambada»?

— Ага, — засмеялся Остап. — Либо «Modern Talking».

— А «Stairway to Heaven» Led Zeppelin?

— Это можно... А что ты задумал?

— Вон ту даму пригласить.

— Нам нельзя, — встревожился Остап, а чуть погодя: — Впрочем, а ты её знаешь?.. Тогда, Тота, дерзай! Коль хочешь и надо.

— А вы не пострадаете? — всё-таки о судьбе группы печется Болотаев.

— Да пошли они! В первый раз, что ли!.. Будет сюрприз. Валяй!

— Данная композиция посвящается нашей гостье из свободной Швейцарии, — в микрофон сказал Тота.

— «Любимой женщине», — объявил Остап песню, которую обожал Болотаев.

Конечно, эту изумительную вещь И. Крутого и Л. Фадеева Остап исполнял не как Муслим Магомаев, но, будучи высококлассным профессионалом, он придавал этой композиции свой особый шарм.

Услышав первые аккорды, Тота радостно, чуть ли не по-юношески спрыгнул с невысокой сцены и со своей игриво-кошачьей танцевальной походкой уверенно направился к столику Ибмас, так что двое охранников — амбалов встревоженно вскочили. Тут же встала и мадам Ибмас.

— Это мой знакомый, — разрядила она обстановку, а Болотаев как бы свысока обратился к респектабельному мужчине:

— Позвольте пригласить даму на танец. — И, не дожидаясь ответа, Тота, буквально подталкивая, увлек Амёлу к небольшой танцевальной площадке у эстрады, а там уже, умело обхватив её талию, он повел её в медленном танце!

— Боже, Тота, — взволнованно шептала она. — Мне нельзя так с клиентами.

— Что нельзя? — в том же возбуждении спросил Тота.

— Так нельзя. Танцевать с клиентами нельзя.

— Так я ведь не клиент, — усмехнулся Болотаев. — Хоть в этом повезло.

— А ведь верно. — Ибмас улыбнулась. — Я даже благодарна. — Она нежно положила руку на его плечо. — Этот тип так достал.

— Ваш клиент?

— Вроде клиент, но, кажется, из спецслужб. Просит о кое-какой информации, даже угрожает.

— Вы боитесь?

— Я — гражданка Швейцарии, а Швейцарию даже Гитлер и Сталин боялись. — И тут же сменил тему: — Вы, кажется, выпили?

— Чуть-чуть... в ожидании вас.

— Не думала, что вы такой музыкант.

— Я не музыкант, а хореограф и то был когда-то.

— Прекрасная композиция, — выдала Амёла. — А этот тип ещё не ушёл?

— А мы ещё один танец будем танцевать, и ещё, и ещё. И если он не конченый кретин, то уйдет. Возьмем измором. — Они дружно рассмеялись.

Важный господин и вслед за ним охрана удалились. После этого — и Тота это явно почувствовал — Ибмас заметно расслабилась и под конец композиции предложила:

— Давайте поужинаем. Я так устала, проголодалась, заодно нам надо поговорить.

Чуть позже, уже за столом, она строго спросила:

— Как ваши дела?

Вкратце Болотаев рассказал обо всем и как итог:

— Я никогда в жизни не видел хлопок и даже, как он выглядит, не знаю, где его купить, достать. Тем более нужен дешевый, ворованный. Так мне объяснили. Но я ничего в этом не соображаю. В общем, спасибо вам и Бердукидзе. Я, как говорится, не в теме.

— Хм, странно, — призадумалась Ибмас. — При чём тут хлопок и нефтяная компания?

— Не знаю... А, впрочем, пока есть возможность, заглатывают по дешёвке и по блату всё подряд, а там наверняка в хозяйстве пригодится.

— Да, — признала Ибмас. — Сегодня Россия для кого-то Клондайк, а для большинства... — Она не завершила фразу и вновь задумавшись, строго продолжила: — Хлопок. Хлопок. Ведь хлопок в Узбекистане выращивают?

— Да, выращивают, — подтвердил Тота, — но я там никогда не был и никого не знаю.

— Я тоже не была, — улыбнулась она, — но кое-кого из Узбекистана знаю. Так что отказываться, Тота, пока что не надо.

Мгновенно она разбила все планы Болотаева, и если час назад он думал, что это последняя встреча, то, оказалось, их контакт усиливается, потому что Ибмас, уже в ином тоне, продолжает:

— Давайте о другом, о личном... Моя мама прочитала ваши книги.

— Это не мои книги, — усмехнулся Тота.

— Не важно, — в строгом тоне продолжает она. — Кроме мамы, у меня никого нет. Моя мама очень скрытный человек. И вот, прочитав данные вами книги, она очень хочет встретиться с вами.

— Пожалуйста, — обрадовался Тота.

— Только мама не может прилететь в Россию. Вы не могли бы прилететь в Швейцарию?

— Конечно!

— А виза есть?.. Я помогу. — Во всем Ибмас руководит. Однако от этого жизнь Болотаева не облегчается, а, наоборот, появляются все новые и новые проблемы, и первоочередная из них — погашение долга официанта.

Всю ночь Тота выбирал, у кого бы на сей раз взять в долг. Так и не определившись — кругом должен, рано утром пришёл он в университет, а там научный руководитель со своим пристал:

— Самое главное для тебя сейчас — защита докторской. А ты вновь в этот бизнес полез, а там такие творческие личности, как ты, прогорают. Чтобы сделать деньги в сегодняшней России, надо быть циником и хамом.

— Понял, шеф, — согласился Тота. — Тогда по вашей теории и как описано в классической литературе, скажу так — дорогой Николай Васильевич, не учите жить, помогите материально.

— Что, опять женщины, гулял?

— Прошу вас, в долг, — кивнул Болотаев.

В «Метрополе» Тота боялся случайно встретиться с Ибмас, а официант сообщает:

— Мадам Ибмас только что выехала в аэропорт. Ваш долг погашен.

— Как погашен? Кем погашен?

— Погашен. Вот ваши часы. Вот вам письмо: «Уважаемый Тота Болотаев! Подойдите, пожалуйста, к господину Бердукидзе. Вам помогут с визой и билетами. А. Ибмас».

Через неделю в Цюрихе его встречала Ибмас. Прямо из аэропорта она повезла Тоту к Цюрихскому озеру. Погода была пасмурной, шёл моросящий дождь. Прямо у пристани небольшое стеклянное кафе — почти пустое: только парочка туристов и одна пожилая дама, к которой Ибмас подвела Болотаева.

— Моя мама.

— Елизавета, можно просто Лиза, — протянула холодную костлявую руку.

Амёла посидела с ними недолго:

— Мне надо на работу. Мой банк здесь рядом. — Она поцеловала в щёчку маму. — Через час приду.

Тота и мать Ибмас долго провожали её взглядом. У поворота, где она уже скрылась бы из вида, Амёла оглянулась и помахала на прощание рукой.

— Славная у вас дочь.

— Да, — улыбнулась Лиза и вдруг сказала: — Не похожа на меня.

— Как же, похожа, — возразил Тота. — Особенно глаза.

— Ну, глаза, — всё же довольна мать. — Я дочь репрессированных немцев. Выросла в неволе. У нее, слава Богу, этого не было.

— Во время ссылки в Казахстане вы жили вместе с чеченцами?

— Да. — Лицо Лизаветы стало строгим и печальным. — В связи с этим я вас и позвала. Спасибо, что откликнулись. Однако у меня к вам одна нижайшая

просьба: дочери – ни слова. Я думаю, что моя дочь так воспитана, что не будет вас донимать вопросами. А если даже спросит, я прошу вас обходить эту тему.

– Почему? – удивился Тота.

– Потому что лучше ей не знать... Она у меня одна. Совсем одна. И я так боюсь.

Подошёл официант, сделали заказ.

– Знаете, зачем я вас позвала? Это просто удивительно. Из тех книг, что вы мне подарили, был роман «Седой Кавказ», и там фамилия главного героя Самбиев. А вы не знаете этого автора? – спросила Лизавета.

– Только по фото. Лысый. Высокий. А что?

– То, что я вам сейчас расскажу, я никому никогда не говорила. Боялась. И сейчас боюсь. Но вам вкратце расскажу. Только никому не говорите, и особенно дочери, ни слова.

– А почему?

– Поверьте, это будет мешать ей в жизни. Она станет, как и я, бояться... Я могу вам доверять?

Тота повел плечами.

– Как только дочка сообщила мне о вас, я всё время о вас справлялась. У меня уже был в сознании ваш образ, но, увидев вас, мне стало совсем спокойно – вы типичный нохчо.

– Ха-ха-ха! – рассмеялся Тота. – Сможете доверять?

– Смогу. – Она тоже улыбнулась. – Теперь должна и хочу хоть кому-то поведать.

* * *

...Я родилась под Саратовом. Моя настоящая фамилия Крюгер. Елизавета Крюгер. Сейчас я – Лиза Ибмас.

Мой отец был военным. Ещё до войны, в 1940 году, его по доносу арестовали и судили, как немецкого шпиона. Если честно, то я его судьбы не знаю. Правда, моя старшая сестра Вика говорила, что он написал заявление на имя Сталина. Был направлен в штрафной батальон, где и пропал в сентябре 1942 года бесследно.

За год до этого, в сентябре 1941 года, вышел Указ о переселении всех немцев в Сибирь и Казахстан. На момент высылки в нашей семье было пять человек – бабушка, мама, старший брат, сестра Вика, на два года старше меня, и я, на тот момент мне шел десятый год.

В товарных вагонах, без удобств, без еды и воды, нас везли более двух недель. В пути умерла бабушка. Это был очередной, очень страшный удар, потому что бабушка была нашей крепостью – мудрая, стойкая, выносливая. Но этот ужас её сердце не вынесло.

Нас довезли до Усть-Каменогорска. Кругом были шахты, в том числе, как позже выяснилось, и урановые, на которых в основном трудились заключенные, почти все – политические. Прямо в степи, рядом с зонами и между горами рудных отходов, мы, несколько сотен привезенных немцев, стали строить жилища, что-то типа землянок.

Наш брат сразу же по прибытии был задействован в трудармию, то есть тоже на рудники, где он вскоре погиб. По официальной версии, попал под обвал. Наша мать в это не верила, говорила, что его уголовники ритуально-показательно казнили, как фашиста.

– Всего этого наша мать не вынесла, – продолжала свой рассказ Елизавета, – мы с сестрой Викой стали сиротами, и, наверное, мы бы не выжили, но нас после смерти матери определили в местный детский дом.

Мне было очень тяжело, а вот Вика приспособилась. Она как-то быстро вытянулась, повзрослела. В отличие от меня она, как и наша мать, высокая, стройная.

— Как ваша дочь, — выдал Тота.

Елизавета загадочно улыбнулась.

— Нет. Может, внешне Амёла на Вику и похожа, но характер... Нет, Вика была очень шустрая. Впрочем, я её никогда и ни в чём не осуждала и не осуждаю. Мы с детства такое пережили, столько потеряли и повидали, а потом в этом большевистском интернате нас так воспитывали и учили.

Тут Елизавета по-стариковски печально вздохнула и после небольшой паузы тихо продолжила:

— В общем, многого не расскажешь и даже из памяти хочется вышвырнуть, хотя и не получается... Это было в начале 1945 года. Война шла к концу. Победа была не за горами, хотя эта победа была как бы над нами — немцами. Хотя, если по правде, в нашем детском доме были дети разных национальностей, но нас воспитывали строго в духе интернационализма, и не дай Бог кто-либо открыто мог к нам пристать, как к немцам, потому что главная немка — это Клара Цеткин и Роза Люксембург, а Гитлер — фашист.

Так продолжалось до тех пор, пока вместо прежнего директора — женщины — пришёл новый начальник — фронтовик. Здоровенный, вечно хмельной и дурно пахнущий военный, который жизнь всего детского дома перевел на военный режим, так что всюду стали ходить строем, а комнаты наказания стали настоящими карцерами.

Жизнь в детском доме и так не сладкая. А представьте, что стала ещё хуже. Только Вики это почему-то не коснулось. Она всегда была сытой и меня тайком от

всех подкармливала. И вот как-то она мне сказала: мол, я уже взрослая девочка и повела меня к начальнику.

... Мне было больно. Отвратительно. Я плакала. Пыталась кричать, но Вика зажимала мне рот. Через неделю Вика вновь предложила полакомиться тортиком. Я её искусала. Меня посадили в карцер. И я бы в нём, словно в ледяном гробу, умерла бы от страха, но Вика меня освободила и вновь повела к начальнику...

Даже сегодня, много-много лет спустя, я с содроганием вспоминаю те дни, карцер. И ту речь, где мне, по их соизволению, была оказана огромная честь — жить под покровительством начальства. В общем, надо брать пример со старшей сестры.

Оказывается, я уже стала взрослым человеком. Кажется, стала. Я это даже толком не помню. Помню, что мне дали подписать какую-то бумагу и сказали, что теперь у меня будет то ли кличка, то ли позывной — Цыпленок. Почему Цыпленок, не знаю. Но на всю жизнь запомнила моё первое, последнее и единственное задание — следить и всё докладывать о чеченце Лёме Самбиеве.

В детском доме уединяться нельзя, запрещено. Но мне под благовидным предлогом, что я буду помогать Самбиеву в изучении русского языка, разрешили во время тихого часа или перед отбоем заниматься с ним...

Самбиев был на два-три года старше меня, — продолжала свой рассказ Елизавета. — Парень крепкий, дерзкий, своенравный и необузданный. Дети и даже некоторые наставники его побаивались, сторонились, и он никому не отвечал особой взаимностью, вел какой-то отстраненный, обособленный образ жизни и даже в обязательных коллективных мероприятиях,

даже в групповых играх старался участия не принимать. Однако, когда — а это было принято в детском доме — мне публично предложили подтянуть в знаниях Самбиева, он это принял со снисходительной улыбкой. Отчего-то мы с ним быстро сблизились, как говорится, нашли общий язык. И что самое странное, этот Самбиев оказался очень смешным, с очень тонким чувством юмора. Словом, я влюбилась в него. Моя первая любовь. И его первая любовь. Как это было прекрасно, романтично, возвышенно. И мы были счастливы до тех пор, пока я ему всё не рассказала. Я рассказывала и плакала.

Раз в неделю, а может, и более начальник детского дома через Вику вызывал меня к себе для «отчета».

После моего признания наши отношения с Самбиевым резко изменились. Я думала, что он отвергнет меня, даже будет брезговать мной. Но получилось всё наоборот. Он стал относиться ко мне как-то иначе, и мы даже ещё более сблизились. Правда, прежней легкости, безмятежности в наших отношениях уже не стало.

И вот однажды я сообщила Самбиеву, что после отбоя меня вызывает начальник.

— До этого позанимаемся, — предложил он.

Мы сидели в красной комнате. Тускло горела лампочка. Мы не занимались. Мы молчали. Я поняла, что Самбиев на что-то решился. Он был весь в напряжении, о чём-то думал.

Прозвучала команда «отбой». Он не шевельнулся. Тяжелым взглядом пригвоздил и меня к месту. Я уже довольно долго плакала, дрожа от страха, предчувствуя страшное, когда в коридоре заскрипели деревянные полы.

— Почему свет горит?! — раздался властный бас.

Разъяренный начальник, в одних кальсонах, буквально вломился в красную комнату, а вместе с ним и табачно-спиртной смрад. Я со страхом вскочила. А Самбиев даже не шевельнулся. Тогда начальник, матерясь, двинулся на него и замахнулся для удара. В ужасе я закрыла лицо руками...

Очнулась я в санчасти. Ночь. Тишина. И я подумала, что всё это было во сне. Просто приснился кошмар. Но утром за мной пришли и повели в ту самую красную комнату, где всё было как всегда – строго, портреты вождей всё так же висели на стенах. Вот только много незнакомых мужчин, и они вновь и вновь задают мне вопросы: где находилась я, где был Самбиев, знала ли я, что он собирается сделать?

В тот же день меня отвезли в какое-то заведение. Провели в кабинет, где были лишь стол, два стула, графин с водой и ручка с бумагой. Сказали:

– Пиши всё, что было в детском доме.

– Всё писать? – спросила я.

– Всё, – был ответ.

Я писала долго. Наверное, два-три часа. Один военный, я форму и звания тогда не различала, но, судя по всему, высокий чин, каждые полчаса заходил меня проведать и каждый раз:

– Пиши, пиши... Всё. Поподробнее.

Сев напротив, офицер очень долго читал моё изложение, пару раз полушепотом при этом выматерился и как итог:

– Мразь!

Потом он ушёл вместе с листками. Вернувшись, указал мизинцем на слово «Цыпленок»:

– Больше – ни во сне, ни наяву, нигде и никогда не пиши об этом и не говори... Когда понадобится, тебе об этом напомнят.

Вечером меня доставили обратно в детский дом, а там продолжение событий. Оказывается, детдомовцы, узнав, в чём дело, стали избивать Вику и здесь в ход пошло холодное оружие. Если бы не вовремя подоспевшие наставники, Вику бы убили. Её отвезли в больницу...

Больше я её не видела, — тяжело вздохнула Елизавета. — И не желала видеть. И не дай Бог увидеть. Правда, несколько раз она на связь выходила...

Сейчас её вроде уже нет. Хотя не знаю... И меня в том детдоме тоже могли прибить. Поэтому в ту же ночь меня отправили в Алма-Ату. А там уже определили в интернат для старшеклассников, где директор с ходу сказала:

— Порою лучше всё забыть и начать жизнь с чистого листа.

Я так и сделала. Попыталась всё и всех забыть, но только Самбиева забыть не смогла.

— И сейчас любите? — прервал её рассказ Тота.

Она призадумалась, явно что-то вспоминая. Её белесо-голубые, уже выцветающие глаза обильно увлажнились. Она отвела взгляд в сторону окна. Там, за окном кафе, мирно текла жизнь Швейцарии.

— Удивительное дело, — протирая глаза платком, сказала Елизавета. — Вот страна. Совсем маленькая Швейцария. Здесь 600 лет войн не было. Неужели нельзя с этого пример взять и жить нормально? Нет. России надо всё время с кем-то воевать, враждовать, за всеми подсматривать, подслушивать... Боже! — Она отпила глоток воды. — Простите, пожалуйста. — Она как-то жалостливо улыбнулась. — Зачем я вас позвала? Я так виновата. Мой каприз.

— О чём вы говорите, — попытался её успокоить Тота и уже от любопытства спросил: — А Самбиева вы нашли?

— Если честно, — продолжила свой рассказ Елизавета, — я его никогда не забывала, но искать не смела и не могла. Я ведь была одинока. Совершенно одинока. Во всех смыслах одна, в этом грязном, грозном и насильственном мире одна. Я всего боялась. Очень боялась. И сейчас всего не расскажешь, многое если не позабылось, то просто пытаешься забыть, чтобы более не мучиться, а жить. И скажу честно, я всю жизнь вижу во сне эти сцены своего детства и в детском доме, и сейчас, порою у меня начинается приступ, как говорят врачи — синдром покалеченной психики и памяти...

Впрочем, в Алма-Ате, в интернате, жизнь была гораздо лучше. И в стране стало лучше. Всё-таки война осталась позади. Началось восстановление, бурное развитие. Стране нужны были специалисты. Специалисты по разным специальностям, особенно по естественным наукам.

В стране господствовал план или госплан, который, видимо, довели и до нашего интерната. И мне кажется, что мне просто повезло — у меня обнаружили способности к биологии и химии. И мне предложили две специальности: медработник или химик. Я выбрала последнее и по направлению поступила на химический факультет Казахского госуниверситета, что было очень престижно, а в моем случае — просто везение, ибо жить я стала в общежитии, а это уже представлялось как свобода!

В этот момент Тота заметил, как лицо и особенно взгляд Елизаветы явно просветлели от приятных воспоминаний:

— Да, — улыбнулась она. — Студенческие годы были, пожалуй, самыми счастливыми в моей жизни. Это, наверное, оттого, что, к примеру, по сравнению со

старшей сестрой Викой я очень и очень слабая во всех отношениях. Однако, как компенсация, мне Бог послал иную награду – память. Прочитаю страницу, увижу формулу – и повторять не надо. А химию к тому же я очень полюбила, хотя казалось, что должно было быть наоборот.

Дело в том, что на одном из лабораторных занятий я по неосторожности вылила всего лишь капельку кислоты на платье, а оно было почти единственным, выходным. И вот вызвали меня к доске – все ахнули.

Нет, все, тем более преподаватели, отнеслись к этому эпизоду с пониманием, как будто ничего не случилось, а мне однокурсники даже новое платье подарили. Вот только мне показалось, что если кто-то когда-то открыл такую кислоту, которая моментально изъедает ткань, то почему бы не открыть такую кислоту, которая и кожу изъест. Всё моё испачканное, истерзанное и изнасилованное тело и даже сознание также сожжет, вытравит, вычистить до девственной чистоты... для Самбиева.

Я училась очень хорошо. А почему бы не учиться, если всё для этого есть. После второго курса, как круглая отличница, я стала получать Сталинскую стипендию и меня послали в Москву для участия в научной конференции молодых ученых.

Не буду сама себя хвалить, к тому же всё в прошлом, но мой доклад «Изменение структуры переходных материалов в условиях катализа» имел потрясающий эффект. Никто не верил, что я студентка третьего курса периферийного вуза. Последовало предложение о переводе в столичный институт, а это заветная мечта для любого провинциала в СССР. Однако я наотрез отказалась, потому что в Алма-Ате я обжилась, окрепла.

Здесь вновь пустила корни немецкая община, которая не как, скажем, у чеченцев, открыто и с вызовом, что было опасно, а очень по-немецки, скрытно и аккуратно, помогала мне, подсказывала и советовала. Они-то, эти немцы-земляки, были крайне удивлены и даже недовольны тем, что я не еду в Москву, ведь это не только негласная реабилитация, но и некий реванш... Тем не менее тогда я не уехала, ибо мне казалось, что здесь, в Казахстане, именно в Казахстане, отбывает свой срок Самбиев и что он ищет меня, найдет и пришлет весточку... Отнюдь.

А время шло. Моя курсовая, а в последующем и дипломная работы были представлены на всесоюзный конкурс молодых ученых, и я получила премию – путевку на 6-й Всемирный фестиваль молодежи и студентов в Москве, который проходил летом 1957 года.

Этот фестиваль – вроде бы сугубо локальное событие, которое произошло только в Москве. Однако на самом деле в это тело, в эту закрытую систему большевизма проник «вирус» свободы, демократии и либерализма.

Это, конечно же, по сути, было революционное событие, которое назвали «хрущевской оттепелью», которую чуть погодя всеми способами и средствами пытались «остудить». Тем не менее значимость этого события, этого фестиваля 1957 года, невозможно принизить. Ибо даже в моём сознании, сознании во всех отношениях угнетенного и бесправного, всё перевернулось. У меня раскрылись глаза, и я раз и навсегда захотела уйти из этого мира в иной, где люди так широко и открыто улыбаются, свободно общаются, одеты не в военную форму и сапоги, а кеды и джинсы, и тогда

так приятно было танцевать чарльстон под очаровательные ритмы рок-н-ролла.

Это то, что осталось в памяти. И это впечатление столь внушительно от того, что до этого, когда мою кандидатуру утвердили и в Алма-Ате, и в Москве, было не одно собеседование в различных инстанциях: от райкома комсомола вплоть до 1-го отдела ЦК компартии Казахстана.

Особенно мне запомнилось одно собеседование, точнее, наказ. В большом солидном кабинете за внушительным столом сидел такой же внушительный начальник в военном кителе, и если бы я точно не знала, что Самбиев его убил, я подумала бы, что это и есть начальник нашего детского дома, который издевался надо мной... Правда, и этот важный товарищ поначалу даже не предложил мне сесть. Он долго и упорно, прямо передо мной изучал внимательно какое-то личное дело. Понятно, что это было моё личное дело... Мне казалось, что он сейчас поднимет голову и скажет: «Садись, Цыпленок» — и я грохнусь в обморок. Но он после долгого ожидания сухо предложил:

— Садитесь. Немецкий не позабыли? В Москве вас познакомят с участником фестиваля из Германии. Необходимо всестороннее общение, самый тесный и глубокий контакт. И так, чтобы он к вам, может даже и навсегда, привязался... В Москве будет ещё один инструктаж по женской линии. Надо, чтобы этот молодой немец полюбил и вас, и нашу страну.

Кажется, мне повезло, потому что так называемый «мой» немец по предварительной переписке уже ждал встречи с другой участницей фестиваля из Румынии. А фестиваль, как праздник, удался. По крайней мере, я была потрясена и, увидев своих сверстников из дру-

гих стран, поняла, что, оказывается, есть иной мир, совсем иной мир — это Германия, только Западная Германия, куда с тех пор я начала этот путь или побег.

Теперь я поняла, что на полпути из Казахстана до Германии находится Москва, и, как очень многие молодые люди, устремила все свои силы на переезд в столицу. В этом мне могли помочь лишь мои знания, и я получила приглашение стажироваться в Институт органической химии.

Казалось, что жизнь, а точнее, моя учеба и работа в Москве — это рай. Конечно, по сравнению с тем, что было и могло бы быть, это, может, и так. Однако праздника и тем более фестиваля нет и вроде бы не предвидится, да я уже вкусила глоток свободы, и этот глоток оказался до того заманчиво-упоительным, до того сладким и желанным, что ради этого я готова была на всё, по крайней мере работала сутками. Прямо в лаборатории, под шум катализаторов и вредных запахов химических реагентов, была моя раскладушка, на которой удавалось немного поспать между записями показателей эксперимента, которые надо было фиксировать каждый час.

Как и многие, я думала, что Москва — это Большой театр, концерты, музеи и кино. Я этого не видела, практически не видела, и не очень переживала, ибо я с детства видела совсем иное, а теперь медленно, но упорно шла к намеченной цели, отрешившись от всего.

Вспоминала ли я Самбиева? Всё реже и реже. Я понимала, что это моя подростково-юношеская первая любовь как защитная реакция и некое тепло в столь суровом мире. Теперь реальность была иная, и, если честно, я понимала, что нынешняя моя ситуация, а тем

более будущая жизнь и Самбиев – это просто несовместимо. Тем более что его нет, а вокруг меня были достойные молодые люди, но я боялась, что они не пойдут со мной и вряд ли пошли бы, так как все они – патриоты великой страны, где самое главное – это Победа над той страной, куда я мечтаю уйти. И я, как мне кажется, медленно, но верно двигалась в этом направлении, ибо я делала для этого всё. Уже давно позади стажировка, я уже в аспирантуре, и мои научные статьи уже пару раз перепечатывали в зарубежных изданиях. Меня приглашали, и я участвовала во многих всесоюзных научных конференциях и симпозиумах.

Моим научным руководителем была женщина, я так выбрала, и она уже планировала мою защиту на осень 1960 года, когда лично я получила два приглашения: в Берлин, и именно в Западный Берлин, и Белград, Югославию. И как ни странно эти две конференции были почти что в одно и то же время. Меня пригласили в партком:

– Конечно, это похвально. И институту огромный плюс... Куда вы хотите?

Я не могла скрыть своей радости.

– Вообще-то глупый вопрос. Вы ведь владеете немецким языком. И как они про вас узнали?

Вот тут моя радость омрачилась.

– Не знаю, – честно ответила я.

В партком приглашали и моего руководителя. Потом было заседание ученого совета, где очень высоко оценили мою работу. Всё это отразилось на качестве моей жизни. К статусу аспиранта я получила должность старшего лаборанта и стала получать сто пятьдесят рублей в месяц, что положительно сказалось на моем внешнем виде. Я смогла обновить свой гардероб,

приодеться, так что мой руководитель удивленно воскликнула:

— Лиза, тебя не узнать! Да ты у нас, оказывается, красавица!

Понятно, что изменения заметила не только она, но и мужчины.

До сих пор даже не знаю, почему я так поступила? — продолжала свой разговор Елизавета, а слушающий её Тота заметил, как затряслись её руки. С трудом, чтобы скрыть эту дрожь, мать Амёлы нервно отпила глоток воды. Тота почему-то подумал, что ей, даже при грубом расчете, где-то лет шестьдесят, но она выглядит гораздо старше.

— Да, увяла, — печально выдала Елизавета, словно прочитав мысли Болотаева. — А тогда... Даже не знаю, что на меня нашло. Конечно, это была молодость, это была страсть. Я влюбилась!

Это был молодой ученый, уже профессор и доктор наук. Его звали Александр... Не поверите, но теперь я даже его фамилию не помню и даже, как он выглядел, не помню и не хочу вспоминать. Но я в него, как говорится, по уши влюбилась, и это, наверное, оттого, что он был в этой среде иной.

Александр — сын советских дипломатов. Как сам он рассказывал, школу окончил в Швейцарии, потом его родителей по службе перевели в Лондон, а после — Америка, Япония и моя любимая Германия.

Он владел несколькими языками. Даже внешне, с рыжей, ухоженной бородкой, с изысканными манерами и свободным поведением и речами, он резко отличался от всех окружающих.

В нашей лаборатории его не любили. Говорили, что он выскочка, карьерист и вообще в большой науке

случайный человек. Однако всё это за глаза, а в глаза перед ним почти все заискивали, ибо только его постоянно посылали в заграничные командировки, а это, понятно, высший блат, и у него очень влиятельное покровительство и доверие в верхах, и при этом он всегда почти всем из-за границы привозил очень дефицитные подарки.

И вот ни с того ни с сего Александр подарил мне очень дорогие французские духи. Я и так от него голову теряла, а тут ещё этот аромат! И в общежитии, и на кафедре все от этого запаха в восторге...

В общем всё развивалось очень бурно и стремительно. Были рестораны, шампанское, шикарная квартира, каких я не видела даже в кино. Но в один момент, самый кульминационный момент, когда мой разум, казалось, был и должен был быть полностью отключен и действительно опьянен и я была в блаженстве, он прошептал: «Цыпленок!»

...Словно шило вонзили в ухо! Как я боялась услышать это слово. Я даже курицу не ем. А тогда меня просто заклинило. Я дико закричала, стала всё бить и крушить. Голая, с окровавленным ножом, я выскочила на улицу, при этом, до сотрясения мозга, толкнула старушку консьержку и отбрасывала всех, кто попадался мне навстречу.

К счастью, никого я ножом даже не поцарапала, а кровь на лезвии — это когда неслась вниз по лестнице сама свою ногу порезала, но и я не заметила...

Если честно, то я до сих пор не знаю, сказал ли Александр слово «цыпленок» просто лаская или?.. Зато в суде выяснилось, что он женат и дети есть, а урон я нанесла квартире его знакомых. Плюс увечье консьержке. Плюс аморальность, хулиганство и так далее.

Словом, из-за мимолетной расслабленности, это я так считаю, моя жизнь круто изменилась. Как говорится, вернулась на круги своя. Однако я думаю, что поговорка «Что ни делается, всё — к лучшему» абсолютно верная, ибо я неожиданно вновь встретила свое счастье, свою первую и последнюю любовь — Самбиева.

Это, конечно же, судьба, — продолжала свой рассказ Елизавета. — В жизни не может быть всё черным или черно-белым. Хотя моя жизнь в СССР... Меня судили. Правда, был предложен более легкий вариант — признать меня душевнобольной, поместить в психушку и так далее. Однако комиссия признала меня вменяемой, и я сама, проведя в тюремной психбольнице несколько месяцев, поняла и другие подсказали: гораздо лучше на зоне, хотя бы есть шанс отсидеть срок и иметь некую перспективу, чем всю жизнь оставаться в «дураках»...

В суде мне припомнили всё и вся. Оказывается, Советское государство приложило максимум усилий, чтобы такой «деклассированный элемент» получил такое превосходное образование, но... сколько волка ни корми... И могло быть гораздо хуже, и звучали цифры 10—15 лет лагерей, по приговору — 5 лет особого режима. И что удивительно, ведь в жизни просто так ничего не бывает. Словом, куда нас в 1941 году сослали, туда же меня в 1959 году вновь направили — на шахты Усть-Каменогорска.

То, что я вновь попала в район Усть-Каменогорска, конечно же, может быть случайностью, хотя случайности редко встречаются, а то, что вновь на шахту, — это уже закономерность. Ведь в 1941 году все немцы: и женщины и мужчины старше 15 лет — были факти-

чески приравнены к зэкам, к политическим заключенным. Тогда по возрасту я этой участи избежала, и вот, раз представился случай, Страна Советов решила выжать все соки и из меня. Правда, по сравнению с тем, что пережило старшее поколение, моя участь была полегче. Потому что война была позади, к немцам многие стали терпимее, ибо уже была страна из соцлагеря — ГДР. В шахтах и вокруг «пустили корни» старые немцы.

В Советском Союзе экономика — плановая, заключенные — бесплатная рабочая сила. Направили меня туда, где была потребность в специалистах-химиках для анализа горных пород.

Конечно, это был страшный удар судьбы. Ведь я не просто так попала в Москву и была в шаге от защиты диссертации, а потом представилась бы зарубежная конференция, и я бы ни за что в СССР не вернулась. Зато вернулась в Усть-Каменогорск. Зона. Шахты. Зэки. Грязь. Голод. Холод. Вечная усталость, сонливость и апатия к жизни. Это состояние человека описать очень тяжело. Потому что ты, в принципе, не человек, а бесправная скотина, которую любой мерзавец может пнуть, унизить да что угодно сделать. Хотя, по большому счету, мне на зоне повезло. Главным инженером шахты был вольный немец, который «вычислил» меня и сразу же определил в лабораторию горных пород.

Как лаборант, я обязана была каждый день спускаться в шахту и брать на экспертизу породы разрезов и пытаться подсказать, в каком направлении перспективнее искать тот или иной минерал: от кобальта, платины и золота до никеля, урана и алмазов.

На зоне, впрочем, как и вне ее, то есть на так называемой «свободе», везде висели всякие бредовые и раз-

дражающие лозунги о славе и пользе труда, о советском человеке и перевоспитании личности. На самом деле о личности или человеке в Советском Союзе думали очень мало, думали лишь о продукции, продукции любой ценой. В этом отношении организацию системы ГУЛАГа, наверное, можно было считать почти что совершенной.

Основная производственная мощность сосредоточена на огромной мужской зоне. Рядом, огороженная лишь забором, — небольшая женская колония, а все вместе это называется «Усть-Каменогорский горно-обогатительный комбинат», при котором масса служб и производств, в том числе и моя лаборатория, которая расположена как бы вне территории зоны, и понятное дело, что мне гораздо приятнее десять часов отрабатывать в лаборатории, чем возвращаться в зону.

Даже при такой блатной жизни я очень сильно похудела, изменилась. Был такой момент, когда я себя в зеркале не смогла узнать и после не могла смотреть в зеркало... С ужасом я вспоминаю это время. Однако и среди этой серости были моменты, которые не просто врезались в память, а отразились на моей дальнейшей судьбе.

Первое — неожиданно получила письмо от старшей сестры Вики. Если честно, то со временем я её в душе за все простила и даже скучала по ней. Правда, никаких попыток найти её я не предпринимала. Я любила и одновременно боялась её. И вот такое послание: «Здравствуй, дорогая сестра, мой Цыпленок...» В бешенстве я скомкала письмо и швырнула в топку. Потом пожалела. Но поздно. Стало страшно — как она меня нашла и что теперь от меня хочет? Ведь недаром с ходу назвала не по имени, а кликуху...

А второе случилось почти что в те же дни, чуть позже. Дело в том, что я слышала про жуткие события, которые надзиратели устраивали на зонах между зэками и женщинами, заключенными по политическим мотивам.

Однако эти оргии и беспредел бывали в сталинские времена, а в последнее время с этим вроде бы было строго. Да вот на зоне появился слух... Дело в том, что неподалеку в горе уже много лет пробивали железнодорожный туннель, но не могли — обвалы, скальные породы, грунтовые воды и прочее. И вот руководство пообещало, что если ко Дню Победы проход будет пробит — на сутки женская зона открыта.

Кстати, в прокладке туннеля были задействованы и заключенные женщины, которые пахали с неменьшим энтузиазмом... но это так, к слову... Я не верила в возможность такой вакханалии, а это случилось. И почему-то, как на праздник или при возникновении ЧП, стали бить в рельсы, протяжный гудок. А я, как обычно, с раннего утра в лаборатории и вдруг замечаю, что наши вольнонаемные мужчины на работу не вышли. Их предупредили. Всех предупредили, но от этого не легче.

Этот неистовый, несмолкаемый свист, этот гул, стук и гвалт навеивали ужас. Я была в панике. На грани срыва. И всё же догадалась побежать в медсанчасть, там было много женщин.

Медсанчасть находилась на пригорке, и мы видели, как словно голодные крысы, ринулись зэки в женскую зону. Ещё теплилась надежда, что медсанчасть, как и лаборатория, находятся в сторонней, огороженной территории и сюда никто не проникнет. Наоборот, в поисках спирта туда ринулась часть зэков. Я и ещё

две женщины забаррикадировались в небольшом чуланчике, где собиралось всякое барахло.

Послышался грубый крик, звон разбитых стекол, визг женщин, плач. И до нас бы добрались, и я уже кусала свои руки, чтобы заглушить рыдания, как я услышала его голос:

— А ну пошли отсюда! Все прочь! — и следом хлесткий мат. — Мне нужен доктор! Врач! Я сказал, вон отсюда!

Я ещё сомневалась — он или не он? Голос Самбиева — своеобразный, густой, низкий баритон с хрипотцой. А тут он вдруг стал что-то говорить по-чеченски.

— Самбиев! — вырвался у меня крик. — Лёма! Лёма!

Здесь Елизавета задумалась, улыбнулась и спросила у Болотаева:

— Лёма — это по-чеченски лев?

— Лев — лом, — ответил Тота.

— Да, — кивнула Елизавета. Некоторое время она ещё пребывала в некоей приятной задумчивости, а потом с нескрываемым удовольствием продолжила свой рассказ: — Кстати, пару лет назад мне дочка сделала подарок. Группа пенсионеров ехала в Африку, на сафари. Так там в саванне как-то посреди ночи послышался такой свирепый рёв, что нам всем стало страшно. Нас успокоили, сказали, что это лев! Такой рёв!.. Вот также тогда в медсанчасти зоны и Лёма Самбиев кричал... Оказывается, когда заключенным мужикам дали волю на женскую колонию, началась такая чехарда, такое завихрение необузданных желаний и страстей, что эта масса превратилась в «кучу мала» и этим хаосом кто-то воспользовался. Самому автори-

тетному зэку — чеченцу — в спину вонзили заточку. С этим раненым земляком и появился Самбиев в нашей медсанчасти.

Конечно, судьба нас измотала. Если бы не этот своеобразный тембр и если бы он не заговорил по-чеченски — голос, который я помнила с детства, — я бы его не узнала, так он изменился, вырос, возмужал, огрубел. Только цвет глаз остался такой же — светло-голубой, но взгляд уже не прежний мягкий и добрый, а злой, острый, настороженный. Меня он сразу не узнал. Дважды мне пришлось назвать свое имя: «Лиза я, Лиза Крюгер». Как он меня обнял, точнее, схватил, выхватил из этого мрачно-серого бытия и унес в вечность!

Знаете, молодой человек, — Елизавета вытерла платком увлажнившиеся глаза, — мы тогда горбатились на шахте, да и я проходила спецкурс горного инженера. Поэтому, применяя научный подход, приведу характерный пример.

Если из одной тонны горной руды получают семь-девять граммов золота, то это считается богатством. Мне скоро шестьдесят. Я посчитала — это около двадцати двух тысяч дней и ночей. И раз у меня была та сказочная ночь, а она была, то вся моя жизнь, несмотря ни на что, тоже богата, и я благодарна судьбе.

После этих слов она долго-долго тихо плакала, потом извинилась и продолжила:

— Вскоре Самбиева перевели на вольное поселение. То ли его стараниями, то ли постаралась моя старшая сестра Вика, которая вновь вышла на связь, вскоре и меня перевели из зоны на вольное поселение.

По срокам Самбиев должен был освободиться раньше, чем я. Однако так получилось, даже не знаю почему, меня освободили раньше срока и даже предложили

работу лаборанта-химика в Алма-Ате. Я отказалась. Я хотела жить и быть недалеко от зоны Самбиева.

Мне кажется, что и мои ходатайства помогли и его тоже освободили, правда, без права выезда за пределы области. К тому времени, а это уже середина шестидесятых, отношение к репрессированным народам стало меняться. Некоторые немцы при помощи немецких организаций уже могли выехать на постоянное жительство в ГДР, где строился социализм, как и в СССР. Ну а если находились родственники, проживающие в Западной Германии (ФРГ), то уже можно было после долгих мытарств получить разрешение на краткий выезд, но многие не возвращались.

О последнем, наверное, мечтали все, по крайней мере, я точно только этим жила, да не знала что и как, ведь мы ещё проживали на вольном поселении. А тут письмо от Вики. Как она меня вновь нашла? Я Вику боялась, но здесь столько нового. Оказывается, Вика живет в Ленинграде. Замужем, двое детей. До сих пор не знаю, правда это или нет и меня это не затронуло, ибо была потрясающая новость. Оказывается, в ФРГ у нас обнаружился дальний родственник и он может и хочет сделать официальное приглашение. Это была моя заветная мечта! Но Самбиев? У чеченцев, как известно, была своя история. В 1957 году вышел указ Хрущева о возвращении чеченцев и ингушей на свою родину, на Кавказ. Однако почему-то не все чеченцы получили это право. И Самбиев в их числе, да ему и не к кому было возвращаться. После долгих раздумий мы решили попытаться выехать вместе.

Почти год ушёл на переписку и оформление документов. Было несколько вариантов выезда. Вика очень

просила, чтобы я приехала в Ленинград. Я не поехала. И вообще не хотела, чтобы кто-то посторонний знал, что есть Самбиев и так далее, что мы выезжаем.

— А что значит «Самбиев и далее»? — вдруг перебил Болотаев.

Наступила долгая пауза. Елизавета отвела взгляд, снова выглянула в окно. Долго вытирала увлажнившиеся глаза, потом, не отвечая на вопрос, продолжила:

— В то время в Москве был открыт немецкий координационный пункт, который помогал репрессированным землякам. Было несколько маршрутов поездки в Германию. Я почему-то выбрала так называемый «южный», через украинский Ужгород, где мы прошли регистрацию и проверку, и всё вроде бы было хорошо. А потом граница. В нашей группе было семь человек. Все немцы, кроме Самбиева. Пограничники взяли все наши семь паспортов на проверку. Пропускали по-одному. Я прошла третьей...

Я покинула территорию СССР. Сколько я об этом мечтала, ждала, страдала. Я думала, что счастью моему не будет предела. Но, увы, радости не было, потому что Самбиева не выпустили.

Я хотела вернуться, я попыталась вернуться, но пограничники предупредили меня, если я переступлю границу, то, чтобы вернуться обратно, нужно будет новое разрешение, новые документы. Мои попутчики — немцы — схватили меня, шептали на ухо: «Не глупи». Я видела издали Самбиева. Что он кричал, не было слышно. Но он махал рукой, мол, уходи.

— Амёла его дочь? —перебил рассказчицу Болотаев.

— Нет, нет, нет! — замахала руками и крикнула Елизавета так громко, что даже работники кафе обернулись. — Простите. — Она вся съёжилась, как бы пытаясь спрятаться.

Через некоторое время Тота нарушил молчание:

— Вы Самбиева больше не видели?

— Нет, — вновь заплакала и вновь продолжила: — В общем, сбылась моя мечта. Каким-то чудом я оказалась в Западной Германии, вроде бы осуществилась моя давнишняя мечта, и я всегда представляла, какое это будет счастье и ликование, но всё было совсем наоборот. Всё оказалось иллюзией и обманом. Просто так большевики меня не отпустили и никого не отпускали. Ни один день, ни один час на Западе я не почувствовала себя ни свободной, ни счастливой, ни довольной собой. Душа болит. Совесть мучает, потому что часть своего сердца, моей любви и всей жизни навсегда осталась там. И я себя до сих пор корю — надо было вернуться, но я не смогла этого сделать и никогда не смогу — я боюсь большевиков.

— Теперь-то большевиков нет и СССР нет, — сказал Тота.

Елизавета еле заметно улыбнулась или ухмыльнулась:

— Это вам так кажется, что их нет. Эта бацилла всеобщего равенства, а точнее, всеобщего насилия ещё долго будет над планетой летать, и этот вирус коммунизма просто так не исчезнет.

Она задумалась, а Болотаев не выдержал:

— А что в Германии?

— В Германии я должна была прибыть в Кёльн и там встретиться с нашим родственником, который и сделал мне приглашение. Про этого «родственника» я узнала через Вику, а старшую сестру я, скажем мягко, остерегалась, и поэтому я в никакой Кёльн не поехала,

а подошла к первому полицейскому и просто сдалась. Я рассказала всё как есть. Ничего не утаивала и даже поведала о своем позывном «Цыпленок». Нельзя сказать, что меня в Германии встретили с распростертыми объятиями. Даже были моменты, когда меня хотели депортировать, а может, просто пугали. Были и такие моменты, когда я сама хотела уже вернуться в СССР и, скорее всего, вернулась бы, да родилась дочь.

«От кого дочь?» – хотел было спросить Тота, но еле удержался, а Елизавета об этом не сказала ни слова, а продолжила:

– С момента появления – Амёла как эликсир жизни! Она во многом меня успокоила, избавила от многих треволнений, и уже забота о ней стала смыслом моего существования. Мне всегда кажется, что Амёла – это божественный дар за все мои тяготы. Как только она появилась, моя жизнь в Германии наладилась. Меня отправили на юг, под Мюнхен. Вначале была комната, а потом выделили отдельную квартиру. Вскоре я сдала экзамены по специальности, и мне выдали местный сертификат лаборанта-химика в одном из подразделений завода «Мерседес».

Вроде время всё лечит, и наша жизнь потихоньку налаживалась. Я уже стала строить планы на будущее, а для этого уже давно я поменяла свои имя и фамилию. Даже сделала операцию по изменению лица, лишь для того, чтобы вернуться в Советский Союз для поиска Самбиева. Но случилось ужасное.

Если бы мне позвонили или на улице или в кафе кто подошёл, то я бы, наверное, не так среагировала. А сделали нагло и вызывающе, по-сталински. Неизвестно, как проникли в мою квартиру, которую я тщательно запираю и на комоде, у фото дочери оставили конверт: «Цыпленок, здорово устроилась. Молодец. Скоро выйдем на связь. И дочка славная – тоже будет «Цыпленок».

У меня случился нервный срыв, но я смогла набрать нужный номер телефона. В Советском Союзе меня бы просто бросили в психушку, а в Германии стали лечить, помогать, при этом – и дочь всегда была рядом. Чтобы больше меня не нашли, меня перевозили из одного места в другое. В конце концов мы оказались здесь, в Швейцарии.

К счастью, с тех пор о «цыпленке» не напоминали, хотя этот страх так и не покинул меня, а весточка из СССР была. Где-то в середине семидесятых по линии спецслужб мне сообщили, что через министерство иностранных дел сделан официальный запрос по поиску наследников. Оказывается, Вика тяжело заболела и перед смертью, заверив в нотариальной конторе, написала завещание на моё имя, своей единственной сестры.

Кстати, где-то за год до этого я во сне увидела Вику. Очень жалкая, худющая, несчастная... Утром я пошла в церковь, поставила свечу, и простила её и всех, и у всех сама попросила прощения.

А наследство у неё оказалось внушительным – не только дача и две большие квартиры, но и коллекция дорогих картин, драгоценностей. Я наотрез отказалась... Хотя мы нищие. Всю жизнь в казенных домах. А теперь, к счастью, вот доченька выросла. Вся в делах. Теперь полегче. Мы арендуем очень хорошую квартиру. Дочка славная. У меня на старости лет всё есть. Вот только одного я боюсь: по работе ей очень часто приходится летать в Россию.

– Да не бойтесь, – попытался её успокоить Тота. – Россия нынче не та.

— Да? — Она по-старчески мило улыбнулась, но потом её лицо вновь стало печальным. — Я слежу за ситуацией в России и вижу, что не всё так радужно, как вы думаете.

— Почему?

— Да хотя бы потому, что Сталина до сих пор по доброму вспоминают.

— Это есть, — согласился Болотаев и спросил: — А дочка так хорошо знает русский язык от вас?

— Да. Я всю жизнь думала, что Россия по-европейски изменится и мы вернемся в Россию... Я должна была поехать в Россию. Сколько раз пыталась и билеты покупала не раз. Но в последний момент страх сковывал меня, и я отказывалась от поездки. До сих пор мне снятся страшные сны про детский дом. На всю жизнь вселили в меня этот страх. И избавится от него не могу. Вот такое было крепкое и стойкое советское воспитание. Взращивали «цыпленков» — рабов.

У неё вновь увлажнились глаза. Посмотрела в окно.

— Ой, а вон и доченька идёт. — Она строго глянула на Болотаева. — Вы только ей ничего не говорите. Она ничего не знает. А я заболталась. Я ведь вас по делу позвала. Вы ведь прислали мне книги, а среди них «Седой Кавказ». Вы читали этот роман?

— Нет, — честно признался Тота.

— А автора знаете?

— Нет, но могу найти. А что?

— Там в романе главные герои — Самбиевы.

— Про вашего Самбиева?

— Да нет. Совсем иное, но фамилия...

— Может, совпадение?

— Да, — согласилась Елизавета и, видя, что Амёла уже совсем близко, заторопилась. — У меня к вам очень большая просьба. Даже две. Пожалуйста!

— Говорите.

— Первая — Самбиев Лёма был из селения Самашки — Рога Оленя. Знаете такое село? Прошу вас, наведите справки о нем.

— Обещаю. А второе?

— Ни слова дочке. Прошу вас! — И вдруг совсем неожиданно: — Вышла бы она замуж, пока я...

— А что не выходит? — усмехнулся Тота. — Ведь такая красавица, и женихи небось есть.

— Да вроде есть, — подтвердила мать. — Но у неё характер. И работа. Всё хочет заработать — дом, квартиру, кредит погасить... — В это время Амёла уже вошла в кафе, а её мать осторожно тронула руку Болотаева. — Вы ведь схороните мой рассказ? А мою просьбу?

— Обещаю, — твердо сказал Болотаев.

— О! — подошла Амёла. В отличие от потухшей матери дочка кипит. — Так! А вы ничего не заказали на обед? Но теперь поздно, — командовала она. — Болотаев, я хочу вас познакомить с одним очень влиятельным и деловым человеком из Узбекистана... Мама, ты поговорила с Тотой? А о чём вы говорили?! — с полуиронией говорила она. — Небось опять про чеченцев и ссылку... Пойдёмте.

К недовольству Тоты, за кафе расплатилась Ибмас. Потом они вышли на центральный плац Цюриха, сели на трамвай. Ехали долго, почти до окраины города.

— Вот здесь мы живём, — сообщила Амёла. — Давайте зайдем. Мама, ты приглашаешь?

— Конечно. Выпьем чай. Покажу старые фотографии.

Тота почему-то всегда представлял, да и вела Амёла себя так, будто она очень обеспеченная девушка. А то, что он увидел... Оказывается, они арендовали на краю Цюриха очень маленькую, даже миниатюрную, квартирку, общей площадью не более двадцати квадратных метров. В которой один диван, один стол и даже не развернуться.

Болотаев даже не понял, где и как Амёла очень быстро успела переодеться. И когда они вышли и ехали на какие-то переговоры и во время переговоров, Тота почему-то всё думал об их незавидном, мрачном жилье с единственным небольшим оконцем, от которого обе Ибмас, и мать, и дочь, были просто в восторге. А Тота удрученно думал о том, что если они восхищаются этой съемной квартиркой, то какова была и где протекала их жизнь до этого?

А следом ещё вопрос: а не лучше ли бесконечные просторы России, чем эта ужасная стесненность Швейцарии? Ответ Ибмас, особенно матери, известен. Вот что значит свобода! Однако у Болотаева мнение иное, и многое он не может понять, оценить. Поэтому и во время переговоров в другом, уже более респектабельном кафе, точнее, ресторане он ещё пребывал в некоей рассеянности и, когда новый деловой партнер по хлопку из Узбекистана, устно заключив сделку, удалился, Амёла, приводя его в реальность, спросила:

— Ну что, господин Болотаев, как вам его условия? Вы довольны?

— Я? — как бы очнулся Тота. — Доволен. Однако у меня тоже есть одно условие.

— Какое?

— Прибыль со сделки делим пополам — вам и мне.

— Ха-ха-ха! — засмеялась Ибмас. — Да вы что? Серьезно? Тогда и я скажу вам серьезно. — Она стала

очень строгой. – Я получаю только зарплату. Это раз. Да, я помогаю своим клиентам, и поэтому у меня их много. Я, конечно же, рискую, порою действую на грани, но никогда не переступаю черту инструкций. Это два. И третье – никаких денег. Ни от кого и ни за что. Только то, во что мою работу оценивает банк. А иначе в порошок сотрут и глазом не моргнут. А я фактически в одиночестве. Понятно?

– Э-э, кажется, понятно. Но, – тут Тота замялся. – Неужели вы со всеми клиентами, как и со мной, возитесь?

– Нет, – строго ответила Ибмас. – Я вам уже говорила. За вас, как за чеченца, хлопочет мать. А я в свою очередь всё согласовываю с банком.

– Даже то, когда мы идем в Большой театр?

– Даже то, что вы пытались взять мою руку во время представления и этим отвлекли моё внимание.

– Не может быть! – изумился Тота.

– Хотите верьте, хотите – нет, – засмеялась Ибмас. – Кстати, чтобы вы более не беспокоились. К Новому году истекает мой контракт с этим банком. Я попросила, чтобы в разы увеличили мою зарплату.

– А если?

– Есть другие банки в Швейцарии, – усмехнулась она, – и другие фирмы... А вы лучше скажите, о чём с мамой говорили?

– О том, – нашелся Тота, – что вы могли бы осчастливить её внуками.

– Не от кого, – засмеялась она, как-то по-новому глянула на Болотаева, а затем, погрустнев, сказала: – Вы ведь видели, как и где мы живём? Но скоро всё, я надеюсь, изменится. Я пашу. Мечтаю, чтобы мать хотя бы на старости лет достойную жизнь повидала.

* * *

Это на воле люди привыкли каждый день бельё и рубашки менять. А вот в неволе неделями, а то и более в одной и той же робе приходится жить, и поэтому когда наступает время смены белья, то ощущаешь такое удовольствие очищения, словно праздник. А для Болотаева это ещё и очередное исследование. По маркировке он пытается определить, где же это изделие изготовлено? Ведь и он в какой-то период занялся производством спецодежды для всех отраслей – от нефтяников и врачей до военных и заключенных...

Однако всё по порядку. А порядок был такой. Как только Тота вернулся из Цюриха, он первым делом должен был заняться просьбой Елизаветы Ибмас – разузнать всё о некоем Лёме Самбиеве из села Самашки.

Самому ехать в Чечню было несподручно: просто не было денег, да и если бы поехал, он бы всё возложил на друга-таксиста, который всё и всех в республике вроде знал. По телефону Тота передал просьбу и вскоре получил ответ: у стариков выяснили, что Лёма Самбиев – сирота. Был в детдоме. Потом сидел и якобы там в тюрьме и умер. Близких родственников нет, дальние, может, есть, но и они остались в Казахстане. Словом, на запрос Елизаветы удовлетворительного ответа нет. Но до чего мать Амёлы боялась России, она даже свой телефон не дала Болотаеву и дочери запретила что-либо говорить, а как в таком случае информацию донести? Да тут вновь в Москве объявилась Амёла.

– Вы хотите матери что-либо передать? – с ходу ошарашила она Болотаева. – Знаю, что она ищет какого-то своего друга-чеченца. Впрочем, она уже давно получила официальную информацию, что его уже нет. Но она продолжает его искать.

— А кого она ищет? — спросил Тота.

— Разве она вам не сказала?

— Просила вам не говорить.

— Знаю, — хладнокровна Амёла. — А каков ваш ответ маме? Вижу, что отрицательный. Бедная мама, — она тяжело вздохнула, — всю жизнь она его ищет и ждёт. Всю жизнь.

— Как она?

— Плохо. Так боюсь за неё... Вдруг что.

Болотаев даже не ожидал, что такая напористая и твердая мадам Ибмас может обмякнуть, заплакать, а так и случилось, и он не знал, как её успокоить, и ляпнул:

— Вам надо замуж...Э, и мать так хочет.

— А за кого?! — Это было сказано так резко, что Тота встрепенулся. — Извините, — после паузы уже привычным голосом продолжила она. — Всё непросто, господин Болотаев. — Она перешла на деловой тон. — Давайте о деле. Хлопок уже в России. Вот вам телефон. Зовут Хайдар.

Когда через несколько дней Тота приехал на комбинат в Подольск, его чуть ли не с оркестром приветствовали. Однако Тота знал свою роль и знал, что эта лафа с левым хлопком может в любой момент закончиться.

Тем не менее не важно, какими средствами, но вроде он решил поставленную задачу и не только Бердукидзе при личной встрече, но даже Рудольф Голубев выразил благодарность и премию — пять тысяч долларов.

После такого поощрения, хотя бы для приличия, Тота посчитал нужным ознакомиться с организационно-технологическим процессом текстильного комбината, раз он числится, точнее, уже работает замом, а заодно надо бы воочию увидеть этот хлопок и его

производные. Последнее — чистое, белое, широкое полотно изумительной ткани — ситца, — где стоит марка ГОСТа — 100 % хлопок, просто поражает, и Болотаев интересуется у директора:

— А дальше что?

— Будем продавать ткань.

— Кому, зачем?

— Швейным комбинатам — они будут шить бельё, одежду...

— Будем шить мы, — перебил Болотаев.

— Как мы будем шить?

— Шить будут они. Но по нашим договорам, по нашему заказу и для наших потребителей.

Конечно, не как на словах и легко и быстро, а затратив много времени и труда, Тота Болотаев создал прекрасную схему, которая после его поездок в Среднюю Азию уже начиналась прямо у арыков хлопковых полей и, проходя через массу смежных организаций и предприятий, поступала в виде спецодежды до конечного потребителя.

По деньгам и прибылям эта сфера не могла конкурировать с такой высокодоходной отраслью, как нефтегазовая. Однако по всем показателям хлопок, которым плотно занимался Болотаев, был важной диверсификационной составляющей от возможных рисков и играл роль значительного финансового подспорья для компании, а сам Болотаев, по первоначальному договору, когда от него такой прыти никто не ожидал, получал 30 % от чистой прибыли. На эти деньги он первым делом купил в Москве квартиру и уже подумывал, что через полгода-год он достойно откроет счет в самом крупном швейцарском банке, как его вызвал Бердукидзе:

— Болотаев, когда твой левый хлопок закончится?

— А почему он должен закончиться? — удивился Тота. — В Узбекистане солнце жаркое, люди трудолюбивые, и воры, как и везде, есть. И хотя последних нещадно сажают, детей на солнцепёке эксплуатируют, да все есть хотят, а посему и хлопок должен быть... А что?

— Подольский комбинат надо банкротить.

— Да вы что?! — изумился Тота. — Зачем?

— А затем, что это, по совковой схеме, градообразующее, так сказать, предприятие. И оно обязано, если работает, содержать школу, детсад, Дом культуры, ЖКХ, дороги и так далее и тому подобное. И сколько бы ты хлопка из Узбекистана ни возил — итог Советского Союза тебе известен?..

— Известен, — опечалился Тота. — Значит, это и мой итог? В смысле в компании?

— Наоборот, — улыбается Бердукидзе. — Раз ты смог этот засранный комбинат оживить и не просто деньги и дело сделать, а выжать всё что возможно и, казалось бы, невозможно в столь короткий срок... Словом, ты нам нужен и займешься своим профилем — нефтью, руководителем департамента добычи нефти. Это как раз твоё.

Да, это действительно было то, над чем Болотаев занимался в кандидатской, а теперь и в докторской диссертациях. Однако в исследованиях Болотаева под добычей нефти понимается нефть из буровой скважины, то есть из недр земли. А вот в понятии компании «Сибнефтегаз», у которой буровые, конечно же, есть, добыча — это приобретение нефти у мелких нефтедобывающих компаний. Это покупка подешевле нефти из Казахстана и Туркмении. Не гнушаются покупкой левого продукта, в том числе и прямо из трубы.

Эту терминологию и сам процесс может понять только специалист, а Болотаев им как раз и является; поэтому сразу вошёл, как говорится, в тему, тем более что здесь тропинки почти все уже проторены и нужен только контроль, чтобы сбой не случился, а нефть и нефтепродукты к потребителю текли и обратно, конечно, точнее, валюта текла, и не хилая.

О такой работе можно было только мечтать. По контракту Тота получал в месяц десять тысяч долларов. Плюс ежеквартальные бонусы. А если к тому же приобрести ещё и акции компании, то и дивиденды по ним как работнику компании гарантированы, тем более что Болотаеву позволили приобрести привилегированные акции, которые доступны только для особо приближенных и нужных.

Словом, жизнь Болотаева вполне наладилась, это в плане денег. И он знает, что всё это благодаря Амёле Ибмас. Впрочем, из-за неё всё это также быстро и закончилось...

Декабрь 1994 года. Обстановка в Чечне и вокруг республики накалилась до предела. Уже в самом центре Грозного произошло крупное боестолкновение между правительственными войсками и так называемой оппозицией. Тота уже спешно собирался в Грозный, как позвонила мать:

— Нет. Если что, я сама выеду. А ты сюда не суйся.

«Как «не суйся»?! — думает Болотаев. — Ведь там помимо матери ещё и Дада. Беременная Дада. Как уехала, ни разу не объявилась, не позвонила». Только сосед Тоты по микрорайону пару раз по межгороду звонил, сообщил, что Иноземцева живет. Скоро. Тяжело ходит.

– Я тебе и для неё деньги пришлю, – обещает Тота, но, понимая, что не только деньги там сейчас необходимы, спрашивает: – Там хоть спокойно?

– Пока терпимо, – говорит сосед, – но все о войне говорят. Почти все уехали. В нашем подъезде только я с матерью и твоя Дада... Даже не знаю.

– Я деньги пришлю, – пытается откупиться Тота. Он даже не знает, что делать и как быть, но что-то говорить надо. – Я на днях буду там. Присмотри за ней. Пусть она мне позвонит.

– А как она позвонит? – смеётся сосед. – Всего один переговорный пункт. И я сюда еле добираюсь. Ещё полдня в очереди стою...

Тут связь оборвалась, и Болотаев слышит частые гудки, но он, как бы успокаивая соседа, а более себя, в трубку кричит:

– Я на днях приеду. Вот кое-что улажу и примчусь. Всех вас вывезу оттуда.

Он действительно через несколько дней вылетел, но не в Грозный, а совсем в другую сторону, в Цюрих. Правда, за это решение он себя то корил, то искал оправдания. А как иначе? Если госпожа Ибмас позвонила и сказала, что её мама очень хочет его видеть. Тота помчался в Швейцарию. В Швейцарии – рай земной. А в Чечне уже война. Там родная мать!

Все эти мысли изнутри съедали Болотаева. Всю дорогу предчувствовал, что эта поездка добром не закончится, а его единственное оправдание – это то, что вот-вот на днях у него бы виза закончилась, а он, помимо прочего, хочет вновь в лучшем швейцарском банке счет открыть, хотя бы для личного удовлетворения... Ну и что греха таить, он хочет, он очень хочет увидеть Амёлу Ибмас. Он чувствует, а может, ему ка-

жется, что она его любит, по крайней мере, он ей не безразличен. А о его чувствах и говорить не надо: поманила – побежал, точнее, полетел, ожидая от этой встречи многого.

Правда, в аэропорту она его встретила очень сухо, чисто по-деловому, словно это он напросился. Уже в машине сказала:

– Мама очень плохо себя чувствует. Выйти не может, вчера скорую вызывали... Вы зайдете к нам? Мама просит.

Эта квартира и в тот раз показалась Тоте миниатюрной, а на сей раз и вовсе стесненной, потому что на раздвинутом диване лежала мать Амёлы Елизавета. При появлении гостя она попыталась принять сидячее положение.

– Простите меня, – тихо произнесла она. – Что-то надломилось. – Она по-старчески, болезненно улыбалась. – Как там в Чечне? Как ваша мама?.. Читаю, что в Чечне неспокойно. Там всегда неспокойно почему-то. Чеченцы очень упрямы и дерзки... Амёла, сделай нам чай.

Она ещё много о чём говорила. Вновь вспоминала ссылку, при этом постоянно протирала влажные, белёсо-голубые, выцветшие глаза. Потом она, задумавшись, надолго уставилась в пол и вдруг сказала:

– Вам надо срочно свою мать сюда привезти. Срочно!

– Она даже в Москву не хочет, – рассмеялся Тота и тут неожиданный вопрос:

– А вы женаты?

– Да, женат, – прямо из кухни крикнула Амёла. Вытирая руки салфеткой, она подошла и, как бы ставя точку: – И дети есть!

– Есть? – Елизавета уже не улыбалась, стала рассеянной. И Болотаев растерялся, не зная, как реагировать на этот пассаж, в то время как Амёла невозмутимо предложила:

– Кто с чем будет чай? – Она уже вкатила в комнату маленький столик на колёсиках. И когда она стала разливать чай, вся комната наполнилась приятным ароматом. – Тебе знаком этот аромат? – спросила Амёла у Тоты. – Мама говорит, что все чеченцы пили этот чай... Это– душица.

– А сейчас в чеченских семьях много детей? – неожиданный вопрос Елизаветы.

– Ну, по-разному, – уклончиво ответил Тота.

– А вот моя доченька уже не родит.

– Мама! – вскочила Амёла, топнула ногой, перейдя на немецкий, стала что-то нервно говорить.

Тота такого не ожидал. Он думал, что мать вот-вот одним словом урезонит дочь, но этого не случилось. Наоборот, тон и гнев голоса Амёлы всё более и более нарастал, а мать так низко склонила полысевшую, поседевшую голову, что казалось, она больше не сможет её поднять...

– Умолкни! – вдруг в порыве ярости крикнул Тота, стукнул кулаком по маленькому столу.

Хруст, звон. Стол развалился. Тота вскочил. Все в оцепенении.

– Мадам Ибмас! – Стук в стенку, и по-немецки кто-то стал говорить. Слышимость – словно перегородки вовсе нет.

Амёла стала по-немецки отвечать извиняющимся голосом. Болотаев немецкий не знал, но суть понял.

— Извините, — он обратился только к матери, — я, наверное, пойду. А ущерб я возмещу. — Он сделал шаг к двери.

— Стойте! — приказала Амёла. — Вы всё разнесёте... Да и ногу можете порезать. — Сев на корточки, она стала всё тщательно убирать, собирать осколки, даже полезла под диван.

В это время её мать показала знак удовлетворения — большой палец вверх и сказала:

— Настоящий чеченец. Джигит!

После этих слов из-под дивана появилась раскрасневшаяся голова Амёлы.

— Мама, — произнесла она, — теперь после твоих откровений ни он и никто на мне не женится.

— Это ж почему? — возмутилась мать. — Такая красавица. Столько женихов.

— Кому нужна бездетная?! — Теперь Амёла встала, подбоченилась.

— Так тут почти все бездетные, — вымолвила мать.

— Так ты ведь мечтала, чтобы я вышла замуж за чеченца. Вот!!! Нашла! А ты все мои болячки тут же выдала.

— Ну прости, дочка, прости. Как узнала, что он женат... Для успокоения выболтнула. Прости.

Наступила неловкая пауза.

— Кстати, — сказала мать. — А ведь у чеченцев можно и двух, и более жён иметь.

— Мама! — вновь повысила голос дочь. — Ты меня в гарем?!

— Я-я! — Тут гость вновь голос подал. — Я, наверное, пойду. — Болотаев попятился к выходу.

— Постойте! — скомандовала Амёла. — А чай?

— Я чай у себя в гостинице выпью.

— А поговорить с мамой?

Это был весомый аргумент, ради которого он и приехал. Однако маме Амёлы было не до разговоров. Она побледнела. Руки уже сильно тряслись.

— Дочка. Мне надо лечь. Лекарство.

— Да-да! Сейчас, — бросилась к ней Амёла, потом вспомнила о госте. — Хорошо, Тота, вы идите. Я вам позвоню.

В этот день, день прилёта Тоты, Амёла обещала, что они поедут в очень живописный город Люцерн, там недавно был построен чудесный концертный зал, прямо на озере, и там они послушают симфоническую музыку в исполнении Бостонского филармонического оркестра, чьи гастроли для ценителей — предрождественский подарок. За полгода вперёд Ибмас купила билеты, а теперь курьер доставил их в гостиницу.

— Тота, простите, — по телефону объясняет Амёла, — я так мечтала об этом концерте... Костюм вам принесли?

— Да. — Это Амёла специально заказала вечерний фрак для Болотаева.

— Вы его примерили? Видите, я угадала размер.

— Я один не поеду, — повторяет Тота.

— Ну почему? Всё заказано. За вами заедет такси.

— Нет, — категоричен Тота. — Я и говорить не умею. И не хочу.

— Ладно. Тогда завтра в десять у гостиницы.

— А мама?

— Я уже вызвала сиделку.

На следующий день, как договорились, Тота к десяти поджидал Амёлу перед гостиницей. Он её увидел за квартал. Как обычно, она шла своей уверенной, деловой

походкой. Издалека, улыбаясь, помахала рукой. Это было тоже «как обычно». Внешне, как обычно. Однако на самом деле после вчерашних событий на квартире их отношения заметно изменились. Что-то глубинное, неподвластное им обоим стало между ними, как первоприродный инстинкт.

Позже, гораздо позже, вспоминая этот день, а этот день, как и тот день, когда его спасла Дада, не мог Тота забыть... И если Дада его действительно спасла, то Амёла чуть не погубила. А может, наоборот, тоже спасла. Кто знает? Однако всё по порядку.

Прежнего, сугубо делового отношения в тот день между ними уже не было. Меж ними, как ощущал Болотаев, возникло какое-то колоссальное напряжение, которое, как перезревшая от взаимной страсти взбешённая энергия, вот-вот должна была взорваться. И этот взрыв согласно законам физики или бытия раскидал бы их навсегда по разным странам, а точнее, мирам. Да ведь взрыв — в обычном понимании — удаление, разброс, хаос. Так это в обычном понимании. А теория взрыва знает и то, что порою, как говорят физики, в переходных фазах, под воздействием многих запредельных факторов, происходит резкое изменение всего, даже формы материи, значит, и сознания и, к примеру, после взрыва получается не выброс энергии, а, наоборот, вакуум — вроде черной дыры, которая, как сверхмощный магнит или эпицентр стихии, всё в себя всасывает, всё сближает, соединяет. В итоге в корне меняет структуру, точнее, жизнь... то ли ломая, то ли обновляя...

Впрочем... Впрочем, вся эта философия и размышления постигли Болотаева только в тюрьме, где он в деталях обдумывал или обсасывал этот странный день.

А они встретились, и, что необычно, Амёла впервые руку не подала.

— Как вам спалось? Номер нормальный? — дежурные фразы.

— Да. Всё о'кей, — отвечал он. — Как мама?

— Так. Сами видели, у неё резкие перепады. — И меняя тему: — Ну что, пойдём в банк. Откроем ваш счет.

— Нет.

— Что случилось?

— Ничего не случилось... Просто не хочу. Да и нет у меня ещё трёхсот тысяч, как положено.

— Это для других «положено», — парирует Ибмас. — А для вас мы сделаем исключение. Кстати, как и в прошлый раз предпринимателю с повышенным потенциалом, у которого скоро будут миллионы и более... Ха-ха-ха! — как-то странно засмеялась она.

— Ха-ха-ха! — почему-то последовал её примеру и Тота, а когда успокоились, он твердо сказал: — Амёла, вам за всё спасибо... Вот когда будут миллионы, счет, может, открою. А сейчас не хочу.

— Так ведь для этого прилетели.

— Нет. Я прилетел, чтобы поговорить с вашей мамой.

— Ах да!.. Вы завтракали? — Она вновь поменяла тему. — Может, кофе?

Они пошли в небольшое кафе, сделали заказ.

— К сожалению, — говорила Ибмас, — я не смогу вам сегодня более уделить время — мне надо ехать в Санкт-Мориц. Простите, пожалуйста. Так получилось.

— Ничего... Я по Цюриху погуляю. Маме кое-что куплю. А завтра утром — в Москву.

— Да... А как ваша мама?

— Мама — ничего. А вот в Чечне очень плохо. Я очень переживаю. — Болотаев действительно очень страдал. — Амёла, а нельзя на сегодня переделать билет?

— Вряд ли. Ну, раз прилетели. Когда вы ещё будете в Швейцарии?! Кстати, а фрак?

— О, чуть не забыл?! Его ведь надо сдать, — засмеялся Тота. — Был единственный случай надеть фрак, и то не повезло.

Теперь они оба смеялись.

— А вы хоть примерили его? — спросила Амёла. — Нет?.. Ну давайте посмотрим, угадала ли я ваш размер?

Как ни уговаривала Амёла, он не поддался, ни в какую не захотел надеть арендованный фрак.

— А у нас так принято, — пояснила Ибмас. — Подумайте, зачем покупать дорогую вещь, если вы её используете раз в году, а то и вовсе раз в лет десять?

— Это верно, — согласился Тота, — только я до сих пор прожил без фрака и далее, думаю, обойдусь без него... Кстати, а сколько прокат стоит? Я заплачу.

— Не беспокойтесь. Мелочь, — говорила она и вдруг встрепенулась: — О! Ведь в том же прокате я на сегодня заказала вечернее платье. — Она торопливо встала. — Официант, счёт! А вы, — она вновь командовала, — быстрее в гостиницу и принесите фрак, пожалуйста.

Когда Болотаев буквально выбежал из гостиницы, она его ждала у входа.

— Даже бирку не сняли. — Она взяла зачехленный фрак. — Ну что, будем прощаться? — отвела она взгляд.

Молча, чувствуя неловкость, они простояли некоторое время.

— Ну, я пойду, — наконец тихо произнесла Амёла, а следом, словно у неё это вырвалось. — Кажется, что больше мы не увидимся.

— Почему?

— Прощайте. — Она выдавила улыбку.

— Лучше — до свидания, — в ответ улыбнулся Тота, помахал рукой, а следом настоятельно предложил: — Давайте я помогу донести фрак. Он увесист.

— Да ерунда, тут совсем рядом, через квартал.

Повесив чехол на руку, она сделала несколько шагов, остановилась:

— Ваш фрак и вправду увесист. Зачем я его несу? — развела она руками. — Вон портье отнесёт.

— Зачем портье, — кинулся к ней Тота. — Я отнесу. Всё равно мне делать нечего. Заодно и провожу вас.

Шли недолго. Торопились. Заходя в салон, Амёла озабоченно сказала:

— Мне ещё надо платье примерить. Перешивали. — И после паузы: — Вы не хотите посмотреть, оценить?

От такого предложения Болотаев аж встал, как вкопанный.

— В что, можно?

— Почему бы и нет? Ведь вы человек искусства.

Последнее буквально сразило Тоту, он послушно уселся в кресло, словно ожидалось представление. Салон небольшой, и Болотаев хотя и не понимал, но слышал, как переговариваются несколько женских голосов. Потом всё затихло. Тут Тоте принесли ароматный кофе с вкусным швейцарским шоколадом, так что он полностью переключился на десерт и так и застыл, когда Амёла появилась в фойе. На ней роскошное бежевое платье. Из-за длины платья обуви не видно, но понятно, что они на высокой шпильке, ибо она стала

ещё выше, даже величавее. Глядя снизу вверх на неё, Тота был просто потрясен и очарован.

— Ну как?! — Амёла сияла.

— Браво! — Тота вскочил. А она закружилась, словно в танце, и не без кокетства спросила:

— Мне удобно будет в этом платье танцевать? Что вы скажете, господин балетмейстер?

— Смотря, какой танец, — стал подыгрывать ей Болотаев.

— Скажем, лезгинка!

— О! А откуда вы знаете лезгинку?

— Как «откуда»? От мамы. — Она игриво развела руки, словно танцует. — Мама говорит, что зачастую понять чеченцев невозможно. Когда у них радость — танцуют, когда горе — тоже танцуют. Это правда?

— Ну-у, — повёл плечами Тота и тут же о своём: — А с кем вы будете лезгинку танцевать?

— Посмотрим. — Амёла смотрится в зеркало, чуточку приподнимает платье. — Да, на таких каблуках... Примерим другое.

Она скрылась за ширмой, а Болотаев просто провалился в удобном кресле, и такое предвкушение, что он перед занавесом в театре и вот-вот начнется новое представление, финал которого никто не знает, потому что всё делается спонтанно. Какая-то импровизация чувств...

На сей раз, с неким вызовом и шармом Амёла резко откинула ширму. Демонстративно, словно на подиуме, вышла в центр фойе. За ней — восторженные работницы ателье.

— А это как? — Ярко-красный с бордовыми вставками вечерний деловой костюм со строгим лекалом фигуры.

Болотаев вскочил, разинув рот и не зная, что сказать от восторга, а она повторила:

— Ну как?

— Бомба! — восхищенно выпалил он.

Амёла засмеялась. Перевела женщинам, что он сказал. Те стали одобрительно хлопать.

— Господин Болотаев, — у неё игривое настроение, — какой костюм взять? Кстати, видите, с этим костюмом у меня туфли другие, очень удобные для лезгинки.

— Да, — машинально подтвердил Тота.

— И какой взять?

— Какой? — озадачен Болотаев. — Даже не знаю. Оба...

— Оба надеть? — Она откровенно веселится.

— Даже не знаю.

— Не знаете? — Амёла смотрится в зеркало, принимая разные позы. Она видит состояние Болотаева и продолжает заигрывать с ним. — Тогда подскажу. То, бежевое платье я беру в прокат, а это уже моё, я заказала... В каком появиться?

— А где вы должны появиться? — поинтересовался Тота.

— На юбилее Рудольфа Голубева. — Она стала строгой.

— На юбилее Голубева?! — И с лица Болотаева вмиг сошла улыбка.

— А вас не пригласили?

— С какой стати?

— Так я вас приглашаю.

— Ха-ха, — усмехнулся Болотаев. — В таких случаях русские говорят «незваный гость хуже татарина». А если это чеченец, то, наверное, совсем беда.

Не будучи носителем языка, Амёла не совсем поняла и сказала:

— При чём тут нации? Я вас приглашаю. — Её тон стал очень серьёзным и требовательным. — Торжество не здесь, а в Санкт-Морице. Это горный курорт, в двух часах езды. Вы там были? Это очень живописное место. Да и торжество будет с размахом.

— У меня утром рейс в Москву. И если честно, я не хочу, тем более без приглашения.

— А вы думаете, я хочу?

— Так в чём дело? Зачем вы едете?

— Есть некие обязательства.

— «Обязательства»? — недовольство в тоне Болотаева. — А вы говорили, что гражданка свободной страны. Швейцария ведь без обязательств!

— Да, Швейцария, может, и без обязательств, а у меня, впрочем, как и у вас, обязательства, к сожалению, есть, и я обязана.

Тут Амёла сделала паузу, но Болотаев, вопреки её ожиданиям, на сей раз не стал любопытствовать, даже несколько отвёл взгляд в сторону и процедил:

— Раз обязаны — поезжайте.

Возникла напряженная пауза. Болотаев увидел, что Ибмас покраснела, как её платье. Он сделал шаг навстречу:

— Простите. Просьба женщины — закон. — Он как бы повинно опустил голову. — Я понимаю, что вы обязаны Голубеву хотя бы тем, что меня устроили на работу.

— Хм, глупости. — Ибмас вновь вроде обрела хладнокровие. — Вы, кстати, находка для компании Голубева. — Тут Болотаев в душе аж засиял, а она продолжает: — Просто в самый тяжелый момент моей карьеры,

когда я ушла из одного банка в другой, Голубев, вопреки всему, в том числе и убыткам, ушёл со мной в новый банк.

– Да, – согласился Тота, – это поступок... Правда, я не верю, что такие сверхпрактичные люди, как Голубев, что-то делают просто так, тем более себе в убыток.

– Что вы хотите сказать? – Теперь Ибмас отвернулась от него. – На что вы намекаете?

– Да так, – постарался уйти от ответа Болотаев, а Амёла тогда задала вопрос в упор:

– Так вы едете со мной или нет?

– Честно? – Он стал перед ней. – С удовольствием. Только одно условие и вопрос. Я на торжество не пойду. Где-нибудь перекантуюсь. И утром – рейс. Успею? Мама – в Грозном.

– У меня тоже мама, – жёстко отреагировала она. – И потому я вас зову, потому что хочу обратно последним поездом, а это очень поздно.

– Извольте вам служить. – Болотаев сделал артистическое па и добавил: – Как раб ваш!

– Ха-ха-ха. – Ибмас вновь засмеялась, вновь стала смотреться в зеркало, спросила: – Так какой костюм взять?

– Этот.

– Вы настаиваете? – Теперь её тон стал жёстким, и Болотаев предположил, что в этом вопросе есть глубокий подтекст. – Так вы настаиваете? – повторила она.

– Да, – твердо ответил Болотаев.

– Тогда и вы должны переодеться в вечерний костюм.

Далее, как и прежде, бразды правления были в руках Амёлы. Она заставила Болотаева примерить аж три

костюма. Оказывается, к этому времени она пригласила в это ателье фотографа и наспех, но были сделаны их совместные художественные фотографии. При этом Амёла не поленилась для отдельного фото переодеться в бежевое, вечернее платье, а с ними и высоченные шпильки, так что она на полголовы была выше Тоты. И последний стоял, смущаясь, как истукан, делая вид, что он не понимает фотографа, который просил их взять под руки друг друга и встать поплотнее, ближе. Что фотограф и сделал, просто сдвинул их. А работницы ахнули:

— Вот это пара!

Сказано это было по-немецки, но Болотаев суть понял, да и Амёла всё равно ему это перевела, правда, с некоей нагрузкой... Если честно, то Болотаев даже мечтал о таком развитии их отношений. Однако этот откровенный напор, который стала проявлять мадам Ибмас, стал его несколько настораживать. Он думал, что Амёла всё дотошно спланировала, ибо неожиданно выяснилось: на поезд они уже опоздали, да и неприлично ездить в таких одеждах в общественном транспорте. А прямо у входа в ателье уже припаркован чёрный лимузин.

Амёла села за руль, он — рядом. Она с места так рванула и так помчалась по узким улочкам, что Тота чуть ли не двумя руками ухватился за поручень. Однако за городом, особенно когда достигли гор, ход стал плавным, Болотаев совсем успокоился, расслабился и любовался красотой открывающегося пейзажа и всё время говорил:

— Вот также и у нас на Кавказе. То же самое, но у вас такие дороги, аптечная чистота кругом... Почему, Амёла?

— Потому что здесь умные люди живут. С головой дружат. 500—600 лет войны здесь не допускают. Понятно?

— Понятно... что мы малообразованны. Да и не свободны. Но горы у нас такие же. Точь-в-точь.

Вскоре, по мере подъёма по горному серпантину ввысь, погода стала ухудшаться, и вдруг они очутились в густом тумане. Чуть не съехали с дороги, а потом просто чудом или мастерством встречного водителя не попали в аварию.

Максимально сбавили скорость. Всё равно Амёла сильно нервничала, стала неуверенной. А Тота вновь обеими руками схватился за поручни.

— Может, я сяду за руль? — предложил он. — Но у меня с собой прав нет.

— Только на меня доверенность, — говорит Ибмас.

— Может развернёмся?

— Нет... Я обещала. Да и ехать осталось немного.

Судя по знакам, так оно и было — всего 25 километров. Однако серпантин всё круче, к тому же стал моросить дождь и наступили сумерки. У очередного населённого пункта их остановила полиция. Поехали дальше.

— Что они говорят? — спросил Тота.

— Погода будет портиться. Ночью возможен снег, гололёд.

— А у нас резина летняя?

— Мы там оставим машину, обратно поедем на поезде.

— А когда последний поезд?

— В десять с копейками... Как бы не опоздать, — волнуется Амёла.

— Куда не опоздать? — спросил Тота.

— На поезд, — почти что крикнула Ибмас. — А на этот юбилей меня к пяти звали.

— Звали вас, но не меня, — в очередной раз напомнил Болотаев.

— Тота, — недовольство в её тоне, — там будет весь свет России. Весь ваш бизнес. Это элита! Очень богатые и влиятельные люди. И вы должны с ними познакомиться. Понятно?

Болотаев промолчал.

Шёл уже седьмой час, когда они увидели знак «Санкт-Мориц». Дождь не утихал, однако в этом курортном городке, где кругом ярко светилась приманивающая иллюминация, эта стихия уже не так довлела.

Здесь Ибмас неплохо ориентировалась. Городок небольшой, но явно выделяется гранд-отель «Кемпински». По пандусу они подъехали прямо ко входу. Тут Тота, к приятному удивлению, увидел Бердукидзе. Последний явно нервничал. Бросив сигарету, он кинулся к автомобилю:

— Амёла, мы так волновались. Думали, что вы вообще не приедете... Да. Такой дождь. Похолодало... Мы вас давно ждём. Но более откладывать было неприлично.

— О! — кокетничала Ибмас. — К чему такая честь моей персоне?

— Ну, знаете, Рудольф Александрович... — тут Бердукидзе запнулся, увидев Болотаева. — Тота? А ты как...

— Я его пригласила. — У Ибмас тон повелительный, и в роскошном холле отеля она держалась также с достоинством. Однако, как заметил Тота, когда они вошли в величественный по масштабам зал, Ибмас явно

оторопела, с удивлением стала рассматривать расписной интерьер огромного зала.

Столов немного: круглых, массивных. Людей тоже немного. По звуку Тота понял, что вживую играет симфонический оркестр и слышен женский оперный голос – класс! А когда он увидел, кто исполняет на сцене, то и сам Болотаев, как говорится, чуть не обалдел.

– О! Амёла! Дорогая! – вдруг эту идиллию нарушил красивый, знакомый бас Голубева. Музыка умолкла. – Как мы заждались! Как я волновался! – В элегантном строгом костюме; высокий, плотный, розовощекий босс Болотаева шёл к ним навстречу. – Амёла! – Он галантно поцеловал её в щёчку и фамильярно, взяв под ручку, повёл к своему столу, где, как заметил краем глаза Тота, сидели очень известные в России бизнесмены и, видимо, их жёны или знакомые дамы.

Картина была впечатляющей, так что даже Болотаев засмотрелся, но его отвлекли, попросили следовать за официантом по краю зала и за сцену. По опыту Тота понял, что его хотят посадить там, где сидят приглашённые артисты.

Осознание этого факта оскорбило Болотаева. Он остановился. Тяжело задышал, не зная, что предпринять. А провожающий его официант по-немецки стал настойчиво его звать, указывая на отведённое, точнее, положенное ему место. Это его взбесило, и он, дабы что плохое не учудить, уже хотел было развернуться и просто уйти, уехать хоть на поезде, хоть на такси, как услышал знакомый голос:

– Тота, дорогой! А ты откуда?! – За столом, куда вели Болотаева, – его давний товарищ, музыкант Остап, увидев которого сознание и настроение Болотаева моментально переключилось на иной лад и иную реальность.

— Ба! Остап! А ты как здесь? — развёл руками Тота. Они крепко обнялись. Болотаев уловил запах спиртного, табака, а в целом это был до боли знакомый аромат атмосферы эстрады, беззаботной молодости, когда ты ещё непризнанный творец. Но жизнь прекрасна и вечно будет такой.

— Садись, садись. — Не церемонясь, Остап усадил Тоту рядом с собой. — Ну дела! Кто мог представить, что старого друга встречу в Альпах Швейцарии. Наливай, — повелел он товарищу. — Тота, давай выпьем за встречу.

— Нет, нет, только не это, — воспротивился Болотаев. — Мне нельзя, да и поезд у меня через пару часов, а утром из Цюриха в Москву.

— Так мы тоже после этого сабантуя — в Цюрих, там нас самолёт ждет. В полночь вылет в Москву.

— Да ты что? — удивился Тота. — Вас на этот вечер привезли?

— Да, — смеётся Остап. — Хоть раз подфартило. Целый борт артистов притащили.

— А что здесь? — любопытен Тота.

— У какого-то олигарха юбилей плюс помолвка, а может, свадьба, в общем какая-то хрень... С жиру бесятся. А ты-то как здесь?

— Как и ты, — грустно улыбнулся Тота. — Буду танцевать.

— Ну и отлично! — хлопнул Остап товарища по плечу. — За встречу надо тяпнуть, — протянул он рюмку.

— Нельзя, — строг Болотаев. — Танцевать не смогу.

— Да, — согласился Остап. — Молодец! Профессиональный подход. — Он залпом выпил, закусил, задумался. — Слушай, Тота, здесь по программе какая-то грузинская пара будет танцевать, но тебя вроде я не заметил.

– Я на десерт. В запасе, – отшутился Тота.

– А! Отлично, – выдал Остап. – Так. Нам пора. Тут всё очень солидно.

Музыканты ушли. Болотаев остался один. Он всё, точнее эстраду, слышит, но ничего не видит. Стало грустно и обидно за самого себя. Стал злиться. Встал. Решил уйти. Осмотревшись, понял, что может выйти только через зал. Ретироваться таким образом посчитал, как говорится, западло. Однако и оставаться в этом закутке на правах незваного гостя – тоже западло. Надо было искать выход из этой унизительной ситуации. Обнаружил окно. Открыл. На улице непрекращающийся дождь, гроза. При вспышке молнии он увидел прямо под собой роскошную клумбу с увядающими по осени цветами. Болотаев выставил руку, кисть намокла. От этой стихии, сырости и свежей прохлады он чуть успокоился. Его мысли только о том, как бы вовремя отсюда свалить, чтобы на утренний рейс до Москвы не опоздать.

Думая об этом, он облокотился на холодный, мраморный подоконник, как его кто-то тронул за плечо.

– Мсье. – Хотя работник гостиницы говорил по-английски, Тота понял, что окно надо закрыть – непогода.

– А что там? – спросил Болотаев, закрывая окно и в сердцах махнул рукой. – Этот болван всё равно ничего не поймёт.

– Простите, сэр, – чисто по-русски сказал работник. – Я метрдотель гостиницы. Алекс.

– Алекс? – смутился Болотаев и невнятно пробормотал извинения. – А вы из России?

— Из Молдавии... А окно выходит в палисадник, далее — дорога... Просьба окно без нужды не открывать.

— Без нужды не открою, — заверил Тота и ещё хотел кое-что спросить, но тут раздался оглушительный рёв музыки — это Остап врубил свой любимый рок.

Потом были композиции поспокойнее. В длинные перерывы между ними выступали различные гости с поздравлениями в честь 55-летнего юбилея Голубева и почему-то упоминали и Амёлу Ибмас... Точнее, не «почему-то», а как счастливую потенциальную половину, а ещё точнее, невесту очень богатого, очень щедрого и очень доброго человека Рудольфа Александровича, которому наконец-то, с третьего раза, в личной жизни повезёт.

Болотаев всё это слушал, и в какой-то момент его это стало даже смешить, а потом он вспомнил мать Амёлы. Неужели она её бросит или с собою на роскошную яхту в Монте-Карло возьмёт? Возьмёт в своё свадебное путешествие? От этих мыслей ему стало жалко и саму Амёлу, и её мать. А впрочем, разве не этой роскоши, богатства и свободы они в Европе искали? Ведь до сих пор в какой-то съёмной лачуге живут... А тут! Даже на закулисном столе артистов чёрная и красная икра в большущих тарелках, не говоря уже об ином... Словом, каждому своё. А Болотаеву прежде всего надо бы подумать о своей матери, да и беременная Дада там, и война, и бандитизм, и беззаконие там. А он на курорте в Швейцарии икру ложками жрёт.

От этих мыслей у Тоты разболелась голова, а потом и дышать стало трудно. Не хватало ему кислорода. Он вновь раскрыл окно. Свежий, влажный, прохладный воздух был так приятен, что хотелось нырнуть в этот дождливый полумрак.

— Я вас просил, господин, — тут же вновь появился метрдотель. — Пожалуйста, дайте я закрою окно.

— Алекс, — мешал ему Болотаев, — а могу я через окно уйти отсюда?

— Да вы что?! — испугался метрдотель. — Меня уволят! У вас проблема? Давайте я незаметно выведу вас через зал.

Тота задумался над этим предложением, но как, не попрощавшись с Амёлой, уйти? В это время появились Остап и его компания.

— О, Тота! Эти кретины музыку не понимают. Садись. Такой закусон! Давай выпьем.

— Давай. — Болотаев сел рядом.

— Вот это молодец, — поддержал Остап. — А то этих ворюг без пол-литра не поймешь.

Чуть выпив и закусив, Остап стал рассказывать, какая яхта — на экране показывали — ждёт «молодых» в Монако.

— Джакузи на двоих с шампанским, — рассказывал он Тоте, а потом: — А тёлка! Такая тёлка!

— Она в красном? — не выдержал Болотаев.

— Да. В красном... Всё-таки в такие моменты понимаешь, что деньги могут всё. Такая кадра!.. Налей... Всё, нам пора.

Вновь Болотаев остался один. Теперь, будучи под легким хмельком, он почувствовал себя более свободным и раскрепощённым, а на ум почему-то пришла известная поговорка «Баба с возу, кобыле легче». От этого заключения ему стало совсем легко. Он посмотрел на часы и твёрдо решил: чем где-то под дождём шляться, лучше он, раз так получилось, ещё здесь в тепле, сытости и под звуки любимой музыки посидит, а к девяти, за час до отхода последнего поезда, демонстративно че-

рез весь зал пройдёт и если надо и судьба, то Амёла его увидит и пусть поступает, как знает... Хотя... хотя ещё одна рюмка, которую он выпил один, уже чуть иначе заставила его соображать. Кровь стала закипать, и всякие резвые и даже резкие мысли, как пластика в лезгинке, стали в его воображении возникать. И неизвестно, во что бы всё это вылилось, будь всё, как представлялось Болотаеву, но всё потекло в ином русле, потому что вдруг появился разгорячённый от выступления Остап:

— Тота, дорогой, выручай... — Он торопился, говорил бессвязно. — Эта в красном. Я её узнал. В «Метрополе» останавливалась. И ты с ней пару раз был. Хе-хе, налей по стопке. — Он залпом выпил и, чуть отдышавшись, произнёс: — А вы друг к другу неровно дышали. Было такое или ещё есть?

Болотаев не ответил, а Остап захохотал:

— У нас с тобой яхт нет! И не надо... Но ты должен выручить. То ли она, то ли ещё кто Магомаева заказал.

— Ну и что? — рассержен Тота.

— Не исполнить блажь клиента нельзя. Нам нехило обещано. Выручай. Ты ведь пел и любил петь под Муслимчика.

— Это было давно, — усмехнулся печально Болотаев, — и, как говорится, неправда.

— Долю получишь.

— Ты о чём, Остап?! Перед ними?

— Тота, — не на шутку обиделся музыкант.

— Остап, прости. — Тота обнял товарища. — Прости, у меня ведь с ними иные отношения... Ты ведь знаешь и понимаешь. Да и не смогу я. И не мог.

— Но-но! — возразил Остап. — Как Муслим, понятное дело, никто не сможет, но у тебя если не голос, то этот дух магомаевский был и должен быть.

Этими словами Остап Тоту просто «купил», так что у последнего, как у всех непризнанных творческих личностей, лицо от удовольствия вытянулось, а Остап к тому же добавил:

– Особенно если кураж поймаешь... Я тебе в этом помогу – ещё по одной.

Выпить не успели, потому что внезапно появился встревоженный Бердукидзе:

– Остап! – Увидев рюмки в руках: – Положи! Не дай Бог сорвёшь концерт. Сам знаешь... Что за пауза?

– Заказали Муслима Магомаева...

– Ну и что? Ты ведь сказал, что можешь всё и вся?

– Ну, Магомаев! – возразил Остап.

– Что Магомаев?! «Фанеру» поставь.

– Обижаете, начальник, – выдал Остап. – Я и «фанера»?! Тем более ваш заказ.

– Да, да, – спохватился Бердукидзе. – Всё должно быть на высшем уровне, – он налил себе стопку коньяка, стоя залпом выпил. – Что делать? – Он обхватил голову руками. – Эта дура уже возомнила себя принцессой. Магомаева ей подавай! Где его взять?!

– Вот! – Остап указал на Тоту и, увидев реакцию последнего, добавил: – Тота, дорогой, только не надо...

– Да ты что?! – перебил его Болотаев. – То, что было по молодости...

– А ты что, старый стал? – это уже начальствующий голос Бердукидзе. – А я ведь тоже знаю, что ты танцор.

– Да, танцор. Был! Но не певец, тем более Магомаев.

– А это не Большой театр, – вставил Остап.

– Я не смогу, – взмолился Тота.

– Надо, – постановил его начальник. – Как говорили в кино, «надо, Федя, надо» и побыстрее.

С этими словами Бердукидзе ушёл, а Тота с обидой и не в полный голос, а себе под нос:

— Я не Федя... Да и вообще, пошёл ты, — выругался Болотаев и двинулся в другую сторону, твёрдо решив уйти, как услышал вдогонку:

— Ты не Федя, но и не прежний Тота, оказывается.

Болотаев встал. Тяжело выдохнув, развернулся. Какое-то время эти два эстрадных товарища молча смотрели друг на друга, словно вспоминали всё, и Тота, как бы оправдываясь, сказал:

— Столько не выступал... Я не могу, не хочу, я опозорюсь.

— О чём ты говоришь, Тота? — усмехнулся Остап. — Мастерство не пропьёшь и не продашь... А она, — Остап на этом слове сделал значительное ударение, — очень грустная, даже печальная сидит.

— Кто «она»? — встрепенулся Тота, а Остап понял, что «наживка» сработала, продолжил: — Ты думаешь, она просто так Магомаева заказала?

Болотаев стремительно вернулся к столу, залпом выпил стакан воды и, схватив за руки Остапа, с жаром выдал:

— Ты поможешь мне, подсобишь?

— На эстраде? — спросил Остап. — Всё, что хочешь, и всё, что смогу.

Они, как в былые времена, стали с жаром обсуждать репертуар Муслима Магомаева, и тут Остап сказал:

— Давай, как в «Метрополе».

— Как в «Метрополе»? — удивился Тота. — А ты это помнишь?

— Конечно, помню, — засмеялся Остап. — Я всё думал, где эту красавицу видел, и не мог вспомнить. Но как только она Магомаева заказала, я вспомнил вас в

«Метрополе». — Он засмеялся, ещё что-то хотел сказать, но вновь появился Бердукидзе:

— Быстрее, быстрее... мисс грустит, босс недоволен.

«Амёла грустит, всё вокруг Амёлы, точнее, мисс Амёлы», — подумал Тота о значимости человека, по просьбе или приказу которого он должен выступать.

По правде, будучи в душе артистом, Болотаев всегда грезил сценой, но в ресторане горного курорта Швейцарии?! Ведь он уже не студент или аспирант. К тому же он давно не выступал, тем более вовсе не певец, и теперь, ступая на небольшую сцену вслед за Остапом, он чувствовал в коленях мандраж, который, впрочем, всегда преследовал его перед каждым выступлением. Но сейчас был особый случай, определение которому он не мог дать, а он уже на сцене. Перед ним микрофон, первые аккорды, и, как их учили в вузе, выступающий ни в коем случае не должен смотреть на людей в зале, тем более в чьи-то глаза. Взгляд только поверх голов и в бесконечность.

Он хочет петь для неё, для неё одной, и поэтому первая композиция — «Любимой женщине», где в первом предложении слова «Уютно и тепло, и мы одни...». Много-много раз он исполнял эту песню в разных ситуациях и про себя напевал. Однако ныне так получилось, что он почему-то задумался над этими словами именно сегодня и понял их абсурдность в данной ситуации в отношении Амёлы, ибо он своими чувствами и мнением окружающих был зациклен на ней и где он, и где она, и эти слова «сидим вдвоём»... Словом, случилось то, что никогда на сцене с ним не случалось. Тота смутился и даже позабыл слова. И конечно, он понимал, что это ресторан, что и он, как и многие, под хмельком и на всех, в принци-

пе, плевать, но есть она, и он туда посмотрел: Амёла сидела прямо перед сценой, опустила голову — ей за него стыдно. Это он понял. Просто опустилась рука с микрофоном, и это был бы полный сценический провал, если бы не музыкальное мастерство Остапа и его группы.

— Ничего, ничего, с кем не бывает?! — в их закутке успокаивал Остап Тоту. — Столько не выступал, не пел. А это просто распевка. И следующую вещь ты выдашь на бис.

— Ни за что и никогда! — прошептал Тота.

— Ты что? — склонился над ним Остап. — Так со сцены сойти?! Нельзя.

— Да пошли они все!

— А она?

— И она тем более. — Тота слегка ударил кулаком по столу. — Понимаешь, захотелось барыне — Магомаева подавай! А я не артист! Тем более не певец.

— Тота, прости. Это я виноват, — говорит Остап. — Но так закончить... Будет осадок. Комплекс на всю жизнь.

— Я со сценой покончил... Стыдно, что сюда попал.

— Сейчас будет лезгинка.

— Какая лезгинка?

— Бердукидзе в программу ввёл. Каких-то танцоров, якобы грузин привёз. Сюрприз боссу, точнее, молодым.

— Да ты что, серьёзно? — При слове «лезгинка» глаза Тоты заблестели. — А аккомпанемент — запись?

— Нет, конечно, — отвечает Остап. — Здесь всё в натуре. Заказали Deep Purple — «лезгинка».

— «Лезгинка» в исполнении Deep Purple? — изумился Тота. — Это будет интересно.

— Это будет ужасно, — засмеялся Остап. — Я видел их репетицию... Они из какой-то подмосковной самодеятельности.

— А зачем их привезли?

— Не знаю. Видимо, Бердукидзе решил показать грузинский колорит. Ведь этот олигарх, Голубев, вроде в Грузии родился то ли жил там. В общем, сюрприз на юбилей босса. Пора.

Остап ушёл, а Тота окунулся мыслями в свою стихию. «Лезгинка» в исполнении Deep Purple. Когда-то, когда он и Остап работали в ресторане «Столичный», это исполнение было их визитной карточкой и точно срабатывало, когда надо было завести зал и сорвать у клиентов куш. Однако деньгами ведь никогда просто так не швыряются, тем более в советском ресторане. Чтобы исполнить «лезгинку» в стиле Deep Purple, надо иметь музыкантов, подобных легендарной группе. Понятно, что их нет, за исключением самого Остапа, но если есть Остап и слаженность коллектива, то получаются искромётные, зажигающие звуки и завораживающий ритм, когда трудно сдержаться, чтобы не танцевать. И в самый разгар композиции в зал стремительным пируэтом с криком выскакивал Тота. Тут Остап на гитаре и ударник начинали выдавать такое соло, а Тота вращаться по кругу — бешеное шане! И кульминация всего этого представления — это фирменный танец Болотаева «Маршал», который публику приводил в экстаз!..

Однако всё это в прошлом. Тота давно не танцевал, да и спорт забросил, к тому же и вес набрал, так что он понимал: выдержать ритм «Deep Purple» было бы нелегко. А вот посмотреть, как другие исполняют.

Лучше бы не смотрел. Смешно. Это — не кавказцы и не кавказский танец и темперамент. Это, как Остап

нарёк, самодеятельность из подмосковного Дома культуры, так что на этом фоне провальное выступление Тоты позабылось.

В зале кто-то свистнул. Потом недовольный баритон и снова свист. Болотаев из своей конуры зал не видит, но понимает, что такой свист может позволить себе только босс-юбиляр.

Музыка внезапно обрывается. Тота слышит из зала какой-то недовольный гул. Вместе с этим появляется злой Остап, что-то недовольно бурча себе под нос. С ходу наполняет свою рюмку и залпом выпивает. Следом прибегает Бердукидзе.

– Ты что себе позволяешь? – шипит он на Остапа. – Что это за демарш?

– Меня никто так не освистывал... Никогда!

– Так это не тебя, а этих уродов. Козлов!

– Но этих уродов не я привёз, – возмущается Остап. – И я их здесь в первый раз вижу.

– Знаю, знаю, – вполголоса говорит Бердукидзе. – Мне их рекомендовали как лучших танцоров. Хотел, как лучше...

– Хотели сэкономить, – перебил Остап.

Эти слова задели Бердукидзе. Недовольным взглядом, словно видит впервые, с ног до головы осмотрел музыканта, явно обдумывая, как ему сейчас поступить и что этому нищему гитаристу сказать, как из зала вновь донёсся хмельной властный баритон босса:

– Да что это за концерт!? Кто привёз этих скоморохов?! – Пауза и далее: – Бердукидзе где?

Бердукидзе замер с вытянутым лицом.

– Остап выручай, – еле вымолвил он и побежал в зал, а Остап, наоборот, приободрился. Затушив в пе-

пельнице сигарету, он вальяжно тронулся к эстраде, как Тота его окликнул:

– Остап, выручи и меня.

– Тебя? – обернулся музыкант.

– Ну да... После такого провала.

– Да ладно тебе, какой провал? Это я виноват, – сказал Остап и, подумав, добавил: – А впрочем, ты прав, если сразу же не реваншироваться на сцене, то в тебе искусство умрёт. – Он протянул Тоте руку.

– И не только это. – Они крепко пожали руки.

– Ну что ж, тогда тряхнём стариной! – воскликнул Остап.

– Повтори Deep Purple, – попросил Тота.

– Твой фирменный «Маршал»? Как в старые добрые времена? – поинтересовался музыкант. – Или, учитывая возраст, подсократим?

– Нет, – сказал Болотаев. – Проверю, есть ли ещё порох в пороховницах?

– Посмотрим, – улыбнулся Остап.

...Конечно, юношеской прыти, задора, крика и тем более амплитуды воздушных трюков не было, зато осталась грация, фирменный стиль и такой вихрь вскипающей мужской страсти, что весь зал, даже обслуживающий персонал, застыли в восторге. А танцору сцены не хватало, и он вихрем пируэтов бросился прямо в зал.

В такт танца все стали аплодировать. Та буря стихий, что разыгралась за окнами отеля, уже была не слышна – в зале набирал силу свой шторм, особый гром музыки и та искромётная, целенаправленная молния любви, от сверхнапряжения которой Амёла вдруг вскочила и, как умела и представляла, стала танцевать с Тотой...

Тота выложился. Тота выдохся. Ему не хватало воздуха, и сразу же после такого сумасшедшего выступления он бросился за кулису к спасительному окну. Свежий, влажный, ледяной воздух ворвался в зал, в его грудь, вознёс настроение.

Он любит и любим, и в этом нет сомнения, но эти яхты, люстры, лимузины и бочки чёрной икры могут перебить любой вкус, любое настроение. К тому же вновь показался всё тот же метрдотель, и Тота подумал, что, как только этот молдаванин вновь потребует или даже попросит его закрыть окно, он его точно пошлёт куда подальше, а может, и пинка даст. Однако метрдотель, вопреки ожиданиям, стал в умилительной позе, прижав руки к груди, и восхищенно сказал:

— Вот это танец! Я такого не видел и не представлял. Браво! — Он тихо похлопал. — Браво!

— Спасибо. — Болотаев был очень рад. — Я чуть отдышусь и закрою окно.

— Да-да, только не простудитесь. Вы так вспотели.

В это время с шумом, что-то опрокидывая, появился Бердукидзе:

— Ну ты, земляк, выдал! Вот это лезгинка!

— Мы все спасены! — улыбается Тота.

— Ты так думаешь? — поменялся тон Бердукидзе. — Мало того что мисс Ибмас с тобой под ручку на вечер заявилась, так эта «невеста» чуть было тебе на шею только что не бросилась.

Болотаев хотел было в ответ что-то грубое ляпнуть, да сдержался. А Бердукидзе, словно читая его мысли, произнёс:

— Босс обидится — выгонит. Такой работы ты более не найдёшь, и более Ибмас и никто не поможет, потому что в России сегодня, впрочем, как всегда, эта банда к власти надолго пришла. Они друг друга все знают, и если босс в отказ пойдёт – хана. Более достойной работы не будет.

– Вообще не будет?! – всё-таки ёрничанье в голосе Болотаева.

– Будет, – в тон ему отвечает шеф. – Работа доцентом и нищета.

Эта реальность задела Тоту и отрезвила, а Бердукидзе налил себе виски, залпом выпил, закусил и, не глядя на Болотаева, сказал:

– Амёла – классная кадра. Но раз босс на неё глаз положил... Медовый месяц или пусть даже квартал пройдёт, и тогда наша очередь наступит. Понял, Тота? Ха-ха-ха!

Болотаев не засмеялся, наоборот, насупился, выдал:

– А мы что, ассенизаторы?

– Чего?! – строг стал Бердукидзе. – Вообще-то вы чечены странный и непонятный народ. И как ты сюда попал?

– Сами видели – мисс Ибмас пригласила.

– Хе-хе, отныне «мисс» вряд ли к ней применимо... У босса таких «мисс» во всех банках и корпорациях – куча. И у всех у них будущее обеспечено. Так что... Правда, эта Ибмас – особый фрукт. – Он странно засмеялся. – Но силу денег, больших денег, никто не отменял... Разве это не так? Как учёный-экономист, ответь, Болотаев.

– Наверное, так, – вяло согласился Тота.

– Всегда так, – засмеялся Бердукидзе. – И сегодня ты в этом ещё раз убедишься, хотя и гарцевал ты перед этой мисс от всей души. – Он ещё смеялся, небрежно похлопывая подчинённого по плечу, а Тота

еле сдерживался и уже хотел было его подальше послать, да искусство и на сей раз спасло. Это Остап резко перешёл на свой любимый тяжёлый рок, так что всё задрожало.

— Вот идиот! — крикнул Бердукидзе, бросился в зал. Тяжелый рок вмиг умолк. Через минуту к Тоте явился обиженный Остап:

— Ты знаешь, что этот хрен мне заявил?

— Бердукидзе?

— Да... Что ни хрена нам не заплатит, мол, мы с тобой всё запороли.

— Да пошёл он, — теперь Тота осмелел.

— Вот это верно, — поддержал коллегу Остап. — Наливай.

Под хмельком, от шикарного застолья, они уже стали забывать, где находятся и зачем приехали, а вспоминали о бурной молодости, как появился разъярённый Бердукидзе.

— Закройте окно — дует! А ты, — ткнул он Остапа, — на сцену. Хорошую, спокойную музыку давай. Поживее! — Бердукидзе исчез, а Остап развёл руками:

— Тота, что им сыграть?

— Я знаю, — вскочил Болотаев. — Муслима... Магомаева.

— Ты? — угрюмо спросил Остап. — Вновь сорвёшь.

— На сей раз не сорву. Позволь, — горячо прошептал Тота, обнимая старого друга.

— Давай, — согласился Остап. — А что будем исполнять?

— «Ноктюрн», — загорелся Тота. — А потом «Верни мне музыку».

— О! Вещи со смыслом, — поднял указательный палец музыкант. — Ты явно что-то задумал.

– Подыграй.

– Подыграю... И даже с удовольствием! – усмехнулся Остап. – Только какой вариант?

Классический концертный вариант «Ноктюрна» продолжается почти шесть минут. Такое исполнение в ресторане исключено – посетители затоскуют, отрезвеют. Поэтому группа Остапа отрепетировала два альтернативных варианта, из которых Тота выбрал «короткий».

Прозвучали первые вступительные аккорды, после которых Тота медленно вышел на сцену. Как любому артисту, ему в тот момент очень нужна была поддержка зала. И хотя ему необходимо было устремить взгляд поверх голов в «бесконечность», он боковым зрением уловил радостную улыбку Амёлы, и она первая стала аплодировать. Тота, как это делал великий маэстро Муслим Магомаев, выправил грациозно стать – это он очень хорошо умел. А вот голос, конечно же, не тот, но ведь Тота профессиональный актёр, и у него своеобразный тембр, а если к этому ещё добавить природное обаяние и искренность исполнения, то это завораживает зал, впечатляет. Исполняя припев, он спустился со сцены, встал около главного стола, где сидела Амёла, босс и все важные гости, и, глядя в потолок, для неё, спел:

> Я к тебе приду на помощь, только позови,
> Просто позови, тихо позови.
> Пусть с тобой всё время будет
> Свет моей любви, зов моей любви,
> Боль моей любви...

Заканчивал он эту грустную композицию уже на сцене. Зал уже был, как говорят артисты, отлично «по-

догрет» и «заведён». Публика дружно аплодировала. А Остап, когда он в паре с Тотой кланялся залу, прошептал:

— А ты её задел, — и следом в микрофон объявил: — «Верни мне музыку».

Эта композиция требовала серьёзного вокала, и поэтому мало кто её осмеливался исполнять. Однако в репертуаре ресторана она была незаменима, потому что не исполнение, а сам текст эффектно действовал на сентиментальных женщин. И на сей раз этот эффект блестящей музыки сработал полноценно, ибо вновь как бы невзначай Тота спустился со сцены и уже у стола Амёлы, но глядя в никуда, тихо пел:

> Уведу тебя я, уведу,
> На виду у всех знакомых уведу.
> Уведу, быть может, на беду.
> Одной натянутой струной
> Мы связаны с тобой...

...А ведь правильно говорят «не садись не в свои сани». Вот станцевал (для ресторана) шикарно и уймись. Так нет, Тота вновь петь захотел. И даже высокую ноту размечтался взять — голос почти что сорвал, еле-еле, и то Остап и музыканты помогли, Тота песню допел и побыстрее ретировался в закоулке. Снова у него удушье, теперь уже от стыда. Он вновь открыл окно. Вроде дождь чуть ослабел. Воздух свежий, горный, прохладный и манит. Скоро, совсем скоро последний поезд до Цюриха. Ему никак нельзя на него опоздать. Его ждёт мать. Она в Чечне. В Чечне, можно сказать, уже идёт война. Там же беременная Дада, за которую он тоже в ответе. А он здесь, на высокогорном швей-

царском курорте, богатую публику ублажает, к тому же напрашиваясь и задарма.

Это, конечно, позор. А если бы мать узнала? А если в данный момент что с матерью случилось? От этих мыслей ему совсем стало плохо. Спасение только одно – бежать, отсюда бежать, бежать к матери, домой, в горы Чечни, а не Швейцарии. И он подумал, что не хочет он более видеть все эти сытые рожи. Он не пойдёт обратно через зал, он просто вылезет в окно, благо первый этаж.

Он уже прикидывал, как это всё осуществить, и даже ногу на подоконник занёс, чуть брюки не порвал. И тут вспомнил про костюм, взятый напрокат. Это его самого взяли в прокат. Он так разозлился, в первую очередь на Амёлу Ибмас, которая притащила его сюда, а он перед ней поёт и кривляется... И в это время на весь зал голос Остапа:

– По просьбе гостей с юга. – Тота вслушался. Так они всегда в ресторанах раззадоривали этих самых гостей с юга, и это всегда «прокатывало». И сейчас Остап, после умелой артистической паузы, продолжает: – Бессмертная вещь – «Девушка в красном». Объявляется «белый танец». Дамы приглашают кавалеров.

– Ага, уже пригласили, – злобно процедил Болотаев, с шумом резко придвинул к окну массивный стул, и уже ступил на холодный мраморный подоконник, и уже голова его была снаружи, как он услышал её нежный голос:

– Тота! Вы куда? Зачем?

Он обернулся. Язык проглотил. А прямо под ним – она. Вся румяная, как её платье. Она медленно протянула к нему обе руки, словно взмолилась и уже шёпотом:

— Вы покидаете меня? А я заказала «белый танец». Хотела пригласить вас.

Позабыв обо всём на свете, Болотаев соскочил с подоконника. Выправив осанку, придирчиво осмотрел себя, затем галантно взял её руку и, обхватив за талию, умело маневрируя между столами, повёл в зал.

Уже несколько пар танцевали медленный танец. К ним подошли и они. Что творилось в душе Ибмас, непонятно, а вот Тота никого не видел и не хотел видеть. У него был серьёзный вид, словно он выступал на конкурсе бальных танцев. При этом всё делал очень стремительно и виртуозно, так что Амёла взмолилась:

— У меня голова закружилась.

Болотаев убавил ритм и ответил:

— Это, видать, от спиртного.

— Ха-ха-ха, — засмеялась она. — Так, я вообще не пью и никогда не пила.

— Серьёзно? — удивился Тота.

— Конечно... А вот вы выпили. Разве чеченцы пьют?

— С кем поведёшься.

— Хорошее оправдание... Тота, можно ещё помедленнее, у меня правда голова закружилась.

— Как прикажете. — Очень галантен кавалер, а она вновь недовольна.

— Вы не сильно приблизились?

— Нет, — безапелляционно выдал танцор, — надо быть ещё теснее...

— Тота, пожалуйста, — попросила она.

Болотаев подчинился; теперь принял позицию — чуть ли не на вытянутых руках, так что Амёле с улыбкой пришлось налаживать расстояние, и, видя насупленность партнёра, она говорит:

— Своим пением и особенно танцем вы украсили этот вечер.

— Правда? — вмиг оживился Болотаев.

— Конечно. — Она слегка погладила его руку. — Я так благодарна вам, что вы приехали со мной... Но это окно...

Ибмас почувствовала, как Болотаев нервно дёрнулся.

— Вы хотели покинуть нас? — спрашивает она. Теперь он упорно молчит, а она в том же тоне продолжает: — Через окно? Романтично. Очень... Правда, ранее вы пели «Уведу тебя я, уведу, на виду у всех знакомых уведу...»

— Уведу, быть может, на беду, — подпел Тота.

— И вы испугались?

— Ничуть! — твёрдо выдал он.

— Но вы в одиночку хотели уйти или?.. — Было непонятно, шутит она или нет. От этого он слегка замешкался и сказал:

— Я проверял альтернативные пути... Скоро последний поезд.

— Ах, поезд! А я, глупая, размечталась. Подумала, что вы в такой романтичной форме, через окно, действительно решили меня «увести».

Тота молчал. Он вглядывался в её глаза и не мог понять, в шутку она говорит или всерьёз. Не столько от танца, сколько от внутреннего напряжения, он сильно вспотел и тяжело дышал.

А Амёла в том же тоне продолжала:

— Мне мама рассказывала, что у чеченцев иногда принято девушек воровать.

— Не воровать, а умыкать.

— Это и есть «уводить», разве не так?

— Не так, — грубо ответил он. — Воровать, как вы сказали, девушку — это позор! А вот «умыкать» ... — Он очень волновался и не знал, как это объяснить, а она улыбалась:

— Скажем так, по некоему её несогласному согласию.

— Что-то вроде этого, — подтвердил Тота.

В это время уже звучали последние аккорды композиции. Амёла посмотрела в сторону своего стола и моментально, словно её услышали, отвела взгляд. Туда же посмотрел Тота. Картина привычная и обычная для любого, даже самого респектабельного, советского и российского ресторана, где основательно, на широкую ногу, нувориши гуляют. И конечно, трезвому человеку, тем более швейцарке, эту широту российской души не понять, и она говорит:

— Здесь так накурено, душно... Нечем дышать.

— Может, уйдём? — с горячностью на ухо прошептал Тота.

Она задумалась.

— На поезд?

— И на поезд тоже. — Он грубовато дёрнул её к сцене. На ходу крикнул Остапу: — Дай что-нибудь погромче, повеселее. «Ламбаду» дай. — И вновь, почти силой, он потянул её за собой.

— Тота, вы что?! — засмеялась она. — Все видят.

— «На виду у всех знакомых уведу», — продекламировал Болотаев.

Так, не выпуская её руки, они очутились в закулисье музыкантов, возле окна, которое Тота быстро раскрыл.

— Вы уведёте меня через окно? — всё ещё смеялась Амёла. — Это так романтично.

— Конечно, — в страстном, хмельном азарте говорил её кавалер. — Всё должно быть романтично, необычно и красиво.

С этими словами он, как и прежде, пододвинул к окну стул, быстро залез на подоконник, не выпуская её руки.

— Тота! Да вы что?! — Теперь она уже не смеялась. Снизу вверх она со страхом посмотрела на него и спросила: — Вы серьёзно?

— Я без вас не уйду. — Он рванул её вверх.

— Я начинаю вас бояться, — сменился её тон. Однако Болотаев уже действовал решительно, как некий хищник. Буквально силой он поднял её на подоконник. Они оказались вплотную прижатыми друг к другу, с жаром дышали, но это уже не был танец и не было борьбы, потому что они хоть и вслух возмущались, но без её согласия он бы её не поднял... И теперь они стояли на этом широком мраморном подоконнике, взявшись за руки, как на границе водораздела, где с одной стороны стихия природы — прохлада, свежесть, розы и гроза, а с другой — буйство хмельное.

Они застыли и, скорее всего, оба поняли, что уже переступили грань и надо либо пойти дальше, либо отступить. И то и другое уже вне протокола, но они на это пошли, и Ибмас, поддаваясь его движению, тоже чуть не ступила в стихию мрака природы, как вдруг Тота остановился, неожиданно соскочил обратно, взяв на руки Амёлу, поставил рядом. Строго оглядев её и себя, он постановил:

— Как пришли, через парадный вход, так и уйдём.

— Мы так не пришли, — сказала она.

— Разве? — удивился он. — А как?

— Не под ручку.

— А я увожу вас.

Миновав тёмный задний коридор, они пошли по краю зала к выходу. Мерцал свет, шумела «Ламбада». Амёла опустила голову. Тота, наоборот, задрал подбородок, смотрел только вперёд. Зал гудел. Слышно было, как босс кричал:

— Купцы гуляют! Наливай!.. Танцуют все!

В холле гостиницы, как в ином мире, было тихо, светло, спокойно. Здесь Амёла хотела руку освободить, но Тота не отпускал. В это время перед ними появился метрдотель:

— Вы так смотритесь, — сделал он комплимент.

— Очевидно, — выдал Болотаев, Амёла прыснула от смеха, а Тота, словно переродился, командным тоном произнёс: — Так, молодой человек, — он протянул стодолларовую купюру, — вот вам за труды... Пожалуйста, нашу машину подгоните ко входу.

— Есть! — Метрдотель исчез, но тут, пошатываясь, из-за спины появился Бердукидзе.

— В-в-вы куда?

— Мы покурить, — бросил небрежно Тота.

— А вы разве курите?

— Начал... Ауфидерзейн, — сказал Болотаев по-немецки и повёл Амёлу к выходу.

Она прильнула к нему.

* * *

Оказывается, одно и то же событие из разных точек координат оценивается по-разному. Так, до тюрьмы, будучи на воле, Тота Болотаев без содрогания даже вспоминать не мог и не хотел эти дни, проведённые в Альпах Швейцарии. И дело не в том, что он там пил, гулял. Просто его мучили некие угрызения, что он,

как некий шут, пусть даже артист, весь вечер развлекал всякую публику... Впрочем, был и плюс: с тех пор Болотаев почти не пил. Правда, он и до этого особо не злоупотреблял. Да всегда считал, если бы он тогда был трезв, то всё могло сложиться иначе. Впрочем (снова «впрочем»), уже будучи в заключении, вспоминая эти события, Болотаев совсем по-иному стал их оценивать и сделал вывод: всё, что ни делается, – к добру.

Этот вывод сложен годами. А тогда... А тогда была безответственность, бесшабашность и угода страстям. Хотя Тота считал, что к этому безрассудству его подвела Амёла Ибмас. Ведь она, по его мнению, всё это до определённого момента организовала. Ну а потом... потом всё перешло в руки Тоты и стихии.

... Когда они вышли из отеля, их заведённый лимузин уже стоял на пандусе. И Ибмас хотела сесть за руль, но Тота грубо и почти что силой оттолкнул её, и чтобы окружающие что-либо не заподозрили, Амёла нехотя, но подчинилась, села на место пассажира, а Тота – за руль.

– Вы выпивший, – не раз повторила она.

– Я выкрал вас и увожу, – бахвальство в голосе джигита. Однако тронуться долго не мог – до этого он никогда не управлял иномаркой, тем более с автоматической коробкой передач.

Амёле пришлось на ходу давать уроки вождения. Тота не знал всю мощь двигателя и чуть не въехал в первый попавшийся столб. Амёла от испуга закричала, а потом всё причитала:

– Это – не Россия. Тут за пьяное вождение так накажут... А репутация?!

– Молчи, женщина! Лучше подскажи путь, штурман!

Дождь лил как из ведра. Дворники не успевали очищать лобовое стекло. Видимость была очень плохая, благо дороги хоть пустые.

— Куда ехать? — спрашивал Тота.

— Вон знак. Налево — вокзал.

— А направо что?

— Ещё выше в горы... Горнолыжный курорт.

— Там красиво?

— Очень красиво... Тота, вы куда? Нам налево.

— Налево ходить, а тем более ехать неприлично, — смеялся Тота.

...На следующее утро они очнулись от холода в небольшом высокогорном отеле. За окном тускло, идёт снег. Их первое желание — уехать. Однако, как выяснилось, из-за обильного мокрого снега где-то оборвалась линия электропередач, дорога в нескольких местах завалена упавшими деревьями — закрыта.

Они оказались отрезанными от остального мира. Без света, без тепла, без связи они пребывали в этой почти что пустой гостинице ещё одни сутки.

Вначале они говорили и беспокоились о своих матерях, а потом смирились с обстоятельствами и пытались сохранить тепло — во всех отношениях.

Так прошли ещё одни сутки. И видимо, под стать их отношениям расщедрилась и сама природа. Зима, солнце, снег, голубое небо! И электричество появилось. И как из такого рая можно уехать, хотя бы чуточку не насладившись жизнью?!

К счастью, их совесть не особо страдала, ибо объявили, что дорога ещё не расчищена. Амёла снова повела Тоту в прокатный пункт. Теперь они облачились в лыжные костюмы. Болотаев на лыжах кататься не умел, ну а что на них вытворяла Ибмас! На самом кру-

том склоне она с головокружительной скоростью летела вниз, скрывалась из вида, а Тота в испуге хватался за голову и думал, что он скажет её матери, что он её насильно в горы увёз, а она с этих вершин на лыжах улетела... Но в Швейцарии всё хорошо, вот она в своём красивом костюме возвращается к нему на подъёмнике: румяная, счастливая, сияющая.

— Амёла, ты больше не пугай меня так! — без иронии говорит он.

— Ещё разок. Это так здорово!

— Не пущу... Мне одному скучно и страшно, — пытается он её обнять, остановить, но здесь она гораздо сильнее и вновь на бешеной скорости летит с вершины, и лишь снежный вихрь вскипает вслед за ней, а Тота с грустью напевает:

> Вслед за мной на водных лыжах ты летишь,
> За спиной растаял след от водных лыж.
> Ты услышь их музыку, услышь.
> Как от волшебного смычка — такая музыка!

...На следующее утро погода была ещё прекрасней. Однако проезд на равнину уже был открыт, и они, как обязательная повинность, вновь облачились в свои наряды и поехали в Цюрих. За рулём была Амёла. Им было очень грустно, как будто они с чем-то или кем-то очень дорогим расставались навсегда и должны были окунуться в густой мрак, который напрочь окутал предгорье Альп.

В Санкт-Морице погода была по-прежнему пасмурной, печальной. Теперь этот городок никак не воссоздавал атмосферу отдыха и курорта, наоборот, было очень пустынно и угрюмо, словно здесь уже вовсе нет

людей. И они, проезжая его, не проронили ни слова. И лишь потом, уже подъезжая к Цюриху, Тота как бы между прочим сказал:

— Никогда не думал, даже в кошмарном сне, что захочу жениться на девушке, которая уже была замужем.

— Два раза, — подчеркнула Амёла.

— Во-во, — ухмыльнулся Тота и, тяжело вздыхая, добавил: — А мне категорично отказали.

— Тотик, дорогой, не отказала... А просто надо время, чтобы подумать, всё взвесить.

— Любовь не взвешивается!

— Ха-ха! — Теперь она засмеялась. Засмеялся и он, и так получилось, что напряжение, которое господствовало над ними всю эту поездку, рассеялось, как туман.

— Ты предлагаешь мне уехать с тобой в Москву, точнее, даже в Грозный, где, как ты говоришь, война... И я не буду говорить о контракте с банком. А моя мать?

— У меня тоже мать одна. В Грозном.

— И что, бросим их и останемся жить в Альпах?

— Горы Кавказа не хуже.

— При чём тут горы?

— При том... Я на старости лет предложил руку и сердце, а мне...

— Бедный, обиделся, — улыбается она, а потом, став серьёзной: — А по правде, я тебе уже это говорила и ещё раз повторю — у меня не будет детей.

После этого долго молчали, и вдруг Болотаев выдал:

— А знаешь, Амёла, по рассказам твоей матери и особенно по характеру — ты не немка, ты скорее чеченка и твой отец — чеченец.

— Ха-ха-ха, — залилась она смехом. — Я тебе говорила, мой отец немец и живёт в Мюнхене.

— Он тебе помогает?

— Никакого контакта.

— Странно, — задумался Тота. — Не будь наших матерей, и мы с тобой два одиночества.

— Да, — после паузы согласилась она.

— Вот что сделала с нами советская власть... А кто-то по этой власти и Сталину ещё тоскует, мечтает.

— Её уже нет? — задала Ибмас вопрос.

— Конечно, нет.

— А моя мама считает, что ещё есть, — серьёзен её тон. — И она уверена, что то, что сегодня творится в Чечне и вокруг неё, — это отголоски того же сталинизма — большевизма.

Напоминание о Грозном, о матери крайне опечалило Тоту. Он опустил голову, молчал. А Ибмас говорила:

— И мне кажется, что этот вечер в Санкт-Морице тоже сталинизм или производная сталинизма.

— С чего ты взяла? — очнулся Тота.

— Как с чего? Я живу в Швейцарии, работаю в банке и знаю, у кого сколько денег. Очень, очень много. Но каждую копейку берегут, потому что заработали с трудом. А тут — вёдра икры! Вёдра! И самое дорогое шампанское — по три тысячи долларов за бутылку — и его — море!

— Ну и что? Так в России гуляют.

— Гуляют — единицы. А на это трудятся, по-рабски трудятся, миллионы.

— О! — схватился за голову Болотаев. — Давай не будем о грустном, от политики тошно.

— Давай, — согласилась Ибмас.

В полном молчании и напряжении они доехали до аэропорта. Перед самой посадкой она прильнула к нему, поцеловала в щёку, горячо прошептала:

— Мне кажется, я больше не увижу вас.

— Мы снова на вы? — усмехнулся он. — Конечно, увидимся.

Её глаза увлажнились. Теперь он её крепко обнял, также поцеловал, но в этом не было прежней страсти, потому что он мысленно уже просчитывал непростой путь до мятежного Грозного.

* * *

Сидит Тота Болотаев в тюрьме и думает: вот если посмотреть на карту мира, то почти что её половину занимает Россия — великая страна. А вот постарайтесь на этой карте найти Швейцарию — не всякий найдёт и не знает, что такая даже есть. И на многих картах просто номером обозначена. Однако в жизни, даже в тюремной жизни, Россия, точнее гражданин России, — это ничто, а вот Швейцария или гражданин Швейцарии? Это к тому, что адвокат из Швейцарии прибыл — все по стойке «смирно» стоят, даже слова сказать не могут.

Это сравнение у Болотаева возникло оттого, что был у него местный адвокат, и что?

Революцию он не свершил; сам был жалкий, беспомощный, бывший прокурор — милиционер, за пьянство вылетел из органов и вот так стал на жизнь зарабатывать... В общем, он Тоте в меру своих сил помог и что-то наобещал, и было приятно. Хотя даже с ним, с адвокатом, надзиратели особо не церемонились. Так он не из Москвы и даже не из Красноярска, он местный, из Енисейска, и можно не продолжать.

А вот как-то с самого утра Болотаеву объявили, что будет встреча с адвокатом. Так его особым завтраком попотчевали, в баню повели, новую робу выдали и с

неким трепетом доставили в доселе невиданную Болотаевым особую комнату, а перед ней стоит щегольски одетый полный коренастый мужчина – европеец, в смокинге, с бабочкой, и он по-русски, с акцентом, говорит сопровождающим его начальнику тюрьмы и надзирателям:

– В соответствии с пунктом 1 части 1 статьи 53 Уголовно-процессуального кодекса Российской Федерации защитник, то есть я, с момента участия в уголовном деле вправе иметь с подозреваемым, обвиняемым пунктом 3 части 4 статьи 46 и пунктом 9 части 4 статьи 47 настоящего кодекса, то есть наедине и в условиях конфиденциальности, без ограничения числа и продолжительности таких свиданий. Это – Закон Российской Федерации.

Здесь новый адвокат сделал многозначительную паузу. Глядя поверх очков, он с некоей претензией спросил у начальника колонии:

– Кстати, а вы, господин или, как правильно, ещё по-прежнему, товарищ подполковник, хотя бы читали Уголовный кодекс? Или это у вас как сталинская конституция – самая гуманная в мире, но её никто не читал и тем более не соблюдал.

– Так, послушайте, господин хороший, – властный тон прорезался у подполковника. – Вам не кажется...

– Нет, не кажется, – перебил его европеец, делая ударение на последнем слове, и даже сделал шаг навстречу. – Ибо, когда несколько дней назад ваш, – тут он вновь сделал ударение, – начальник, министр Российской Федерации, разговаривал с вами, для точности это было 22-го в 14.00 по московскому времени, он находился в моём кабинете в Цюрихе... Вы не забыли?

Подполковник оторопел, вытянулся по стойке «смирно», старательно втягивая живот.

— Может быть, о некоторых нюансах мы поговорим попозже, — предложил он, скосив взгляд в сторону своих надзирателей.

— Конфиденциально? — поинтересовался адвокат.

— Просто выпьем чай.

— Отлично... Впрочем, я надеюсь, что ваши подчиненные под стать вам, люди проверенные и им можно доверить государственную тайну. Разве не так, товарищ подполковник?

— Так точно!

— Конечно, так, — поддержал европеец. — А иначе, как в России говорят, «от тюрьмы и сумы не зарекайся». — Здесь он с некоей ехидцей усмехнулся. — Кстати, эта поговорка есть только в России.

Вновь поверх очков он как бы оценивающе осмотрел всех присутствующих, остановил свой взгляд на заключенном Болотаеве и как постановил:

— В любой момент всякий из нас... да-да, я и себя из этого случая не исключаю, ибо нахожусь тоже здесь, — может оказаться на его месте, в его камере... Разве не так?

Все промолчали. Подполковник вдруг кашлянул, словно поперхнулся, а европеец продолжал:

— Кстати, мы с вашим руководителем — соседи. У нас рядом виллы, по-вашему, дачи на берегу Цюрихского озера. Живописнейшее место! Впрочем, здесь, в Сибири, таких мест даже поболее. Однако, — тут уже адвокат деликатно кашлянул, — это я к тому, что, разумеется, доложу вашему руководству о вашем служебном рвении. И думаю вместе с очередным званием «полковник», а может даже, внеочередным «генерал»

вы заслужите перевод поближе к столицам. Разумеется, с выделением достойного жилья и иных положенных вам льгот и стимулов.

— Служу России! — вырвалось у начальника.

— На таких, как вы, держится мощь великой державы!

Теперь уже Болотаев стал кашлять.

— Так! — встрепенулся адвокат. — Перейдём к делу... В части 2 статьи 18 закона «О содержании под стражей» указано, что «свидания подозреваемого или заключенного с его защитником могут иметь место в условиях, позволяющих сотруднику места содержания под стражей видеть их, но не слышать» ...У вас имеются такие условия?

— Так точно, — отрапортовал подполковник, настежь раскрыл дверь и, видимо, для того, чтобы заезжий адвокат более не выдавал государственных тайн, напирая своим солидным животом, стал, как экскаватор, неумолимо толкать его в камеру для свиданий.

Однако оказалось, что европеец ещё не всё высказал, он поднял указательный палец и, повысив голос, проговорил:

— Минуточку! Минуточку! А прокурор?!

От этого слова подполковник буквально застыл, а адвокат вновь перехватил инициативу:

— Товарищ подполковник! Должен вам сообщить, что наш, точнее ваш, всеми любимый и уважаемый генеральный прокурор Авдей Михайлович — тоже наш друг и партнёр. И лишь одно отличие от предыдущего звонка. Дело в том, что, когда он вам звонил — было позавчера, в 17.30 по московскому времени, — я был у него в кабинете... Впрочем, это всё не так уж суще-

ственно. Главное, чтобы восторжествовала справедливость и все люди жили на свободе и хорошо. Вы не против, товарищ начальник тюрьмы?

— Разумеется, нет!

— Тогда приступим к работе, дабы реализовать это в жизнь.

...Тяжелая дверь с шумом закрылась. Болотаев и адвокат остались наедине. Эта камера для свиданий вроде особая, но всё же тюремная — стол да пара стульев и всё. Они сели друг против друга. Адвокат внимательно осмотрел камеру и как диагноз:

— Ничего в этой стране не изменилось.

Болотаев уже давно заметил, что заморский адвокат где-то играет и даже переигрывает. А последнее предложение он вообще выдал не просто без акцента, а даже по-местному — тягуче-певуче. И подтверждение этих мыслей: когда адвокат снял очки и провёл по лицу рукой, словно маску снял — это светло-русый, голубоглазый местный житель.

Но это всё предположение Тоты, а ему интересно иное, и он задает вопрос:

— То, что вы говорите, это правда?

— Что? — Адвокат протирает очки.

— Ну, про министра и прокурора.

— В том-то и беда ваша, что это правда.

— А почему «ваша»? — удивился Тота.

— А потому, что я русский. Более того, родился и вырос в этих краях... Мой отец — учёный, как враг народа был сослан в ГУЛАГ, пропал без вести. Мою мать вслед за ним выслали в Сибирь, где я родился. При Горбачёве, как только появилась первая возможность, я выехал в Европу, и вот я впервые здесь... Но здесь то же самое. Даже хуже.

— Тут, может? — перебил Болотаев, глядя в потолок, намекая на прослушку.

— Да ладно, — махнул рукой адвокат, полез в портфель, доставая кучу документов, и пока он их рассматривал, Болотаев полюбопытствовал:

— А обратно в родные места не тянет?

— Никогда! — был жёсткий ответ. — И я вам скажу более. Я с опаской сюда ехал. Но такого не представлял... Признаюсь, я очень боюсь. Очень. Хотя у меня чисто швейцарское гражданство.

— А чего вы боитесь, если у вас прокуроры и министры в друзьях?

— Да вы что?! Эти персоны больше меня здесь быть боятся. Поэтому все их дети, внуки, счета, виллы — на Западе. Жёны и любовницы на Западе рожают.

После такого откровения Тота почему-то вспомнил маму Амёлы Елизавету, которая тоже боялась приехать в Россию, и он спросил:

— Вас Амёла Ибмас прислала?

— Да... Но сообщу вам, я не за плату, ни за какие гонорары я бы сюда не сунулся. Просто она мне о вас рассказала, и я решил за идею рискнуть.

— Амёла здесь? — не выдержал Тота.

— Здесь... Хотя я был категорически против её поездки. Но она, видимо, очень, скажем так, симпатизирует вам. Ха-ха, — засмеялся адвокат. — А что вы так смутились?! Примчаться в Сибирь, к заключённому. Как жена декабриста... Хм, никогда бы не поверил и даже не представил бы, что гражданка Швейцарии способна на такое.

— Вы её ведь увидите? — перебил Тота.

— Нет. Во-первых, мне некогда. Меня ждёт машина, и я спешно возвращаюсь в Красноярск. Во-вторых,

даже случайная наша встреча здесь повредит ей, мне и вашему делу. А в-третьих, я ей не советовал сюда ехать, но она... Видимо, любовь. Но в юриспруденции с чувствами не считаются – есть лишь числительные. Или, как сегодня модно говорить в России, «цена вопроса». То есть «сколько» и «почём».

– Хе-хе, – теперь уже подсудимый засмеялся. – И почём я, если не секрет?

– Ну, подумайте сами, если меня ждёт в Красноярске зафрахтованный в Цюрихе самолёт.

– Боже! – схватился за голову Тота. – Откуда у Амёлы такие деньги?

– У Амёлы таких денег нет. И дело не в ней и даже не в вас лично. Просто нужен прецедент.

Здесь адвокат надел очки. Сразу как-то поменялось выражение его лица – вновь европеец. И он с акцентом, словно читает лекцию, стал говорить:

– Дело в том, что в Чечне вновь началась война. Вновь бомбы, танки, ракеты. Вновь кровь, зачастую невинных людей. Это война против мятежников. И не думайте, что мы во всём поддерживаем сепаратистский чеченский режим. Отнюдь. Однако мы против того насилия, которое развёрнуто против всех чеченцев в России. И если сегодня поставят на колени чеченцев, то завтра и за русских с рвением возьмутся, а потом и далее по большевистским следам пойдут. Мы это уже проходили. На собственной шкуре испытали. Поэтому наш гуманитарный фонд и наш банк решили, как прецедент, разобраться в вашем деле. Здесь просто заказ.

– Клянусь, я ни копейки не украл и нет у меня нигде денег! – простонал Тота.

– Амёла меня в этом уверяла. Теперь я это знаю. Кстати, я вам даже завидую. Кто бы обо мне так заботил-

ся, примчался в Сибирь. Замечательная девушка мисс Ибмас. При встрече непременно поблагодарите её.

— Обязательно, — сказал Тота.

Он сам давно мечтал её увидеть, да так получилось, что в какой-то период жизненные обстоятельства не позволяли им увидеться. И не только государственные границы, но и линия фронта разделяла их. Ну а потом уже сама Ибмас стала избегать с ним встреч... однако если можно, то всё по порядку.

...Когда в последний раз Тота летел из Цюриха, то он вовсе не думал об Амёле Ибмас, он думал, как бы побыстрее добраться до Грозного. Весь полёт смотрел, как медленно тикают часы, и рассчитывал, что из аэропорта Шереметьево заедет на часок домой и сразу же — во Внуково, на южное направление, на Кавказ, а Грозный уже давно в блокаде.

Болотаев только открывал дверь в московской квартире, как услышал частые звонки — межгород. «Может, мама!» — бросился он к аппарату, а это Ибмас:

— Вы долетели. Всё нормально? Вас не уволят. Не посмеют, но я думаю, что вам не следует более работать в этой компании... Я вам найду другую работу.

«Да пошла ты!» — хотел сказать Тота, но вместо этого спросил:

— Как мать? Прости, я выбегаю. Лечу в Грозный, к маме.

— Да-да. Передайте ей маршал от меня. Доброго пути. Берегите себя. Не оставайтесь там.

Только Болотаев положил трубку, как вновь звонок:

— Тота, ты прилетел? — это Бердукидзе. — Надо увидеться. Я зайду к тебе, дело есть.

— Я тороплюсь. Улетаю в Чечню.

— Надо, э-э...

— Знаю. Я увольняюсь.

— Да. Так будет лучше... А ты всё-таки классно у босса из-под носа эту тёлку увёл.

— Была бы, как вы сказали, «тёлка», я бы её вам оставил. Понятно?

— М-да... Все-таки вы, чечены, несносные люди.

— Пошёл ты, — бросил Болотаев трубку, как вновь звонок.

— Тота, ты где пропадаешь? — это его научный шеф. — Ведь надо к концу года отчёт сдавать. Ты как-никак, а в очной докторантуре.

— Может мне заявление об отчислении написать? — Об этом Болотаев уже говорит с настороженностью.

— Ты что?! Столько сделано.

— Но мне надо срочно в Грозный лететь.

— Да, — тишина в трубке. — Лети. Я здесь подстрахую... Хоть сейчас вытащи оттуда свою мать. Не задерживайся и будь осторожен. А докторскую бросать нельзя.

Тота уже запирал дверь, как вновь звонок.

— Тота, ты меня прости, — это Бердукидзе. — Будь осторожен там... и здесь... Эти люди очень коварны, злопамятны и всесильны. Прощай.

Ночным рейсом Болотаев вылетел в Минводы. Если бы там не было чеченских таксистов, то было бы совсем худо. Но семьи кормить надо, и, рискуя и терпя все унижения, люди таксуют.

На подъезде к Чечне уже выстроились на километры колонны бронетехники. Усиленные блокпосты, где к чеченцам, а иные сюда и не поедут, отношение более чем плёвое, и спасает лишь одно — бабки, и не хилые, на лапу. То есть въезд в Чечню платный.

На границе, с чеченской стороны, тоже некое подобие погранзаставы. Здесь деньги не клянчат, но и от этих молодчиков Болотаев совсем не в восторге. По театральному определению всё это выглядит как фарс, где финал — это очевидно — будет очень трагичен.

Чечня — небольшая республика. До Грозного ехать недолго, однако вид кругом удручающий: безлюдно, пустынно, плачевно.

Первым делом Тота должен доехать до матери в самом центре Грозного, но тогда он не сможет, по крайней мере в этот день, поехать к Даде в микрорайон. Поэтому после долгих раздумий он решил первым делом поехать на старую квартиру.

Микрорайоны, как бедняцкие пригороды, почти что всегда отличаются убогостью, а что видит Тота сейчас — кругом грязь, кучи мусора, вонь, стаи одичалых собак и жирные крысы. Болотаева сюда не тянуло, а этот окружающий пейзаж и вовсе его раздражал. Всю дорогу он представлял, что он скажет Даде, а что скажет она? И вообще, какой у неё вид, то есть положение? И он даже думать боялся, а тем более считать, но и без арифметики ясно, что Дада уже... Нет, нет. От этих мыслей ему становится так нехорошо, словно гиря на шее и спокойной жизни более нет.

Ни двор, ни дом не узнать. Всё загажено. И самое страшное — ни души. Не отпуская машину, Болотаев забежал в подъезд. Что творится здесь — не передать. Электричества нет, лифт не работает, и, поднявшись на шестой этаж, Тота обомлел: вряд ли, по крайней мере последние дней десять и даже две недели, здесь кто-то проходил.

Всё же он стал стучать в дверь, даже звонок, на что-то надеясь, нажимал. Потом стал стучать сильнее,

крикнул:

— Дада! Дада! Открой! — И тут снизу его окликнули:

— Тота, ты? — Это был его сосед, которого он попросил присматривать за Дадой. — О! Тота! — Широкая беззубая улыбка, сосед постоянно под хмельком, сразу начал оправдываться: — А иначе здесь с ума сойдёшь... Посмотри, что творится! Грабежи! Насилие!

— А Дада где?

— А ты разве не знаешь? Я тебе звонил аж несколько раз. Тебя не было дома.

Оказывается, кто-то доложил матери Тоты, что на их старой квартире проживает какая-то девушка. К тому же беременная.

Как потом и очень много раз рассказывала мать, просто Всевышний вовремя её направил в тот день и даже час на старую квартиру. У Дады уже всё начиналось, и она планировала родить без чьей-то помощи в квартире, радуясь, что это гораздо лучше, чем в тюрьме. Опыт есть. Однако в этот момент появилась мать Тоты, и она не стала выяснять кто да что, откуда и зачем. Она стала действовать.

В прифронтовом Грозном многое, в том числе и скорая помощь, не функционирует. Да ведь она не зря заслуженная артистка. Добрые люди помогли ей доставить Даду в роддом, а это учреждение, вопреки всему, ещё функционирует, ведь люди не только умирают и убивают, но и хотят жить и рожать.

— Девочка! — сообщили актрисе, а она в ответ:

— Обе здоровы? Всё нормально?

— Нормально, — отвечает главврач и следом: — Но вы видите ситуацию в городе. Лучше и для вас, и для нас, если вы их заберёте.

— Конечно, конечно!

– Надо оформить документы...Фамилия, имя ребенка?

– Имя ребёнка?! – Этот вопрос застал её врасплох, но она быстро нашлась: – Так какое имя может быть у ребёнка?! Ведь ребёнок – это ангел, малик*. Малика!

– А она очень похожа на вас. Такая же славная.

– Кто бы сомневался! – прекрасно поставленным голосом, как на сцене, воскликнула всем известная артистка. А это действие происходит в фойе центрального роддома, где всегда немало людей, и она понимает, что в этой толпе найдутся те, кто скажет или подумает «вот незаконнорождённый», то есть «къотал йина хIум», её сын произвёл на свет, а она... А она поэтому с артистически пафосом и вызовом повторила:

– Так кто бы сомневался?! Ведь это внучка моя! Болотаева Малика Тотаевна.

– Может, Тотовна? – язвительный голос тут же прыснул со смеху.

Два молодых человека, с жиденькими неухоженными бородками, сидят на корточках.

– Как назвать – это наше дело, – повысила голос новоявленная бабушка. – И, может, – тут она сделала ударение, – у кого-то и Тотовна, а у нас чеченцев – Тотаевна. Понял?

– Я-то понял, – они встали, ухмыляясь, – просто у чеченцев принято, чтобы мужчины нарекали ребёнка.

– Нарекают или кличку дают собакам, а детям – имя присваивают. И делают это старшие, в нашем случае – это я! Так у нас получилось, потому что в любое

* Малик *(араб.)* – ангел.

время, а тем более в такой грозный для отечества час, негоже мужчинам в роддоме заседать.

— Не будь ты женщиной...

— Успокойтесь. Перестаньте, — воскликнула главврач.

— Сам ублюдок! — со злостью прошипела актриса, и это настроение никак не покидало её, пока в её руках не оказался этот маленький живой комочек.

Словно несметное сокровище, она с превеликой осторожностью обнажила лицо. Ребёнок спал. Она долго-долго всматривалась в него, затем, приказав Даде: «За мной!», бросилась к выходу.

Уже дома на столе она бережно распеленала ребёнка, осмотрела его от макушки до пальчиков крохотных ножек и, блаженно улыбаясь, сказала:

— Уьнах цIен бер ду!* — Только после этого она обратила внимание на мать ребёнка. Справилась об общем состоянии и ещё кое о чём женском, и всё это было скорее в форме допроса, нежели сочувствия, и как кульминация, чисто по-актёрски:

— А какого ты вероисповедания?

— Я чеченка... Приняла ислам.

— Вижу по одежде.

Дада, как говорят, «закрылась». Это ещё не полный хиджаб, но на полпути к этому. Однако мать Тоты — женщина верующая да современная, и она постановляет:

— Это не в традициях чеченской женщины. Так ходят в аравийских пустынях, чтобы не сгореть. Да и как ты собираешься в этом неудобном балахоне хозяйством заниматься, за ребёнком смотреть?

---

* Уьнах цIен бер ду *(чеч.)* — чистый ангел.

— Я понимаю, — отвечает Дада. — Просто этот костюм в моём прежнем положении был удобен, да и по деньгам доступен.

— Да, кстати, «по деньгам» — кто содержал?

— Содержат домашних кошек, собак и шлюх, — вся покраснев, ответила Дада.

— Но-но-но! — подбоченилась актриса, но Дада продолжила:

— Помогал мне понятно кто, ваш сын... Так его деньги я почти не истратила — сохранила на чёрный день.

— А на что ты тогда жила? — с примиряющим сочувствием поинтересовалась актриса.

— А я люблю вязать. Здесь, оказывается, никто из шерсти не вяжет.

— Это правда... Вот я теперь на старости лет своей внучкой и вязанием займусь... Золотце ты моё. — Она по-хозяйски начала ухаживать за ребёнком.

— Может, мы уедем? — робко сказала Дада.

— Кто это «мы» и куда? Этого ангелочка мне Бог послал.

— Там мои вещи, заначка.

— Какая «заначка»? Ты мне этот тюремный блатной жаргон брось... У нас интеллигентная семья. — Тут она, словно до сих пор не видела, с ног до головы изучающе оглядела Даду. — Вот у меня вопрос: а как ты там одна жила?

— В микрорайоне? — Дада усмехнулась. — Но и вы одна живёте.

— Ну... Я в центре. Меня все знают, и я всех знаю. А ты в чужом городе. Кругом бандитизм, беззаконие. Света и газа нет.

— Не поверите. Жила, как в раю. Это же не тюрьма.

— Всё! — топнула ногой новоявленная бабушка. — Более о тюрьме и прочем — ни слова. Начнём жизнь с чистого листа. А для этого, для пущего порядка и чтобы всё было по-мусульмански, а главное, по-человечески, нам нужен мулла. Ты не против? — вновь изучающе смотрит она на Даду. — Тогда я побегу, вначале — на переговорный пункт, Тоте надо позвонить, а потом в старую мечеть, тут рядом, у рынка, а ты располагайся, как дома. Следи за дитём, а дверь не открывай. Мало ли что? Никому. Время сама знаешь какое.

Так получилось, так в жизни случается, мать и сын разминулись буквально на минуту. Двор пустой, ни души, ни жизни не чувствуется. Тота долго стоял в задумчивости.

Он не знает, что с Дадой? Как теперь на глаза матери, да и знакомым, показаться. Что скажет мать ему? Что сказать ему матери? В этот момент, совсем рядом, раздался такой взрыв, следом — второй, что Тота чуть не упал. Начались пулемётно-автоматные очереди, которые вышибли предыдущие мысли из головы.

— Нана! Нана! — Он стал стучать в дверь.

Тишина. На улице тоже внезапно наступила тишина.

— Нана! Нана! — Он вновь стал стучать. Дверь раскрылась. На пороге — Дада с ребёнком в руках.

— Тота, Тотик, — прошептала она. Вдруг глаза у неё закатились, и она стала падать, и Тота машинально успел перехватить из её рук запеленатый клубочек.

...Это был кошмар. С одной стороны, стал плакать ребёнок. С другой стороны, Дада не приходит в себя,

всё ещё на полу. И тут – дверь-то Тота не закрыл, не до этого было, – вбегают испуганная мать, за ней задыхающийся пожилой мулла.

Когда все пришли в себя, успокоились, слово взял мулла:

– Мне в село ехать. Стреляют.

– Да-да. Вот. Как в хорошем кино – сын приехал. Хвала Всевышнему! Их надо благословить, соединить, как у нас положено.

– Нужды два свидетеля. Мужчины.

– Сейчас. Кого бы найти? – Актриса бросилась в подъезд. Запыхавшаяся, вернулась нескоро. – Кругом ни души... Может, я сбегаю через дорогу в театр. Там сторож, авось ещё кто-то будет.

– Мы эту процедуру уже в тюрьме свершили, – вполголоса объявил Тота.

– В тюрьме? – изумилась мать. – И был мулла?

– И был мулла – татарин.

– Тогда отбой, – сказал мулла-чеченец.

– Нет! Не отбой, – скомандовала мать. – Как говорят русские, кашу маслом не испортить. А моей внучке нужен порядок во всём и с самого начала!

– Так это девочка? – озадачен Тота.

– Да. Моя золотая!.. Я побегу в театр.

– Нет! – сказал мулла. – Там стреляют.

– Я побегу, – вызвался Тота.

– Нет! – теперь против мать.

– Тихо! – Голос муллы. – Время тяжелое. Война начинается. И в такой период должны быть исключения для праведный дел. Свидетелем всегда и везде есть Всевышний!

Мулла сел.

— Садимся все. — Он приступил к делу. — Кто у этой молодой матери, — указал он на Даду, — верас*.

— Отныне — я! — слово матери.

* * *

Когда Тота вспоминал тюремное прошлое Дады, ему становилось не по себе. А вот оказавшись в этих местах, он уже жалел, что не имеет этого опыта или хотя бы поинтересовался бы в своё время, как в неволе живётся?.. Впрочем, один урок, точнее свой опыт выживания, она ему так продемонстрировала, что он сам чуть не умер. ...Декабрь 1994 года. Чеченская республика, к названию которой добавлено никому не известное — Ичкерия.

Всё готово к войне. К ней готовились. К ней всё вели.

...Почти что все жители из Грозного бежали. Остались только те, кому некуда бежать. Кто ожидал, что российские, или, как позже их окрестили, федеральные, войска быстро наведут порядок. Были и такие отчаянные патриоты, как мать Тоты, которая свои позиции, свой театр покидать, а тем более сдавать не собиралась, думая, что будут востребованы обществом и государством.

Мать умоляла Тоту уехать, напоминая, что у него и вид, и норов «огнеопасные» и он, как и прежде, первым и сильно получит по башке. При этом она представить не могла, как теперь останется без внучки. Однако уже не только по ночам, но и днем раздаются выстрелы и взрывы, а в самом центре города, наводя ужас, как застывшие монстры, стоят подбитые танки и бронетехника. И страшно. И опасно.

* Верас *(чеч.)* — опекун.

Под самый Новый год лидер Ичкерии – российский генерал – и министр обороны России, такой же генерал, встретились на границе. Вроде мило поговорили. Даже якобы выпили шампанское и решили... повоевать! Мол, ещё посмотрим, кто кого одолеет.

Мать, как и прежде, ни в какую. Она теперь самая взрослая в театре и как бы на боевом посту. Тота тоже твердит, что будет только рядом с матерью. Да вот ночью прямо под их окнами началась стрельба. Непонятно, кто в кого и против кого. Однако под утро всё успокоилось и другая забота – у ребёнка жар, кашляет. Тота побежал в аптеку. Тут же бледный вернулся – во дворе труп, много крови. Теперь и Тоту надо в чувство приводить.

– Срочно уезжайте! – постановила мать.

– Всё! Я здесь жить не могу. Не хочу, – сдался Тота. – Мама, давай вместе уедем!

– Нет!

– Как я тебя здесь одну оставлю?!

– Ради Бога, уезжайте. Мне одной будет очень просто... Быстро все перебесятся и успокоятся... Тота, уезжай. И их – с собой.

– Да, – согласился сын. – Только одно – на старой квартире мои кассеты с записями концертов.

– Ты их там оставил? – удивилась мать. – Обойдётся. Там, на окраине, ныне, говорят, очень опасно.

Тота задумался. Тут вдруг Дада проскулила:

– Чемодан отца там.

– Тот старый чемодан? – спросила мать. – Это – святыня! – постановила она.

– Мы через полчаса-час вернёмся, – сказал Тота.

Даже в таком городе есть жизнь. И центр есть центр. Через квартал от дома Болотаевых Зелёный базар, где

всё есть, особенно расширился оружейный рынок. А ещё ближе, у Дома моды, на перекрёстке проспекта Победы и улицы Мира, – стоянка такси.

В шестой микрорайон ехать никто не хочет. Там, говорят, полный беспредел, и машины лишиться можно. Однако, когда Тота озвучил цену – сто долларов в два конца, – желающих хоть отбавляй.

По пути картина жуткая. Понятно, что город давно не убирался, ещё и погода слякотная, мелкий дождь, ветер, сырость. Холодно и всё, как и небо, очень хмурое, серое, давящее.

А вот прямо поперёк дороги подорванный, сгоревший БТР. Рядом труп и ещё фрагменты. Затхлый запах, точнее, вонь.

Тоте вновь стало плохо. Чтобы всё это не видеть и не дышать, он уткнулся в плечо Дады. Город небольшой, пустой. Доехали быстро. Атмосфера в микрорайоне действительно гнетущая. Ни души.

– Вы побыстрее, – торопит таксист.

– Да-да, – отвечает Дада и уже в подъезде. – А здесь свежие следы. Кто-то был.

– Ну и хорошо. – Тота нервничает. – Давай побыстрее.

На первом этаже жил товарищ, дверь заперта, и на стук никто не откликнулся. Стали подниматься на шестой этаж, но уже на втором замерли. Три двери, даже железная, вышиблены. Тяжело вздохнули, постояли.

– Тут бабушка жила, русская. Мне помогала, – говорит Дада. – Хорошо, что дочь её вывезла... А в этой чеченцы – большая бедная семья. Что же у них-то искать.

– А они где?

– Может, в горы, в село, уехали?

На третьем этаже картина та же.

— Здесь чеченцы-старики жили. — Тоже дверь раскрыта, раскурочена. — Может, я зайду посмотрю?! — говорит Дада.

— Нет, — шепчет Тота. — Что-то чую я неладное. Давай обратно.

— Вы спускайтесь к машине. — Она по-прежнему обращается к нему на вы, но на сей раз тоже перешла на шёпот. — А я быстренько поднимусь, всё, что надо, возьму и обратно.

— Ты не видишь, что творится?

— Тем более надо проверить. — И шёпотом на ухо: — Нашу дверь я сделала на тюремный лад. Просто так не откроют.

— Пошли, — громко скомандовал Тота.

На всех этажах картина почти одинаковая. Вот только на пятом этаже одна дверь оказалась очень крепкой, взлому не поддалась и дверь Дады, поистине как в тюрьме. А вот две соседние раскурочены.

— Здесь одинокая женщина жила. Русская.

— Пианистка?

— Надо посмотреть. — Дада решительно вошла. — Клавдия Прокофьевна. Клавдия Прокофьевна.

Тота бросился вслед за ней. В небольшой квартирке всё перевёрнуто. Вряд ли что отсюда унесли — всё бедно, а на столе записка: «Уехала к родственникам в Ставрополь» — и телефон.

— Слава Богу, — прошептала Дада и направилась к их квартире.

Тота и техника — разные понятия. Однако даже он оценил тюремный опыт Дады. Казалось бы, всё очень просто, но даже отъявленные мародёры не смогли замок Дады взломать. А она, тоже по опыту, как вошли

в квартиру, сразу же за собой тщательно заперла дверь, хотя Тота ворчал:

– Зачем? Мы быстро.

Быстро не получилось. Как обычно бывает, всё в хозяйстве пригодится, всё ценно и дорого, да всё не унести. Битком набили старый чемодан отца Дады, ещё пару пакетов, вышли в подъезд, и, пока Дада возилась с ключами, внезапный, словно змеиный шелест.

– Да...– не успел докончить Тота, как от удара отлетел.

– Руки. Руки вверх! – услышала возле уха Дада. – Молчать! – В её рёбра с болью упёрлось дуло пистолета.

– Молчу, молчу, – подняла она руки. – Только не убивайте. Пощадите нас.

– Пощадим, пощадим, если послушной будешь. – Голос бандита стал игривее, громче. – А ну, открывай дверь, да поживей.

– Да-да. – На удивление Тоты Дада, как никогда ранее, очень послушна и даже голос переменила. А он это не вынес:

– Что вы себе позволяете?! – крикнул, рванул.

– Не смейте, Тотик! – обернулась Дада, но было поздно, от удара в плечо он застонал, присел на корточки.

– Всё! Всё, всё! – ещё выше подняла Дада руки, чуть осмотрелась.

Перед Тотой, нависнув над ним, грубый, с диким взглядом и лицом здоровяк, в мясистом, фиолетовом от татуировок кулаке сжимает увесистую монтировку.

Второй, что с пистолетом, по акценту явно чеченец, щупленький, но, видимо, он здесь за старшего и позэковски, матерясь, командует:

— А ну, шустро открывай дверь!

— Да-да, — говорит Дада.

— И этого сюда!

Тота от боли встать не может. Здоровяк рванул его за больное плечо, просто швырнул в раскрытую дверь их квартиры. Старший, что с пистолетом, стал всё осматривать.

— Что-то не густо, — крикнул он. — Сплошь голытьба. — Он вернулся, пнул чемодан. — Откуда это старьё? Раскрой.

Дада повиновалась.

— Одно барахло... Шубу снимай.

Эту шубу из особого баргузинского соболя Тота, не скупясь, самую дорогую купил для матери в Цюрихе. Тогда мать от радости, ведь она любила красивые вещи, даже заплакала.

Однако она в этой шубе ни разу не вышла.

— Тут нищета, да и некуда в ней здесь пойти. К тому же она мне велика.

А вот Даде шуба оказалась как раз, и мать сказала:

— Покупал мне, а думал о тебе. Так что, Дада, носи на здоровье... Всё-таки вещь украшает хорошего человека.

В такой шубе Дада никогда не ходила, а в тревожном и прифронтовом Грозном и надеть её вроде кощунство. Но у неё другой зимней одежды нет, всё осталось в старой квартире, но и хочет она хотя бы раз в жизни, хотя бы в таком городе и в такое время, но с любимым Тотой пройтись в таком виде... Как говорится, прошлась. По приказу старшего бандита она быстро шубу скинула.

— А шуба — ничего себе.

— Да. Наконец-то подфартило.

— Ага. На кобеля сука бежит. Ха-ха-ха!

— А ты глянь, она-то тоже ничё.

— О! — простонал Тота. Он сидел на корточках, держась за больное плечо.

— Что возмущаешься? — пнул его здоровяк. — Хорошо отстегнёшь — третьим будешь.

— О! — Тота встал — не монтировкой, но удар кулаком был не слабее.

— Не бейте его. Всё будет в ажуре, — воскликнула Дада.

— Слушай, а она понятливая.

— Как же вас не понять? Возьмите всё, только не убивайте.

— Что-то нравишься ты мне всё больше и больше. — Щупленький мародёр уже отвёл пистолет, а костлявой рукой стал её лапать.

— Всё что угодно, — податлива Дада. — Только не здесь, не при нём. Он мой муж.

— Потерпит.

— А может, в соседней квартире? — предлагает с жеманством она и далее. — Там рояль.

— Ха-ха-ха! — писклявый смех. — На рояле?! Разберись здесь и с ним, — повелевает щупленький.

— Ты побыстрее там, — говорит здоровяк.

— Побыстрее лишь кролики... А мы с чувством и расстановкой. Да, красавица?!

— О-о! — со стоном подал голос Тота. Тут же получил очередной удар и вопрос: — Так. Быстрее. Что, где, как? Бабки, ценности, золотишко... Говори. — Здоровяк огромной лапой сжал горло Болотаева, и Тота уже задыхался, как послышался крик Дады:

— Помогите! Спасите! На помощь!

Здоровяк бросился в подъезд, и тут два выстрела, и ещё один. Потом тишина.

— Дада! — крикнул Тота, с трудом вставая.

— Я здесь, здесь, — появилась она. — Вставайте, как вы? Надо скорей убираться отсюда.

— Мама, — прошептал Тота, видя, что Дада вновь завозилась с чемоданом. — Брось всё. У-у... — Он схватился за плечо. — А эти где? Как? Что? — Он ещё пребывает в прострации, а Дада второпях стала копаться в вещах. — Брось всё! Пошли, — стонет Тота. Два пакета бросили. Шубу, отряхнув, Дада надела.

— Пойдёмте, — командует она.

У неё чемодан в одной руке, другой она поддерживает Тоту. Они вышли в подъезд, и тут Тота оцепенел. На полу, распластавшись, в крови валяется здоровяк. Тота испуганно дрожа стоял, боясь перешагнуть через него. А Дада завозилась с замком, запирая дверь.

— Тотик, пойдёмте. — Она помогла Болотаеву кое-как перешагнуть через труп. И только зашли за лифт — внизу на ступеньках — второй, из горла ещё пульсирует кровь.

— А! — Тота скрючился, его стошнило.

— Пойдёмте, пойдёмте, дорогой. Нас мама, дочка ждут... Только на кровь не наступайте. Держитесь за меня.

Тота схватил её руку — у запястья леденящая твердь, и ему вновь стало очень плохо, началась рвота. Дада изо всех сил старалась привести его в норму, но Тота совсем раскис. И тогда она жёстко прикрикнула:

— Возьмите себя в руки. Горец! Чечен!

Это как-то подействовало. Они заковыляли вниз, и он спросил:

— А как ты с заточкой в...

— За ней пришла.

— А нельзя было иначе?

— Иначе мы бы были на их месте. Всё. Забудьте.

На улице уже смеркалось, а такси нет.

— Вот гад... Зря заранее заплатили.

— Мой портмоне, — очнулся на воздухе Тота.

— Забрали?! — крикнула Дада.

— Этот здоровяк. Там паспорт, валюта. Всё.

— На, держите. — Дада отдала Тоте пистолет. — Я мигом. — Она скинула шубу, бросилась обратно в подъезд. Вернулась быстро. Тяжело дыша, забрала пистолет и сунула ему портмоне.

— Пойдёмте. — Они двинулись к большой дороге — проспекту Кирова.

Ни души. Ни машин. Шли пешком. Вскоре их догнал старый грузовик. За рулём вооруженный парнишка.

— Я-то в центр еду воевать, а вы зачем? — спросил водитель.

— Мы там живём.

— Надо оттуда, а не туда.

— Надо, — согласился Тота.

Когда проезжали Сунжу, Дада опустила окно, незаметно что-то бросила в реку.

— Что? Жарко? — спросил водитель. — Скоро будет очень жарко — война!

Когда оказались во дворе, было совсем темно и тихо. Страшно тихо.

Дада тронула Тоту:

— Я всё выбросила в Сунжу. Всё надо забыть, и никому, тем более маме, ни слова. А плечо... споткнулся, упал.

Однако мать догадалась, что что-то ужасное было, ибо Тоту и дома всё тошнило, он побледнел, чувствовал себя очень плохо и рука болела.

— Вам надо уезжать! — совет матери.

— Ему надо, — согласна Дада. — А мы — с вами.

— Здесь ведь ужас, война!

— Война? Я думаю, что до этого Москва не опустится... А насчет ужаса? Наоборот, я никогда не была так счастлива в жизни! Рядом мама и дочь. Я хочу быть только с вами!

* * *

Всё на контрастах, и всё познаётся в сравнении.

Это к тому, что лежал Тота Болотаев в московской больнице. Оказывается, поломана ключица, а в это время в Чечне началась война. Связи нет. И он, единственный мужчина в семье, — вне войны, а три женщины — мать, жена, дочь — в самом центре Грозного. В самом пекле. Как ему было больно. Больно на душе. Как он себя корил... Хотя были случаи и похлеще. Умерла уборщица театра, и её единственного сына, живущего в Ульяновской области, по просьбе своей матери стал разыскивать Тота и нашёл.

— Ты кто?

— Я Тота Болотаев... Просили передать, что твоя мать умерла.

— Да?.. Когда?.. А что там дома? Война?

— Да, война.

— А что ещё нового?

— Твоя мать умерла.

— Это я понял. А что ещё нового?

— А что ещё нового может быть?! — разозлился Тота, бросил трубку. — Козёл!

«А чем я лучше?» — гложет сердце мысль. Связи с Грозным нет. По телевизору в сводках новостей показывают подготовку к войне, к полномасштабной войне, где задействованы все группировки войск, вплоть до военно-морских сил.

До последнего Тота не верил, что такое может случиться. Однако случилось. И почему-то именно в новогоднюю ночь. Именно в этот день, 31 декабря 1994 года, его на праздники — всё равно в больнице никого нет — отпустили домой. Болотаев потрясён. Началась война. Пусть где-то на периферии, в какой-то мятежной Чечне. Но это ведь в России, в одной стране. И образно: ведь если у человека заболел мизинец, то страдает весь организм. А тут вроде началась война, а все гуляют. И даже президент России, который начал воевать, в своём новогоднем обращении — ни слова об этом. Словно это война в другой стране, на другом континенте.

От этого состояние Болотаева стало ещё хуже. И если бы не эта оттопыренная в гипсе рука, он может даже пешком пошёл бы в Грозный. Хотя, конечно же, он болен. Боль в плече, боль везде, почти что парализован и даже по ночам спать спокойно не может. И у него одна мечта — как только снимут скобы и гипс, ехать в Чечню. Там после Нового года развернулись настоящие боевые действия. Там его самые родные люди, и их судьба неизвестна. И он уже сходил с ума; заставил доктора раньше времени снять гипс и уже собирался вылетать на Кавказ, а там как получится, как оттуда среди ночи звонок:

— Тота, это мы. — Голос матери, вроде, как и прежде, неунывающий. — Мы в Минводах. Вылетаем в Москву... Моя внучка заболела. Ты соскучился по ней?

Наверное, счастливее момента в своей жизни Болотаев и не припомнит, когда он в аэропорту издалека увидел своих женщин. Среди толпы они явно выделялись по посеревшим от подвала и пороховой гари лицам, по вялым улыбкам и грязной одежде.

По решению матери прямо из аэропорта поехали в детскую больницу. Состояние ребёнка оказалось очень тяжёлым. Даду с дочкой тут же госпитализировали.

— Почему я их с тобой не отправила? — сокрушалась мать. — А с другой стороны, даже не знаю, как бы я без Дады там выжила. Она и с русскими, и с нашими быстро общий язык находила. И еду доставала, и воду откуда-то таскала... Ой! Неужели всё это было? Месяц в подвале... Бедный ребёнок. Лишь бы выжил, а более мы туда нос не сунем.

К счастью, Дада с дочерью из больницы вскоре выписались, и тут заслуженная артистка спешно засобиралась домой. В Чечне уже новая власть, восстанавливаются мир и порядок. А какой же мир без театра, а какой чеченский театр без Мариам Болотаевой?!

В общем, с трудом и то лишь из-за холодов Тота как-то ещё мог сдерживать порыв матери, но с началом весны, в первых числах марта, мать решила уезжать, чтобы, как она выразилась, к Международному женскому дню 8 марта театр функционировал. Даже война её теперь не пугала, да было одно огорчение — как она будет в Грозном без внучки?!

— А мы только с вами, — твёрдо заявила Дада.

Тота особо не противился: он учился в очной докторантуре, и его мать считала, что это самое верное действие в период войны.

— Защита докторской докажет всем, что мы, чеченцы, не варвары, а учёные и артисты!.. Правильно я говорю, моя золотая! Солнце ты моё! — взяла она на руки внучку. — Её я вам и так бы не оставила.

Вот так Болотаевы женского пола возвратились в фронтовой город Грозный для восстановления театра, да и жизни вообще. А Болотаев — в Москве.

Может быть, по этому поводу у Болотаева и были угрызения, однако через годы, уже попав в тюрьму, об этом состоянии Тота не вспоминал, а вот иное событие он почему-то вспомнил в деталях.

...Война в Чечне приняла какой-то перманентный, вялотекущий характер. Исходящая информация, особенно по федеральным новостным каналам, абсолютно не отвечала здравому смыслу — это было полное искажение реальности, точнее, смысла и итогов военных действий.

После таких новостей состояние Тоты становилось неописуемым, он не находил себе места, потому что сам позвонить в Грозный не мог. Однако мать и Дада регулярно звонили, и тогда он немного успокаивался и всегда просил их приехать в Москву. Мать говорила, что к зиме они приедут, и добавляла как-то тихо:

— Тут роддомов нет.

Тота очень удивился. И вот в конце ноября 1995 года мать, Дада и Малика прилетели в Москву. Тота потрясён. Его дочка уже начала ходить, что-то лепетать, а Дада беременна. Вскоре родился сын. Бабушка назвала внука — Батака Болотаев. И так получилось, что именно в эти дни, под самый новый 1996 год, вдруг позвонил Бердукидзе:

— Здоров, Тота! Как дела? В общем, у нас торжественный ужин в «Метрополе». Ты приглашён. Босс лично просил тебя позвать.

— Э-э. — Тота стал придумывать причину отказа, но Бердукидзе вновь ошеломил:

— Будет Амёла. Амёла Ибмас. Она тоже очень хотела тебя увидеть.

— Э-э. — Тота совсем потерял дар речи, а Бердукидзе огорошил: — Говорят, у тебя на днях сын родился?

– Кто говорит?

– Все знают. Ха-ха-ха! Уже второй ребёнок! Молодец! Поздравляю... Так это отметить надо. Так что непременно приходи.

Вопреки ожиданиям Тоты, вечер, по его мнению, получился хорошим, ибо в самом начале в поздравительной речи сам босс со сцены объявил, что война в Чечне – это ужасное событие, которое нельзя было допускать.

Как бы в унисон с этой мыслью весь этот новогодний вечер, в отличие от предыдущих, был очень скучным и напряжённым. И, как позже Болотаев понял, это напряжение было вызвано предстоящим в 1996 году президентских выборов в России.

Почти все говорили об этом, это была главная и больная тема для нуворишей, ибо все знают, что как ни используй административный ресурс, какие деньги ни вливай, а при нормальных выборах Ельцина не переизберут, а тогда – реставрация большевизма. И вполне вероятны вновь красный террор, конфискация и репрессии, что в России не впервой. И поэтому все богатые люди, а в банкетном зале «Метрополя» в этот вечер только такие, думают, куда капиталы перевести, где недвижимость и новое гражданство приобрести. И в этом плане в эпицентре внимания Амёла Ибмас и её связи и возможности.

Со времени последней встречи в Швейцарии он Амёлу не видел и не слышал, хотя очень часто вспоминал и хотел позвонить, но всякие дела, а потом – неожиданный статус семейного человека, потом война, а он в докторантуре и должен мотаться по нефтяным месторождениям Сибири, Крайнего Севера и даже

острова Сахалин. И в общем, он отошёл, точнее, его отторгли от круга обеспеченных и влиятельных людей, где вращается Амёла Ибмас и где вращаются большие деньги, но с последними, то есть с деньгами, у Болотаева в очередной раз проблемы... И надо было и сейчас, на этом корпоративе, к ней подойти, но вокруг неё всё время люди.

Она сама подошла.

— Добрый день, Тота. Пойдёмте покурим, — то ли приказала, то ли предложила она.

Тота никогда не курил, но теперь взял у неё сигарету.

— А ты что, начала курить? — его первый вопрос.

— Как вышла замуж.

— Ты замужем?

— Вы показали пример, — жёстко сказала она. — И я попыталась найти своё счастье.

«А мне отказала», — хотел было сказать Тота, но вырвалось иное:

— Поздравляю!

— Уже развелась.

Долгая пауза.

— Как мама? — Тота нарушил молчание.

— Неважно... А как ваша мать? У вас уже два ребёнка? Мальчик и девочка? Поздравляю...

В это время к ним подошёл босс, который раньше всех решил покинуть корпоратив.

— Дорогая Амёла, — он по-дружески поцеловал её, — я очень благодарен, что вы приехали и украсили наш праздник... А всё благодаря тебе, дорогой Тота. И тебе спасибо, что нас не забыл. Может, вернешься? Давай после Нового года заходи.

— Спасибо, но я в докторантуре.

— Слышал, слышал. Ты ведь по-прежнему нефтью занимаешься?

— Да. Месторождениями.

— Очень нужное дело. Заходи.

После ухода босса тамадой стал Бердукидзе, и он пригласил Амёлу и Тоту за свой стол и, будучи изрядно подшофе, между прочим, сказал:

— Зачем вы, чеченцы, с такой державой, с Россией, воюете? Разве Россию можно победить?

Болотаев не знал, что ответить, в то время как Амёла в этом же тоне заявила:

— В отличие от нас с вами — бездетных — у Тоты уже двое детей, и, значит, он победил. — Она встала. — Спасибо за приглашение. Ещё раз с Новым годом!

— Я тебя провожу. — Тота тоже вскочил.

— Нет. Я здесь живу.

Чуть позже Тота выяснил её номер и прямо из фойе гостиницы позвонил.

— Я уже сплю.

— Можно я хотя бы завтра провожу тебя в аэропорт? Мне надо поговорить с тобой.

— Нет! Не беспокойте меня более и сами не беспокойтесь.

— Маме Елизавете передайте привет, — автоматически он перешёл на вы.

— Спасибо, передам. Прощайте. — Гудки.

После новогодних праздников Тота Болотаев в корпорацию не пошёл и даже не позвонил. У него был запланирован ряд командировок по нефтяным месторождениям. Зато в Швейцарию он несколько раз звонил, хотел поговорить с Амёлой — не получилось. А вот

Амёла вдруг сама вышла на связь. Разговор сугубо деловой, сухой:

— Скажите, пожалуйста, вы руководитель проекта «Укртурбосервис»?

— Какого проекта? — удивился Болотаев.

— Всё понятно. Простите. До свидания.

— Амёла! — крикнул в трубку Тота. Гудки.

Только он положил трубку, как вновь звонок.

— Тота, привет. Надо срочно повидаться, — говорит Бердукидзе.

— Я должен ехать в аэропорт. У меня скоро рейс в Уренгой.

— По докторской? Впрочем, это даже лучше. А если вдруг Амёла позвонит по поводу некого проекта, скажи, что ты участвуешь. Понятно?

— Понятно. Но она только что звонила и спросила про какой-то «Укртурбосервис».

— И что ты сказал?

— Сказал как есть.

— Вот ты баран. — Следом мат, гудки.

Как понял Болотаев, наверное, корпорация вновь затеяла какую-то аферу. Нужна была помощь Амёлы Ибмас, и ей, как думает Тота, сказали, что этот проект разработал и возглавляет Тота Болотаев.

Болотаеву всё это очень даже льстит, а мнение Бердукидзе и компании его уже не интересует.

К осени 1996 года досрочно Тота решил выйти на защиту докторской. Диссертация уже готова, но её надо защитить, то есть дойти до защиты, а для этого нужно собрать столько бумаг, пройти столько процедур, словом, столько бюрократических, околонаучных преград; первая из которых — это добро проректора по научной работе. И для этого, зная слабости коллеги, Тота, как говорят, накрыл поляну, и когда, казалось, хмель сделал своё дело, Болотаев озвучил свой перспективный план по защите, от чего проректор аж протрезвел и, чуть подумав, выдал:

– Слушай, Болотаев! Ты знаешь, что такое политика? И что политика определяет экономику, то есть нашу жизнь. Так вот, идёт война в Чечне, с мятежным, непокорным народом. Это так?

– Это так, – согласился Тота.

– Забудем всё остальное, – продолжает проректор. – Однако последнее событие – захват чеченцами, твоими земляками, под командованием Басаева роддома в Буденновске. Разве это по-воински, по-мужски захватывать роддом?

– Нет. Конечно, нет? – и с этим согласился Тота.

– Вот видишь, как нервы оголены, а у нас тут, в самом центре Москвы, вдруг чечен на досрочную докторскую вышел... А тебе сколько лет?

– Тридцать пять.

– Всего тридцать пять! А ты знаешь, что у нас лишь к пятидесяти годам можно о защите докторской думать? У нас в академии такая традиция, и не тебе её нарушать. Словом, слушай меня и запоминай. Я – проректор по науке, мне сорок пять, но я ещё лишь кандидат наук... Так вот скоро, через год-два, я защищусь, а потом уж, лет так через пять–семь, мы о твоей защите поговорим. Понятно?

Тут Тота промолчал.

– Что молчишь? Недоволен? Наливай!

Болотаев налил.

– Давай выпьем за науку... Хороша! Вижу, ты не очень доволен моими словами. А должен бы меня благодарить... Жаль, Сталина нет. Наливай!

Тота вновь наполнил рюмки.

— Можно я теперь буквально пару слов скажу?

— Конечно, можно, — дал согласие проректор.

— Знаете, долго говорить на нетрезвую голову тяжело и бессмысленно. Но одно сказать надо. Да, Басаев вам служит, а не чеченскому народу. А насчёт Будённовска — да, позор! Но у нас, в Чечне, в каждом городе и селе такой же «Будённовск».

— Не понял.

— Сейчас поймёте... После третьей рюмки вы сегодня предложили перейти на ты. Поэтому в знак благодарности и за Сталина скажу тост: «Пошёл ты со своим Сталиным на...» Понял? — Болотаев резко встал, швырнул салфетку. — Я рассчитаюсь за стол... и за всё. Пока.

В советские времена этот разговор поставил бы точку на научной карьере. Теперь Советского Союза нет. Есть новая капиталистическая Россия, где до науки и образования дела нет и не то что стипендию получать, а, наоборот, сами соискатели должны за обучение платить, и не хило. А посему на кафедре лишь пара аспирантов, и те из Казахстана и Нигера, и один докторант Болотаев, который не только платит, но именно он для кафедры и факультета заключил с нефтяными компаниями небольшие хоздоговора, которые и копейку дают, и на показатели влияют — сократить преподавателей за ненадобностью не позволяют. Поэтому Тота по графику прошёл обсуждение диссертации на кафедре, а затем и предзащиту на межкафедральном заседании, которая обозначила точную дату заседания диссертационного совета — 16 октября 1996 года. Это означало, что все вопросы практически решены, а сама защита в общем-то формальность. Од-

нако проректор по науке виртуозно использовал своё положение.

Дело в том, что необходимо за месяц до защиты напечатать и разослать оппонентам автореферат диссертации — это небольшая брошюра с таким же тиражом. Вроде бы Болотаев всё сделал вовремя. Отдал рукопись в типографию академии. Однако автореферат ко времени не подоспел. Вначале не могли пустить в печать — визы проректора по науке нет, заболел, а потом якобы станок поломался. Словом, выходные данные автореферата не соответствуют требованиям защиты, и поэтому на внеплановом заседании диссовета, о котором Тота даже не знал, принято решение о переносе защиты на следующий год.

Это был коварный удар. Что только Тота ни пытался сделать — не помогло. И тут он случайно встречает в коридоре академии проректора. Хотел заговорить, но тот, ещё выше задрав подбородок, прошёл мимо, а Тота вслед, хоть и вполголоса, да вновь его обматерил. И тогда проректор обернулся:

— Лет через пять, через пять, и то может быть.

— Да пошёл ты... — вслед.

Ситуация совсем обострилась. Все понимают, что Болотаев трудился, что достойная диссертация есть. Однако инструкции никто не отменял, и ВАК (Высшая аттестационная комиссия) строго будет следить за исполнением всех предписанных формальностей. И в случае нарушений диссовет могут просто ликвидировать, тем более что в стране кризис и страдает в первую очередь наука и образование — лишние советы закрываются.

В возникшей ситуации самое тяжелое для Тоты — сообщить об этом матери, ведь она собирается на защи-

ту, как на праздник, прилететь. Связь с Грозным односторонняя. И вот ожидает Тота звонка матери, очень волнуется, а тут неожиданно — Амёла Ибмас:

— Добрый день! Как дела? Мама просила передать вам привет.

— Спасибо. Как она?

— Болеет. Очень рада, что в Чечне окончилась война. Наступил мир.

— Да. Вроде так.

— Мама спрашивает, есть ли новая литература о чеченцах?

— Есть! Найду! — с готовностью отвечает Тота.

— Я на днях буду в Москве, — сообщает Амёла.

Как и прежде, они встретились в холле «Метрополя». Как и прежде, Амёла Ибмас внешне неотразима. А в её грации и осанке та же решительность и непоколебимость. Однако после ужина, когда она выпила бокал вина, закурила и расслабилась, она вдруг крайне изменилась. И это был не возраст или следы служебных забот, это была какая-то внутренняя печаль, и она её выдала:

— Маме всё хуже и хуже. Болезнь Паркинсона. Почти не лечится... Я так стала бояться одиночества.

Тота молчал. Он не знал, как и чем её утешить. И почему-то думал, что и он в её одиночестве виноват. А Амёла к тому же спросила:

— У вас двое детей? Пополнения нет?

Тота в ответ что-то промямлил, а она говорит:

— Мама советует, даже умоляет, чтобы я кого-то усыновила. — Тут у неё потекли слёзы. — И почему-то именно из Чечни... Говорит, что там после войны, наверное, много беспризорных. Это так?

— Не знаю.

— Да что я так раскисла?! Лучше скажите, Тота, как у вас дела? Когда защита?

Тут в свою очередь Болотаев стал делиться своими проблемами, как Амёла его перебила:

— Председателя ВАК России я хорошо знаю.

— Тоже твой клиент? — удивился Тота.

— Ха-ха-ха! — Она засмеялась, закурила. — Всё-таки влияние матери колоссально. Она только о чеченцах говорит, а я тебе всё выбалтываю.

— Невелика тайна... К тому же я не ваш клиент. А все богатые россияне — ваши клиенты.

— Да, Россия богатая страна.

— Ты почему стала курить? — решил Тота поменять тему.

— Жизнь заставила. Вроде успокаивает нервы.

— А насчёт усыновления ребёнка?

— Ха-ха-ха! Какая глупость... Просто сама мама стала как ребёнок. — У Амелы вновь резко изменилось настроение. — Какое усыновление? У меня столько дел. Я тороплюсь. — Ибмас неожиданно вскочила, в отличие от прежних времён она встречалась и прощалась, уже не подавая Тоте руки, и вообще держалась не как прежде, а несколько скованно... Впрочем, и Болотаев теперь был с ней не как прежде, а словно он провинился в чём-то перед ней. И пытаясь как-то себя оправдать, он вдруг, как обиженный ребёнок, ляпнул:

— Но ты ведь не вышла тогда за меня замуж.

— О чём вы, дорогой Тота? Давно пора всё забыть. Прощайте, Тота. — Она торопливо тронулась. На ходу обернулась, как бы проверяя, провожает ли он её хотя бы взглядом? Убедившись в этом, она весело махнула

рукой и крикнула: – Я сегодня непременно по вашему делу переговорю.

Болотаев верил во всемогущество денег в России, тем более если эти деньги, уже отмытые, лежат в надёжном швейцарском банке. Также Болотаев верил, что Амёла Ибмас посредством своих клиентов имеет огромные связи и влияние в России. Однако Болотаев даже не представлял, что такое возможно. Неожиданно его вызвали на заседание ректората, и ректор сразу же заявил:

– В нашем вузе никогда не было и не будет конфликтов на межнациональной почве. И вообще, вы все знаете мою позицию: я с самого начала выступал категорически против войны в Чечне... А что касается автореферата докторанта Болотаева, то специальная комиссия выяснила – в типографию рукопись автореферата была доставлена не то что вовремя, а заблаговременно. И я не позволю на межличностной основе закрыть наш диссовет и лишить нас аккредитации в ВАКе.

Защита докторской состоялась вовремя. Проректор по науке вновь был на больничном. Болотаев не получил ни одного «чёрного шара». Больше всех радовалась приехавшая на защиту мать...

* * *

В докторской диссертации Болотаева была большая глава под названием «Влияние внешней среды на нефтяную отрасль России», в которой соискатель рассматривал виды конкурентной борьбы и приводил многочисленные примеры военных конфликтов за чёрное золото, в том числе упомянул и происходящую в тот момент войну в Чечне, думая, что диссертацию, по крайней мере в данный момент, никто не прочитает. Прочитали. Почти все официальные оппоненты прочитали. Отчасти, только отчасти согласились, ибо борьба шла не за чеченскую нефть, которая мизер, а за передел и захват всей российской нефти.

Этот факт все учёные и не учёные, да связанные с этой отраслью люди знали, но не то что в диссертации выдавать, а даже говорить об этом не смели, потому что война шла не только в Чечне, но и по всей России – почти что каждый день в сводках новостей сообщают об убийствах руководителей, так или иначе причастных к нефти в России.

Последнее же, конечно, в диссертацию не попало. И словосочетание «война в Чечне» тоже исчезло, так как диссертация – это идеализированная ситуация, где всё осуществляется якобы только на основе экономических законов, а там влияние внешней среды – это лишь «справедливая рука рынка», то есть борьба, но справедливая, конкурентная... В общем, если говорить о диссертации, то всё математически обосновано, статистикой подтверждено, специалистами одобрено, а влияние «внешней среды» – так это, по диссертации Болотаева, только во благо.

И весь этот опус о «внешней среде» лишь к тому, что, оказывается, когда ты сидишь в тюрьме, влияние внешней среды очень даже необходимо во всех отношениях и оно в основном только во благо. Ибо приехал в Енисейск заморский адвокат разобраться в деле Болотаева. Так не только жизнь самого Болотаева, но и жизнь всех заключенных явно улучшилась. А самого Болотаева перевели в лучшую камеру.

Что значит «в лучшую»? Это значит, что в ней сидят самые блатные – всего восемь человек. Только один

ярус, есть телевизор и даже небольшой холодильник. Словом, по местным понятиям – рай. Но это по местным понятиям, а Болотаев никак не может смириться со своим положением. И было бы за что? За что он сидит? Ведь двенадцать с половиной лет – это громадный срок! А в чём он виноват? Хотя... Видимо, в чём-то всё-таки виноват. Ведь недаром говорят, что человек находится там, куда он сам себя поставил... Тогда Болотаев начинал вновь и вновь по порядку вспоминать историю своей жизни и порою винил во всех своих бедах самого себя. Порою винил само время, в котором он жил. А подводил итог так: не повезло мне с народом! Ибо твёрдо считал, что попал он в тюрьму лишь по одной причине – чеченец. Это и адвокат его подтвердил. А впрочем, снова всё по порядку.

Защита докторской диссертации Тоты Болотаева произошла в тот период, когда война в Чечне вроде бы закончилась, вроде бы между Россией и Чечнёй был подписан мирный договор. В Чеченской республике были назначены как бы демократические выборы президента и парламента. Тоту эти политические процедуры вовсе не интересовали, и как только получил диплом доктора экономических наук, он сразу же полетел в Грозный и даже подумывал устроиться на работу в местную нефтяную компанию «Грознефть».

До «Грознефти» Болотаев даже не дошёл, потому что местный нефтяной вуз остро нуждался в таких специалистах. Ему с ходу предложили возглавить кафедру, и зарплата хорошая, и ты дома.

Тота думал, что он привыкнет, что всё обустроится и наладится. Однако с каждым днём ему было всё тяжелее и тяжелее. И это не от тяжелого послевоенного быта и разрухи, а более от общественной атмосферы, где стал не просто преобладать, а господствовать религиозный фанатизм. Знания не нужны, сила – в оружии, и новый закон – шариат и шариатский суд, хотя об этом мало кто знает и смыслит.

– Я вижу, как вам здесь тяжело, – констатировала Дада. – Тотик, вам лучше в Москву уехать. Иногда будете нас навещать. И мы будем к вам приезжать на праздники.

– Да, – быстро согласился Тота, но в этой семье, и все это знали, последнее слово за матерью, и она сказала:

– Да. Ты должен лететь в Москву. Но в новом качестве, в качестве директора театра.

– Какого театра?! – возмутился Тота.

– Нашего театра.

– Да кому ныне театр нужен?! – засмеялся Болотаев.

– Вот в том и дело, что нужен. Очень нужен. Только красота, только искусство спасёт мир!

– Мама! Успокойся. Здесь Достоевского не знают, а если вдруг ненароком узнают, что читаешь к тому же русскую классику, то могут убить.

– Могут. Не спорю. Но мы должны бороться за культуру народа. Нашего многострадального народа.

– Мама! Очнись! Проснись. Вокруг только бородатые автоматчики, – кричит Тота. – А ты в это варварство – театр?!

– Вот именно – театр! – И как приказ: – Ты мой сын?

– Твой... Но я доктор экономических наук.

– Это плюс... Но только у тебя есть диплом, с отличием – института культуры.

— Да я даже не помню, где этот диплом.

— Вот. У меня. И с ним ты должен лететь в Москву. На утверждение и деньги получать.

— Какая Москва? Какие деньги? Мы ведь вроде теперь независимы от Москвы.

— Это «вроде», как ты верно заметил. А вот наш министр уже в Москве, тебя ждёт. Нужен дипломированный специалист.

Вот так Тота вновь стал директором театра. Уже в этом качестве зачастил в Москву. В первую очередь надо было восстановить само здание... Словом, замотался Тота. Засосало дело. А это бюрократия. Пока обсуждали, утверждали и кое-как восстанавливали театр, время летело. Наступил 1999 год. Финансирование из Москвы полностью прекратили. Сам Тота, мать и даже Дада работали, или, правильнее сказать, числились, в театре. Зарплата — копейки. Но и её давно не выдают. Болотаевы еле-еле сводили концы с концами. А ведь ещё и дети растут. А тут вновь открыто заговорили о войне.

На улицах Грозного появилось огромное число обросших, хорошо вооружённых иностранцев — арабы, турки, афганцы. Как ни странно, многие из них неплохо говорят по-русски. В целом картина удручающая. И нормальные люди, по мнению Тоты, вновь покинули эту республику, в которой царят анархия и беспредел, а вольготно живут «волки» — вооружённые банды. И что ещё очень странно — вся российская пресса всячески рекламирует главарей этих банд. Показывают по центральному телевидению, берут у них интервью, где эти бандиты нагло угрожают русским и России: мол, скоро нападут на неё.

В то же время между этими бандами возникают конфликты и борьба за сферы влияния. Перестрелки

и взрывы в Чечне никого не удивляют, и люди даже лишний раз из дома выходить боятся.

А был июль, середина лета, жара. И Тота решил вместе с друзьями отдохнуть у реки, искупаться, расслабиться, позагорать и выпить по чуть-чуть. И тут нагрянул так называемый шариатский патруль. И толкались, и ругались, и кричали. И в итоге как бы нашли общий язык. Патруль ретировался, напоследок сказав, что артисты и есть артисты.

А вот в поздних сумерках уже ехали домой, и Тота спал на заднем сиденье, когда вдруг его разбудили автоматные очереди. Также всё неожиданно прекратилось. Вначале испуганный Болотаев припал к полу, потом окликнул друзей, гробовая тишина. Выскочил из машины. Никого не видно, только слышен шум удаляющейся машины. Друзья мертвы.

Милиция, да и остальные органы власти почти не функционируют. По одной версии, была засада на них. По другой – их машина случайно попала на линию обстрела при столкновении враждующих банд. Тота даже нашёл тех молодых членов шариатского патруля. Но они спокойно ответили, что ничего не знают и даже готовы поклясться на Коране, «что они ни при чём», и их шариатский суд сразу оправдал. Словом, виноватых нет, а два трупа есть

Тота впал в глубокую депрессию. Ведь он организовал этот пикник, их машина как решето, друзья убиты, а его даже не задело.

– Может, ты уедешь в Москву? – просила мать. Тота молчал. Похудел. Весь оброс.

– Тебя просил позвонить Бердукидзе, – в следующий раз сообщила мать. – Эту весть из Москвы какой-то парень в театре оставил.

И на это Тота не среагировал. А через неделю мать сказала:

— Через Бердукидзе тебя какая-то дама ищет, имя странное, забыла... В общем, то ли она из Швеции, то ли из Швейцарии. Дело в Москве тебя ждёт. И какая-то работа.

— Амёла Ибмас?! — воскликнул Тота.

Три года он её не видел и не слышал, но постоянно вспоминал.

На единственном переговорном пункте Грозного — огромная очередь. Вначале Тота заказал Цюрих. Очень долго ждал. Не соединили. Тогда он заказал Москву.

— Тота, дорогой! Как ты? На тебя покушались? — кричит с искренним участием Бердукидзе. — Срочно вылетай. Всех оттуда забери. Что? Да, тебя здесь ждёт отличная работа. Просто мечта! Что? Да. Амёла, разумеется, в курсе. Это она всё организовала. Она эту работу нашла.

— Амёла? Я вылетаю.

— Да-да. Срочно вылетай. Я тебя встречаю.

Дома он только обмолвился о Москве и работе, как мать и Дада стали спешно его в дорогу собирать.

Чеченская республика в жёсткой блокаде. По периметру российские войска. На дорогах усиленные блокпосты. Война, очередная война неизбежна. А Тота, вновь оставив в Грозном женщин и детей, убегает в Москву. Впрочем, на сей раз иного варианта и не было. Они уже не первый месяц жили без зарплаты и в долг. Еле-еле Тоте наскребли на дорогу и, как шанс выживания, уже подумывали московскую квартиру продать. Да тут вроде судьба улыбнулась, и раз сам Бердукидзе будет его в аэропорту встречать, то работа действительно на зависть.

Летел Тота рейсом Минводы – Москва и всё перебирал в уме, что за работу ему хотят предложить. Наконец понял, другого и быть не может. Его как известного чеченца... Ну пусть хотя бы как чеченца от культуры приглашают в администрацию Президента России для ликвидации кризисной ситуации вокруг Чечни, да и на всём Северном Кавказе и даже Закавказье!

Вот с таким гуманно-политическим мышлением Тота Болотаев на борту заснул, а проснулся – у трапа «мерседес», Бердукидзе с дружескими объятиями. Тота бородатый, оброс. Сразу же повезли его в салон красоты – побрили, постригли. А потом – в самый дорогой магазин – «Петровский Пассаж», а в нём самый роскошный отдел «Kiton». Полностью переодели. Кроме паспорта, всё чеченское тут же вышвырнули. Оказывается, в этом же комплексе, на втором этаже, маленькое кафе. К крайнему удивлению Болотаева, там их ожидал сам босс. Даже поцеловал в щёчку.

– Мы так за тебя волновались. Больше туда ни шагу... Ты ему всё объяснил? – спрашивает Голубев у Бердукидзе.

– Нет, – отвечает тот. – Я и сам не всё знаю.

– Ладно, – махнул рукой босс. – Уже некогда. Сам министр всё объяснит.

– Какой министр? – удивлён Тота.

– Ты его узнаешь, – говорит Голубев. – Мы сядем вон там. А ты здесь садись... Вот место министра. Поздоровайся. Ну, поговори. Ты ведь профессор, спец по нефти. А вон он идёт! Быстрее... А ты садись.

Болотаев, конечно же, узнал этого очень популярного человека, которого частенько показывают по телевизору как политика, а теперь он министр по налогам и сборам России.

— Добрый день! Очень приятно. Очень приятно познакомиться. — Министр оказывается прост и коммуникабелен. — Вас рекомендовали как специалиста по нефтекомплексу России. Вы даже докторскую по этой теме защитили?

В это время подошла молоденькая официантка.

— Надюша, пожалуйста, как обычно. Я очень тороплюсь.

— Вы всегда торопитесь, Александр Васильевич.

— Наденька! Во-первых, не всегда. А во-вторых, сама понимаешь — служба. Государева служба! Поторопись.

— Конечно, Александр Васильевич. Вам фрэш со сливками или без?

— На сей раз — без. — Министр глянул на Болотаева. — Так, значит, вы чеченец? В данном случае это плюс... А, спасибо, Наденька, спасибо, ты так мила. — Он отпил пару глотков. — Так. Вы занимались нефтью? Впрочем, это не так важно. Важнее, чтобы я вам полностью верил и доверял. Понятно?

— Понятно, — ответил Тота, хотя ничего не понимал.

— Главное, — продолжает министр, — чтобы вас никто не подкупил, не переманил, не испугал. Вы будете мне верны?

— Я постараюсь.

— Надо. Надо постараться, — говорит министр. — Итак. Каждые три месяца — конверт. А можно прямо на счёт. Ну, это нюансы. А главное — только я вам плачу. И более никто. Договорились?

— Да, — машинально отвечает Тота.

— Как и что — объясню по ходу пьесы. А сейчас я очень тороплюсь... Наденька, спасибо. Пока.

— А ваш заказ?! Александр Васильевич?

— Наденька, тороплюсь. Пока.

Как пришёл, так же торопливо министр удалился. А Болотаев удивился не тому, что ему даже не предложили что-либо заказать или спросить о заказе, а то, что министр даже не посмотрел в сторону босса и Бердукидзе.

— Гнида, — уже на Неглинной улице вслед уходящему министру бросил босс. — Я за него впрягся, столько бабок за эту мразь отвалил. — Он выругался и добавил: — Ну ничего. Скоро поставим на место это говно. Так, а о чём он тебя спрашивал? — это уже к Болотаеву.

— Да так. Ни о чём. Что да как.

— Понятно. В общем, завтра без пяти девять ты должен быть на работе в Министерстве по дани и карающей длани. Он обозначил твою должность?

— Нет.

— Вот мразь. Ещё торгуется... Поехали. Мы тебя домой отвезём.

— Нет. Спасибо. Я на метро, — отказался Тота. — Так быстрее будет.

— Как знаешь. — Босс не стал особо настаивать. Прощаясь, он тем же тоном добавил: — Завтра утром проснёшься — и генерал.

— Да, генерал, — не без зависти подтвердил Бердукидзе. — И даже государственный советник первого ранга.

А Тота об этом не думал, он очень хотел от них избавиться. В метро, по старой привычке, купил газету «Спорт-экспресс» и тут обнаружил, что он названия статей видит, а мелкий текст просто расплывается.

Поначалу он испугался, расстроился, а потом, наоборот, обрадовался. Отчего-то ему захотелось сразу же отказаться от звания генерала.

— Я потерял зрение, — притворно жалостливо сообщил Тота по телефону Бердукидзе. — Какой из меня генерал?

— Хм... Как ты мог потерять зрение? Я сейчас перезвоню.

Бердукидзе не только перезвонил, он вскоре за Болотаевым сам заехал и повёз его в президентский госпиталь. Уже было поздно, но врачи их ждали. Болотаева бегло осмотрели.

— Ничего страшного. Видимо, был нервный срыв... А зрение — уже по возрасту пора очки носить.

— Он утром должен быть на работе, — говорит Бердукидзе.

— Он здоров, — поставлен диагноз.

Ровно в девять Бердукидзе отвёз Болотаева в министерство.

— Вот парадная дверь. Охрана в курсе. Покажешь паспорт. Первым делом идешь в отдел кадров, тебя там ждут.

— Вот настырные люди, — говорит ему начальник отдела кадров, женщина лет пятидесяти. — Всё-таки откопали вас.

— Что значит «откопали» меня? — удивился Тота.

— Да так. — Она махнула рукой и, видя, что новый сотрудник крайне удивлён, произнесла: — Вы пятый... Просто только вас ФСБ пропустило. А остальные — с двойным, с тройным гражданством и прочими делами все... А вы вроде специалист, доктор наук... Хотя и не наш.

— Что значит «не наш»?

— Вы ведь не работали в налоговой службе?

— Не работал.

— Да... Ну и времена... Заполняйте, пожалуйста, анкету. После обеда будет готово ваше удостоверение.

А сейчас вас ожидает первый заместитель министра Егоров, четвертый этаж.

Егоров – человек крепкий, высокий, серьёзный, вроде ровесник Болотаева.

– Садитесь. – Он изучает документы. Потом внимательно посмотрел на Тоту. – Вообще-то положено изначально составить на вас приказ исполняющего обязанности. Но министру виднее... Садитесь. – Он закурил. Нажал кнопку селектора: – Лена, принеси мне кофе. А вы будете кофе?

– Нет, нет. Спасибо.

– Тогда вот так. – Первый замминистра вальяжно развалился в кресле. – Ваш департамент самый крупный в министерстве. Департамент по работе с крупными налогоплательщиками. Это госмонополии – Газпром, РЖД, РАО «ЕЭС» и нефтянка. Вы, как заместитель руководителя департамента, будете курировать всю нефтяную промышленность России, то есть управление нефти и нефтепродуктов.

Тут зашла Лена.

– А вам принести кофе?

– Нет, нет, спасибо, – ответил Тота, а хозяин кабинета отпил глоток и продолжил:

– До вас на этой должности был ваш коллега Головин.

Никакого Головина Тота не знал и спросить не посмел, а ознакомление продолжалось:

– Этот Головин провинился. Впрочем, следствие разберется. Надо быть честным перед государством. И раз Отчизна доверила вам такой пост, надо соответствовать поставленным задачам. Разве не так? – испытующе уставился он на Тоту.

– Так, конечно, так, – выдал Болотаев.

— В нашем министерстве всё зиждется на честности и порядочности. Ведь именно от нас зависит наполняемость бюджета страны. А это всё — зарплаты учителей, врачей, милиции и солдат. Вы ведь понимаете, какая ответственность и какое доверие и честь оказаны вам, господин... э-э-э... да, Тота Болотаев?

— Понимаю. Попытаюсь понять.

— Да. Вы ведь прошли собеседование с министром?

— Да, да, конечно.

— Тогда я повторяться не буду. Пойдёмте, я представлю вас в управлении.

Они уже были в коридоре, когда Егоров вдруг остановился:

— Кстати. Пока что и руководителя вашего департамента нет. Так что вы будете исполнять и его обязанности. Справитесь? — Он быстро пошёл вперёд.

— Постараюсь, — поспешил за ним Тота. Он уже вспотел.

Представление было коротким, формальным. И первый замминистра даже двух слов не сказал о самом Болотаеве как о новом руководителе. А с другой стороны, что он мог о нём сказать? Ситуация была крайне напряженной. Для Тоты Болотаева — просто ужасной. Ибо он понимал всю нелепость и абсурдность ситуации, и ему казалось: а не сон ли это? Кошмарный сон. Однако это была реальность.

Как начальника его посадили в огороженный стеклянный кабинет, который возвышался на несколько ступенек от общего большого зала, в котором в три ряда сидели три его отдела — по десять человек — во главе с начальниками этих отделов. Сам этот большой кабинет, как помещение, имел странный вид. Вроде

и второй этаж, а окна маленькие, под потолком, словно это полуподвальное помещение, как казарма в армейской гауптвахте.

С первой минуты Болотаев почувствовал себя как в аквариуме, в небольшом аквариуме, где один стол, пара стульев и кругом, даже на полу и даже под столом, куча каких-то папок, книг, бумаг. Тота ощущал, что тридцать пар глаз его подчиненных с нескрываемым любопытством смотрят на него. А ему стыдно и неловко, он прячет взгляд, как бы рассматривая бумаги, в содержании которых он ничего не понимает. И тогда в поисках помощи он поднимает взгляд – все его подчиненные опускают головы. Никакого контакта изначально нет. Болотаев просто не знает, что ему делать.

И тогда он бросился к книгам. Это оказались свод каких-то временных инструкций, приказов и распоряжений по департаменту за прошедшие годы, по содержанию которых ничего не понять. Тогда Тота решил пообщаться с начальниками отделов.

– Августина Леонидовна, – по внутреннему аппарату, в чём он смог разобраться, говорит Тота, – зайдите, пожалуйста, ко мне.

Это дама очень крупных размеров.

– Вы просили меня подняться? – с места кричит начальник отдела.

Она встала из-за стола, и Болотаев просто поразился, до того эта женщина крупная, что он даже подумал: как она пролезет через металлоискатель на входе здания? Габариты впечатляют, и таким же голосом она отвечает:

– Я уже пятьдесят три года в системе, а на этом месте – вечность. И вы понимаете, сколько поменялось здесь руководителей – не счесть. И все они, если были

вопросы, ко мне сами спускались, так что не будем ломать старые традиции департамента... э-э... я вот мучаюсь с вашим именем – Тута Бургунович?!

– Я Тота, Тота Алаевич Болотаев, – процедил новый руководитель.

– Ой, простите, ради Бога, простите. У вас, у чеченцев, такие трудные имена... впрочем, как и нравы.

Болотаев покраснел, тяжело задышал, а начальник отдела тем же тоном:

– А скажите, пожалуйста, вы прежде ведь никогда не работали в налоговой службе?

– Не работал.

– Вроде говорят, что вы в театре работали. Это так? И только вчера из Чечни приехали?

– Всё это так, – повысил голос Болотаев, но Августина Леонидовна перебила его:

– Вы, пожалуйста, простите меня. Просто у нас служба полувоенная, государственная, и про коллегу, тем более начальника, надо поболее для порядка знать.

– Я вижу, вы всё знаете.

– Да, да. Служба такая. Секретная.

– Да, да, – в тон ей сказал Болотаев. – Вижу, что от вас ничего не скроешь.

– Стаж-то какой. – Она подошла к ступеням. – Простите, как, вы сказали, вас правильно величать?

– Тота Алаевич.

– Тута Алаевич.

– Не Тута, а Тота!

– Ой-ой! Простите, пожалуйста... Только вы на меня, старую дуру, особо не обижайтесь. Лучше дайте мне вашу визитку.

– У меня нет визитки. – Видно, как Болотаев раздражён. – Я вам на листке напишу своё имя.

— Я вам так благодарна. — Она берёт листок. — Ой, как просто и красиво — Тота Алаевич! Правильно я сделала ударение?

Болотаев лишь махнул рукой, а она продолжает:

— Учитывая мою революционную древность, вы не могли бы спуститься со своих высот.

Болотаев понял, что эта дамочка преклонных лет беспардонно заигрывает с ним, точнее, провоцирует, и он, как примерный выпускник института культуры, с профессионализмом актёра принял этот вызов. С игривостью и манерностью он довольно ловко соскочил со ступенек и с балетной грациозностью, феерически продемонстрировал некое полукомическое па, сопровождаемое следующей речью:

— Ваша юная древность, я с готовностью к вашим услугам.

— Боже! Боже! Какие манеры! — хлопнула в ладоши Августина Леонидовна. — Наконец-то в нашем заведении появился галантный кавалер!

По характеру жанра Тота ожидал, что от этой сценки в зале должен быть дружный хохот или хотя бы кто-то прыснет смехом. Нет! Тишина. Тота понял: тут не до смеха, не та аудитория и атмосфера, а Августина Леонидовна в главных ролях, и над ней смеяться не смеют, и она уже иным тоном, тоном обвинения говорит:

— Понимаете, я полвека на государственной службе, а чинов не заимела. А вот вы? И дня не пробыли, а сразу же в дамки — генерал!

Она повела указательным пальцем у носа Болотаева, и последний уже готов был чуть ли его (то есть палец) откусить, как Августина Леонидовна, уловив настроение, проявила высший пилотаж актёрского перевоплощения, говоря уже слащавым голоском:

— Вы, господин Болотаев, как никто другой, достойны быть генералом! Даже ваш внешний вид, ваша грация...

— М-да, — чеканя по-актёрски голос перебил её Болотаев. — Пропал талант даром. В этой дыре... — Болотаев провёл взглядом по грязным окнам под потолком.

— Это вы о чём? — подбоченилась Августина Леонидовна.

— А о том, что вам следовало бы, на мой взгляд, не здесь кресло просиживать, а украшать сцену Малого или даже Большого театра.

— Вы просто прелесть, молодой человек. А ведь я тоже училась в театральном училище. Но война! Я ушла на фронт. Ранение. Контузия... Впрочем, я не об этом. У вас, как у генерала, теперь есть вход в генеральское кафе. И до вас все ваши предшественники мне в этом помогали, и вы, я надеюсь, не нарушите эту традицию.

— Какую традицию?

— В неделю раз, а можно и два, приобретать для меня пару баночек чёрной и красной икорки — она там копейки стоит. Сыр швейцарский, ну и бутылочку виски или коньяка.

— Э-э, — задумался Болотаев.

— Для вас сущие пустяки. Копейки всё стоит. А я вам с зарплаты всё возмещу.

— А где это кафе?

— В подвале. Я бы вам показала, но видите, как я тяжело хожу.

— Да я найду, — с готовностью выдал Тота, с такой же поспешностью он покинул этот огромный кабинет и в широком светлом коридоре глубоко и свободно вздохнул, как его сзади окликнули:

— Товарищ Болотаев! Тота Алаевич! Я Иванов Илья Петрович. Ваш подчинённый. Начальник отдела.

— Да-да. — Тота подал руку. — Очень приятно.

— Взаимно... Э-э, я просто посчитал своим долгом предупредить вас. Эта дамочка, точнее старуха, не совсем здорова на голову.

— А как же её здесь держат? — удивился Тота.

— Ну вот так. Никто не знает... Точнее, все знают. Она здесь как надсмотрщик. Очень опасный кадр. Всё и вся доносит.

— Кому доносит?

— Всем и на всех доносит... Есть легенда, а может это и правда, что она внебрачная дочь Брежнева.

— Вот это да! — изумился Болотаев.

— Ну, это в порядке вещей, — сказал начальник отдела. — Однако я хотел вас, как новенького, предупредить о другом. Во-первых, если вы купите один раз то, что она просит, то она от вас более никогда не отстанет, будет постоянно просить. При этом деньги от неё вы никогда не получите.

— Как так?

— Вот так... Но и это не всё. Самое неприятное — если вы это ей принесёте, то она прямо в кабинете начнёт это потреблять. Видите, какие у неё габариты.

— И даже спиртное? — всё более изумляется Тота.

— И спиртное. По чуть-чуть.

— На работе?

— А что? Здесь все начальники прямо с утра потребляют.

— Да вы что?!

— А что?! У нас работа такая. Очень вредная и опасная... И Августина Леонидовна сказала, что наша служба полувоенная, а я добавлю — и полукриминальная.

— Да что вы говорите? — всё более и более удивляется Болотаев. Ему ещё более противна стала эта работа. Он уже не хочет возвращаться в свой «аквариум» и поэтому спрашивает: — А где это генеральское кафе?

— А давайте я вас провожу.

Они пошли по лестнице вниз. Оказывается, в подвальном помещении находится огромная столовая министерства, а сбоку с отдельным входом приспособлено это генеральское кафе, у дверей которого начальник отдела спросил Болотаева:

— Вам удостоверение выдали?

— Ещё нет.

— Так. Тогда могут пока не пустить... в любом случае попытайтесь.

— А давайте вместе зайдём, — предложил Тота.

— Нет-нет. Что вы! Это недопустимо. Тут очень строгая иерархия. А вы заходите, не пожалеете.

Удостоверения у Болотаева нет, но он уже в списке допуска в генеральское кафе. С виду ничего особенного, вроде обыкновенное кафе. Правда, цены действительно смешные. Здесь, как в Греции, всё есть, обслуживание превосходное. Так что в этот первый день Тота аж четыре раза побывал в этом кафе, а как иначе, если он не знает, что делать, как делать и, вообще, в чём его деятельность заключается?

После обеда Тота пошёл в отдел кадров. Сказали, что его удостоверение будет готово к вечеру. К вечеру, ровно в шесть, Болотаев поспешил на выход, но его не выпустили, без удостоверения не выпустили.

Из дома он первым делом набрал Бердукидзе.

— Пойми. Я не могу там работать. Я не знаю, что такое налоги. Я налоги не платил и не взымал.

— Научишься.

– Чего? А ты знаешь, какая там зарплата – десять долларов.

– Какая зарплата?.. Занесли миллиард. Вынести надо пять.

– Что? Какой миллиард? О чём речь?

– А о том, что везёт таким дуракам, как ты.

– Что?!

Связь оборвалась. Тота вновь набрал номер коллеги.

– Слушай, какой миллиард?

– Запомни, – злобно шипит трубка, – ты теперь не просто Тота, а большой государственный чин. И твой телефон... Впрочем, как и мой... Радуйся и гордись. Амёла так хотела.

Последние слова словно приказ! И соответствующая мысль: неужели он, доктор экономических наук, один из ведущих специалистов по нефтекомплексу России, не справится с теми задачами, с которыми справляется этот «бегемот» – Августина Леонидовна? Конечно, справится. Просто ему надо немного разобраться с налогами. А для этого он в тот же вечер побежал в книжный магазин и купил несколько книг по налоговому законодательству.

Всю последующую ночь изучал Налоговый кодекс Российской Федерации. Это небольшая брошюра, которую Болотаев до конца прочитал раз. Потом повторно перечитал, уже подчёркивая всё необходимое разноцветными карандашами, – ничего не понял. Подумал, что уже на работе, на примере конкретных документов, он разберётся, что к чему. Тщетно. Оказывается, у каждого пункта в законе есть свои подпункты, а ещё и примечания, и особые отметки, что в целом почти все противоречат друг другу или даже взаимоисключают.

Как понял Тота, согласно этому утверждённому, как закон, Налоговому кодексу, возможны любые варианты действий. В этом плане кодекс просто шедевр, универсальный и очень гибкий. Конечно, Тота не юрист, но он-то тоже читать и считать умеет. Однако, какой закон, какую конкретно статью, пункт или примечание применять, он не знает.

Как большой начальник, как генерал, он понимает, как выглядит в глазах подчиненных, которые, кстати, исподлобья на него смотрят и уже смеются. А как иначе? У него на столе накопилась стопка, точнее, уже две стопки документов, на которые он должен среагировать, то есть написать резолюцию, в какой отдел этот документ направить и что конкретно начальник отдела и его подчиненные должны сделать. Но он не знает, что писать? Ищет ответ в Налоговом кодексе. Открыто эту шпаргалку читать некрасиво. Вот он под столом эту брошюру прячет. Ничего понять не может. Единственное спасение – это генеральское кафе. И на второй день он его посетил много раз. Благо что и остальные генералы из него не вылезают, все о чём-то болтают. И как ни странно – пьют. Изрядно пьют. Но пьяных или шумных нет. Всё чинно и по-деловому.

В этой ситуации Болотаеву бы следовало основательно напиться, чтобы очнуться и понять, что всё это было во сне. Но он пьёт лишь кофе и чай. Он мучается и не знает, что делать и как быть. И так и второй день прошел. И вновь он всю ночь изучал Налоговый кодекс, много поработал, много сделал закладок и вроде кое-что понял. Думал, утром работа наконец-то пойдёт. Не пошла. Он ничего не знает. И кафе уже не помогает и не спасает. Работа департамента стоит.

И вдруг его вызывает его куратор — первый замминистра:

— Болотаев, вы чем там занимаетесь? — суров голос Егорова.

— Э-э. Сижу... Работаю.

— Что-то не видно вашей работы. Всё стало и стоит, а вы под столом какие-то анекдоты читаете.

— Это не анекдоты. Это Налоговый кодекс России.

— Что?! — удивился замминистра. — Какой кодекс?

— Налоговый кодекс.

— Налоговый кодекс?! — Замминистра даже привстал. — А ну бегом неси сюда. Бегом, я сказал!

Уже будучи в коридоре, Болотаев в гневе подумал: «Да как этот упырь посмел ему... Ему, гордому чеченцу, так сказать, даже приказать?! Нет, я сейчас же вернусь и дам ему положенную пощечину, точнее, увесистую оплеуху, да с обеих сторон! Чтоб своё собачье место знал!»

Разумеется, Тота вернулся, даже изрядно вспотел, второпях и Налоговый кодекс принёс, вручил замминистру. А последний будто действительно оплеуху получил: в шоке, в изумлении он стал рассматривать эту исписанную разными чернилами и карандашами брошюру с многочисленными закладками.

— Ты её прочитал?

— Несколько раз.

— И это твои записи, твоя работа?

— Да, — честно признался Болотаев.

— Да как ты посмел?! — возмутился замминистра. — Не смей более никогда в это заведение эту гадость заносить.

С этими словами замминистра стал запихивать кодекс в какую-то щель. Как позже Тота понял, это был бумагодробящий аппарат, чтобы уничтожать документы в целях секретности и безопасности. Правда, щель этого аппарата не вмещала по толщине даже эту брошюру. И тогда замминистра со злобой разорвал на кусочки Налоговый кодекс и по частям стал совать в щель аппарата, говоря:

— Вот так! Вот так с этой вражеской пропагандой... Понятно?

— Понятно, — прошептал Болотаев.

— Тогда иди работай!

— А как работать? Я не знаю, — взмолился новоиспечённый «генерал».

— Не знаешь? — Замминистра задумался. — А что тут знать? Тебе что, министр ничего не объяснил?

— Что-то говорил.

— А о чернилах? О разных цветах?

— Нет, — пожал плечами Тота.

— Так, — стал стучать пальчиком по столу первый замминистра. — Шефа ещё нет. К вечеру будет. Я с ним поговорю. А сейчас — на службу. И более в это священное заведение пагубную литературу не заносить! Понятно?

— Есть! — по-военному отрапортовал Болотаев.

И этот день он кое-как просидел, ожидая, что вот-вот вызовут и наступит какое-то прояснение. Не вызвали. А ночью ему снились кошмарные сны — деньги, много денег и так много денег, что они ему были уже противны и даже в тягость и поэтому он всю ночь пытался от них избавиться, прогоняя их через бумагодробилку, пока этот аппарат не сломался.

В холодном поту Тота среди ночи проснулся. Он-то и до этого знал, что его должность – должность казнокрада, а не наоборот, что подразумевалось. Знал и понял – это харам.

Утром он твердо решил, что, придя на работу, сразу же напишет заявление об увольнении, положит важное удостоверение и станет свободным. Видимо, поэтому он в этот день немного опоздал – все его подчиненные уже на месте, а прямо перед его кабинетом-«аквариумом», перекрывая своими габаритами проход, подбоченясь стоит Августина Леонидовна.

– Здравствуйте. – У Болотаева в то утро бодрое настроение.

– Добрый день, – за всех отвечает Августина Леонидовна и следом: – Позвольте у вас спросить: вы знаете, какая у вас зарплата?

– Э-э-э, – задумался Тота. – Точно не знаю.

– А я знаю. Семь тысяч.

– И что?

– А то, что вы думаете на эту зарплату жить? Или вы пришли сюда воровать?

– Э-э-э. – Болотаев был шокирован, а тут следом ещё вопрос:

– Скажите, пожалуйста, ваша Чечня, или как вы себя называете – Ичкерия, – воюет против России, а вы занимаете такой чин. Вам можно доверять?

Болотаев замер, словно его парализовало, а начальник отдела продолжает:

– Это очень важный вопрос – ведь у нас государственнообразующее закрытое учреждение, формирующее бюджет великой державы. Почему вы молчите? – снизу вверх смотрит она. – Вам можно доверять?

— Идите прочь, Октябрина Леопольдовна, — вдруг не своим, а хорошо поставленным сценическим голосом выдал Болотаев, так что теперь кошмар отразился в глазах начальника отдела.

— Что? Что? Как вы сказали? — изменился её голос.

— Прочь с дороги, — тем же отработанным ещё в институте культуры голосом сказал Тота и, лишь оказавшись в своем кресле, он сообразил, что назвал её так, как планировал обозвать, если бы она ещё раз посмела исковеркать его имя.

По мнению Болотаева, эта обнаглевшая старуха поступила с ним ещё оскорбительнее, и он даже был рад, что хотя бы увольняется с неким достоинством. С высоты своего кресла, глянув сей раз на своих подчиненных, он вдруг увидел их восторженные и одобрительные взгляды. А следом звонок:

— Тота Алаевич, приёмная Егорова. Пётр Семёнович просит вас срочно зайти.

Болотаев побежал наверх, представляя, что это последний поход к начальству, а затем — свобода, свобода и «Маршал»! И более он не увидит этих стен, где собирают дань с несчастных и угнетенных людей. И что, по крайней мере, он в этом насилии не участвует. Однако даже не в приемной, а на лестничной клетке, ожидая его, стоит первый замминистра:

— Тота Алаевич, добрый день. Запомните, в мой кабинет впредь пулей заходите и выходите. Даже если у меня совещание или очень важные гости. Проходите, пожалуйста. Садитесь.

Тота вновь с утра ошарашен.

— Оказывается, шеф не успел вас проинформировать. И я извиняюсь, был с вами чересчур фамильярен.

А у вас, оказывается, великолепные, я бы сказал, даже завидные связи и рекомендации. Правда, что Амёла Ибмас – ваша близкая подруга?

Вновь Болотаев ошарашен. Вновь протяжное «э-э-э», и он не знает, что конкретно на это надо сказать, а замминистра любезно продолжает:

– Я понимаю, понимаю. Деньги любят тишину. Хотя здесь. – Он смотрит в потолок. – Вроде всё чисто, прослушки нет. Всегда надо быть начеку. Ведь каждое воскресенье и праздники вход в здание, даже для министра, запрещен... Да-да. Во дела! Поэтому я каждый понедельник вызываю специалиста по прослушке. Хотя в этой стране веры никому нет и не может быть. Кругом холуи. Быдло и говно.

Тут он замолчал. Уставился на Болотаева, словно видит впервые.

– Впрочем, – продолжал он, – давайте о деле. Вы ведь не дальтоник?

– Нет. Вроде нет.

– Это мы знаем. Тогда конкретно. По налоговым послаблениям нефтяным компаниям Дальнего Севера и так далее. Никаких послаблений. Налоги платят все и как можно больше. И тут иного решения нет и не будет. Понятно?

– Понятно.

– А вот главная наша тема – возврат НДС... Этот вопрос вам знаком?

– Ну, по закону...

– Какой закон?! – перебил Болотаева первый замминистра. – Закон – это мы! Поэтому слушайте и запоминайте. Если на документе о возмещении НДС резолюция министра и она написана красными чернилами,

то это в первую очередь с космической скоростью решается в полном объеме. Запомнили?

— Да... А если?

— Никаких «если». Понятно?

— Так точно, — уже поддался азарту денег Тота.

— Тогда далее. — Замминистра сидит прямо напротив. Теперь склоняется совсем низко, пальчиком маня к себе собеседника, и, переходя на полушёпот, заговорщицки продолжает: — Каждый понедельник, утром, я вам демонстрирую три цвета чернил. Три мои авторучки. Они всегда разные. Только на одну неделю.

— А почему только на неделю? — не выдержал Болотаев, к своему удивлению, он тоже перешел на полушепот.

— Не будьте наивны, — строго ответил Егоров. Ещё достаточно долго и доходчиво он объяснял Болотаеву ноансы и под конец: — У вас три отдела. Положительное решение — первый отдел. Отрицательное — второй. А все остальные — третий.

— Августина Леонидовна?

— Да. Она все эти споры отвергнет и всем откажет.

— Это в интересах бюджета, страны и народа?

— Это в наших интересах. А эта страна, этот народ и их бюджет нас интересуют постольку-поскольку... Понятно? Вопросы есть?

— Теперь понятно, — пробормотал Болотаев. — Оказывается, всё так просто.

— Хм, — усмехнулся замминистра. — Всё очень даже не просто. И вы в этом убедитесь... Однако волков бояться — в лес не ходить. И вы, как мы поняли, не из робкого десятка. Здорово вы эту старуху только что

осадили. — Тут замминистра от души захохотал. — Как вы её под старость окрестили — Октябрина Леопольдовна?! Это просто фантастика!

— Э-э-э... — Болотаеву стало не до смеха. — А как вы об этом узнали? Это ведь только накануне, пять минут назад, произошло.

— Но-но-но! — поднял указательный палец первый замминистра. — Это бюджетообразующее, наиважнейшее, секретное учреждение, от которого зависит судьба страны, судьба народа. И тут всё должно быть и будет под бдительным надзором. Здесь всё прозрачно и честно. Разве не так?

— Вроде так, — выдавил Тота.

— Не вроде, а так точно!

— Так точно!

— Вот так! А что касаемо Августины Леонидовна, то это самый заслуженный сотрудник налоговой службы России. На таких честных людях держится наше Отечество... Без налогов не будет армии, не будет бомб и ракет и нас не будут бояться.

— А нас должны бояться?

— Не будьте наивны. Боятся — значит, уважают. Понятно?

— Понятно.

— Тогда приступайте к службе. К самой ответственной службе России. К сбору налогов. Как говорится, с Богом!

— А можно и с Аллахом?

— Как хотите, лишь бы пополнился наш бюджет. — С этими словами замминистра встал, давая понять, что инструктаж закончен. Тут же и Болотаев вскочил. Поправляя свой стул, неожиданно выдал:

— Э, простите, пожалуйста, наш бюджет — это наш или?..

— Господин Болотаев, — повысил голос Егоров, — перед этой страной у меня и у вас тем более нет и не может быть никаких обязательств. Вопросы есть?

— А-а! — стал заикой Болотаев.

— Наш бюджет. Наши личные счета. Теперь понятно?

— Теперь понятно!

— Тогда в бой! Вперёд за нашу державу!

— Э-э... — Болотаев даже не знал, смеётся ли этот чиновник над ним или даже издевается.

Впрочем, в данный момент ему на это наплевать, ибо он твёрдо решил, что непременно скоро уволится. При этом уволится не как не справившийся с работой, а по собственному желанию, которое с первого дня, точнее, с самой первой минуты пребывания в этом здании довлело над ним. Однако оказалось, как обычно это бывает, не всё так просто, тем более там, где фигурируют такие суммы, такие цифры — огромные богатства, к которым он теперь волей-неволей причастен, и появляется соблазн, да и азарт и просто алчность.

* * *

В неволе, вспоминая и анализируя свои действия в налоговой службе, Болотаев отметил, что на этом поприще у него были приятные дни и даже такие, когда он просто торжествовал.

К примеру, тот день инструктажа у первого замминистра.

Спустился Тота Алаевич в свою каморку, ещё раз внимательно осмотрел образцы цвета чернил. Тут же

сверил цвета чернил на резолюциях документов. Боже! Как всё гениальное просто! За эти дни у него накопилось, было на регистрации, сто двенадцать не отписанных писем и документов. Был просто простой... И вот в течение двух-трёх часов Болотаев с легкостью разбросал эту корреспонденцию по трём отделам.

Конечно, это на первый взгляд казалось, что эта работа уж очень проста и примитивна. На самом деле работа была очень тяжелая, ответственная и со всевозможными рисками и опасностями. Ведь недаром даже высший руководитель столь важной госслужбы каждую неделю менял цвета чернил. Каждую неделю специальный курьер доставлял ему и, значит, не только ему, но и другим (чуть не написал — казнокрадам) чиновникам такие же чернила.

Как позже Болотаев понял, все эти операции с чернилами и дорогими наливными ручками были не для того, чтобы некий заместитель руководителя департамента по работе с крупными налогоплательщиками мог сразу же разузнать пожелания руководства по тому или иному документу. Дело было совсем в ином.

Там, где большие деньги, — большие ставки, там большие риски и там жестокая конкурентная борьба, где, подделав одну подпись лишь один раз, можно стать богачом или, наоборот, банкротом, узником и даже трупом. И понятно, что подпись подделать нетрудно, а вот подобрать цвет, а главное, состав чернил, которые специально изготавливают в Швейцарии и используют лишь неделю, — не совсем легко. По крайней мере, как эффективную меру предосторожности, кто-то ведь это выдумал. И не зря. Даже после беглого осмотра поступающих к нему документов Тота Болотаев понимает, что идёт беспощадный грабёж страны.

Болотаеву известно, что даже крупные государственные нефтяные корпорации завышают количество вывозимой нефти и только на этом из казны, как возврат НДС – 28 %, – получают колоссальные доходы.

Так это государственные или акционерные компании, где вроде бы вся отчетность более-менее прозрачна. А ведь по документам, которые просматривает Болотаев, оказывается, что есть ещё масса так называемых компаний-«однодневок», которые также занимаются официальным бизнесом – по документам экспортируют нефть и тоже из бюджета просят и требуют возврата НДС.

В налогах и сборах Болотаев – новичок. Однако в нефтяной отрасли он хорошо разбирается – недаром докторскую защитил. Впрочем, и таких знаний иметь не надо. Надо просто посмотреть отчеты государственной статистики, и тогда Болотаев видит, что по бумагам, то есть по возврату НДС, количество нефти в два-три раза больше, чем фактически добывается в стране.

Об этом Тота хотел было заикнуться на расширенном совещании у министра, а потом вовремя одумался – ведь вокруг сидят госслужащие из различных ведомств и учреждений. И понятно, что в этой схеме задействованы многие структуры – от транспортников, таможни и пограничников до всяких проверяющих и контролирующих органов и «крыш». О количестве последних – криминальных авторитетов – Болотаев даже и не догадывался.

Как-то срочно вызывает Тоту первый замминистра, а там, в таком ведомстве, на почётном месте восседает какой-либо барыга с золотой цепью на шее, пальцы

в перстнях, вальяжно развалившись, курит и попивает коньяк.

— Болотаев, — исполнителен голос замминистра, — компания «Джалотай лимитед» с Багамских островов у вас?

— Э-э, не помню.

— Как не помните?! Вчера вечером я вам с указанием «срочно» передал.

— Вчера «срочная» была «Локхид и К°» с Маврикия. И ещё от министра — Сейшелы.

— Да, — озабочен замминистра. — Пойдите найдите бумаги «Джалотай лимитед» и принесите. Быстрее!

Через пару минут Болотаев примчался обратно в кабинет первого замминистра. По цвету чернил там был отказ, и отдел Августины Леонидовны уже оформил это по протоколу госреестра, и переиграть это практически невозможно. Однако Болотаев, как говорится, уже многое на лету схватывает, и он, выгораживая замминистра, говорит:

— Пётр Семёнович, в пакете «Джалотай лимитед» много недочётов. Так, цифровые данные «Транснефти» и таможни разнятся. Лицензионная квота просрочена и недействительна. Ещё масса неточностей и ошибок. Но самое главное — нет справки происхождения и оплаты нефти.

Здесь Тота с ходу перечислил те недочёты, которые сплошь и рядом бывают у левых компаний-«однодневок».

— Вот видите, — оправдывается замминистра перед блатным, — я как мог старался, но...

— Что значит «но»? — возмутился гость. — Всё оформили как обычно. Всё как всегда. Как и прежде.

— Да-да. Но дело в том, что новые инструкции, новые работники...

— А может, тебя заменить? — вдруг перебили хозяина.

— Да вы что?! Да вы что, дорогой брат... Мы ведь братья, друзья. Может...

— Никаких «может»! — грубо перебивает посетитель замминистра. — Ты нас уже который раз кидаешь?

— Гвоздь, пойми! Прости! Вы?! — Тут хозяин кабинета вспомнил о Болотаеве. — Вы уходите. Идите, — махнул он рукой.

Эта сцена, словно из старого американского кино про гангстеров, сильно потрясла Болотаева. Он спускался по лестнице министерства Российской Федерации, а такое у него ощущение, что это публичный или игорный дом, в коих он не был, да вот так представлял.

Под этими впечатлениями он машинально прошёл свой этаж и по привычке очутился в генеральском кафе. Ну чем это не игорное заведение, если здесь с самого утра почти у всех меню одно и официантки это знают.

— Как обычно? — задают сразу же вопрос.

— Да, пожалуйста, — отвечают налоговые генералы, и тут же перед ними сто грамм лучшего французского коньяка, бутерброды с чёрной икрой, сёмга и кофе с сигаретами. К вечеру объёмы спиртного увеличатся, однако, на удивление Болотаева, здесь никогда не встретишь нетрезвого человека. Здесь, именно в генеральском кафе, все заняты делом. А к Болотаеву просто выстраивается очередь.

— Тота Алаевич, вы мою просьбу не забыли? Пожалуйста, компания «Южилай понте» — Карибы... Вы просто свой счет сообщите — и они готовы...

— Нет у меня счета, — парирует Тота. — Я постараюсь.

— Ну, постарайтесь... Вот на карманные расходы. — Его коллега из другого департамента сует ему в карман пухлый конверт.

— Что это такое?

— Да так, пустяки. Десять тысяч. Долларов. На карманные расходы.

— Уберите. Уберите немедленно, — решителен Болотаев. — Я сказал, я постараюсь.

— Спасибо. Спасибо. Век не забуду... Ну, может, возьмете?!

— Я сказал: нет! — категоричен Тота.

Только уходит этот коллега, к Тоте подсаживается другой, уже женщина.

— Тота Алаевич, дорогой! Ну пожалуйста. «Эхбина Ойл и К°» — Лихтенштейн.

— Ну, я всё ведь сделал.

— Да?.. Дайте я вас поцелую... Вечером к вам домой приедет наш человек... А можно я?

— Никто ко мне не приедет.

— Да вы что?! Ваша доля.

— Я сказал: нет! Я ничего не сделал. Там уже была положительная резолюция Егорова.

— Но вы ускорили процесс. А то пришлось бы полгода ждать. А там, кто знает, что ещё будет и кто ещё будет.

— Я не буду.

— Не дай Бог, дорогой Тота Алаевич... Тут до вас такая дрянь была... Вы не выпьете со мной. Даже шампанского?

— Софья Андреевна, Тота Алаевич не пьёт, — кокетливо встревает в их разговор директор этого заведения. — И не надо пытаться его спаивать... Единственный красавец мужчина в нашем ведомстве.

— Ой-ой-ой! — ей так же с жеманством отвечает собеседница Болотаева. — Только на минутку с мужчиной уединилась, а тут, оказывается, очередь.

— Дефицит, Софья Андреевна, дефицит, как видите.

— Безобразие. Вы пользуетесь своей властью... До свидания, Тота Алаевич. Мы вас так любим... Не поддавайтесь её соблазнам.

В отличие от предыдущей собеседницы эта, директор генеральского кафе, действительно как генерал — крупная, властная, сытая.

— Тота Алаевич, ну неужели?

— Я ведь вам уже объяснял, — оправдывается Болотаев. — Не мог. Не смог. Нельзя... Там стоял отказ шефа.

— Да пошёл он на... — Тут она не просто по-мужски, а по-кабацки матерится. — Ведь столько бабла потрачено. Всё обговорили. Тота Алаевич?!

— Уже оформлен отказ. Ведь всё до меня было.

— В том-то и дело, что до вас, — в гневе раскрывает секреты она. — Вот так наобещают. Бабки соберут и — бац — какую-то крысу-чиновника снимают, сажают, а то и вовсе мочат — и всё... Никто ни за что не отвечает.

— Вот это да! — удивлён Тота. — И моего предшественника так убрали?

— Всё руководство департамента убрали. У руководителя — инфаркт. И всё... Бабло собрали — концы в могилу и не с кого спросить.

— Да?! — встревожен Тота. — Вот это бизнес!

— Это ещё так, — продолжает она. — А вот когда резко министра меняют. Вот когда кто-то куш снимает, а кто-то, как я сейчас, — в заднице.

Болотаев молчит. В голове столько противоречивых мыслей. А директор кафе ему на ухо шепчет:

— Скоро, очень скоро нашего министра... того.

— Да вы что?

— Да. Пидор он. Кинет нас всех. А сам сухой, упакованный на три поколения. Из говна вылезет.

— Откуда вы всё знаете?

— А где я работаю... А как вы сюда попали?!

В это время раскрывается входная дверь. Секретарша Егорова не заходит, а только в дверном проеме её миленькая головка.

— Тота Алаевич, Тота Алаевич, вас шеф срочно зовет.

— Вот ненасытная, непотопляемая гадина, — слышит Болотаев вслед.

Егоров в кабинете один. Встревожен, лицо пунцовое. Ещё поднимаясь в лифте, Болотаев твердо решил, что в кабинете первого замминистра напишет заявление об увольнении и никаких препятствий по этому поводу у него не будет.

— Я увольняюсь. Позвольте мне здесь написать заявление.

— Вы? Увольняетесь? — крайне удивился чиновник. — Разве так можно?

— Я настаиваю, — твёрдо заявил Болотаев. — Я не хочу более здесь работать.

— Странно. Странно. — Замминистра сел на свое место. Жестом пригласил Болотаева сесть.

— Можно листок бумаги и ручку?

— Конечно, нет, — металлические нотки появились в тоне замминистра. — Это министерство — стратегический объект. А вы занимаете ключевую должность. Генеральскую должность... Всего пару месяцев стаж,

а очень хорошо справляетесь. Отлично вписались в коллектив. Мы вам доверяем... И главное, вы думаете, легко найти подходящую кандидатуру на такую ответственную должность?

В это время позвонил внутренний телефон. Егоров, коротко что-то ответив, бросил трубку. Изучающе, пристально всмотрелся в Болотаева:

— В общем, Тота Алаевич, ситуация, как вы понимаете, непростая. Вы должны... Точнее, я прошу вас помочь мне. Лично мне. А потом... Потом как хотите. И я, и мы в долгу не останемся.

— Что я должен сделать? И что я, в принципе, могу?

— Многое можете. Многое... В данный момент многое... Амёла Ибмас!

— Амёла Ибмас? — удивился Тота. — Так я её сто лет не видел, не слышал.

— Вот и увидите, — обрадовался замминистра. — Говорят, что она ваш лучший друг, товарищ и так далее.

— Что значит «и так далее»? — возмутился было Болотаев.

— Это я так, — вскочил Егоров.

— В чём дело? — не выдержал Болотаев. Даже простое упоминание имени Амёлы Ибмас разжигало его страсть.

— Надо открыть две офшорные фирмы.

— А в чём проблема? — усмехнулся Болотаев. — Даже в метро объявления висят.

— Мы в метро не ездим, — был жёсткий ответ. — И в том-то и дело, что ездить в метро не хотим. А кто такая Амёла и как она работает, вы знаете.

— Я её сто лет не видел.

— Вот и увидите.

— Она прилетает? А у меня визы нет и паспорт вроде просрочен.

— А вы полетите под чужим именем.

— Это как? — изумился Болотаев.

— Так надо. Это служба. Командировка. Приказ... Или вы испугались? Или не хотите Амёлу увидеть? А она ведь вас ждёт.

Больше Тота не думал. Через пару дней он получил, как ему сказали, дипломатический паспорт с открытой визой Швейцарии. И как ни странно, там его данные.

— На всякий случай напишите заявление об увольнении.

— Какие шпионские страсти! — В Болотаеве проснулся артист. — Впрочем, вот это я сделаю с удовольствием.

С таким же удовольствием он летел в Цюрих. Конечно, Цюрих не Грозный. И Амёла не Дада. И хотя время полёта от Москвы до Грозного и Цюриха почти что одинаковое, Тоте казалось, что самолет на месте стоит. И чтобы сократить время, он пытался заснуть, и тогда ему казалось, что, как в последнюю поездку в Швейцарию, он вместе с Амёлой мчится на машине в Альпы и всё будет так же, так же... Нет, ещё...

Каково же было изумление Болотаева, когда в аэропорту Цюриха ему повстречался Голубев:

— А вы что здесь делаете?

— Я здесь живу, дорогой Тота. — Он по-дружески обнял Болотаева. — Точнее, я живу в Женеве. А тут тебя встречаю.

— Меня? А как вы узнали?

— Егоров сказал. Чтобы я встретил, проводил и так далее.

— Да... — Болотаев спустился с небес. — Я прилетел по делу. Вечером обратно... Надо встретиться с Амёлой. Я даже не знаю, здесь ли она. Егоров велел, чтобы я позвонил ей только по прибытии сюда. Где автомат?

— Вот, мобильный.

— А-а, здесь уже мобильная связь?!

— В Москве тоже есть, — сказал босс и добавил: — Кое у кого. И у тебя, Тота, по приезде будет... Пойдём, прямо из машины Амёле позвонишь. Она уже на работе. По дороге о делах поговорим.

Роскошный лимузин. Впереди — водитель и помощник, который набирает номер банка. Говорит по-английски. Все слышат. Болотаев понимает, что именно от его имени просят соединить с Амёлой Ибмас. Это происходит небыстро.

— Тота? — Он узнал её голос. — Вы в Цюрихе? А чей телефон?.. Почему вы заранее не сообщили?

— Э-э... Амёла, дело в том, — Тота тоже очень взволнован, — я по срочному, важному делу.

— Хорошо. Где вы хотите встретиться?

— В том же кафе, где я был с твоей мамой.

— О'кей! Ровно в час пятнадцать. Пообедаем вместе. Вы один? Только с вами.

Тота специально выбрал именно это кафе, потому что иного и не знал. И была ностальгия о тех днях. А ещё, как он подумал, к этому кафе можно пройти только пешком. Он останется один. По старой памяти спокойно погуляет по центральной улице Цюриха — Банхофштрассе. Здесь так всё спокойно, степенно, богато. Вечно! Стабильно.

А почему? Впервые он об этом задумался и сразу же нашел, увидел ответ. Как говорят, ответ под ногами. Он и до этого много раз видел и любовался огромными

рыбинами, что большими стаями лениво плавали или просто стояли против течения в небольшой речке, что вытекала из озера. А теперь понял секрет существования и процветания Швейцарии. Никто не трогает, не ловит и не мешает этим рыбам жить. Наоборот, подкармливают, и не хило. И эти рыбки – золотые! Всё, что местные жители заслуживают, делают!!!

Вот поэтому никто не мешает швейцарцам хорошо и правильно жить, и за это весь мир и их тоже кормит или подкармливает...

Прошло всего три года, как они не виделись, а Амёла сильно, разительно изменилась. Постарела. Однако Тота, как положено, говорит:

– Ты не изменилась. Даже похорошела.

– Спасибо... Хотя знаю, что это не так... Как твои родные – мать, жена? Детей двое?

– Да, – коротко отвечает Тота. – А как твоя мать?

– Очень плохо. Очень... Из-за её болезни я очень редко и на короткое время могу летать. Работать нормально не могу.

– А сиделки, больницы, врачи?

– Всё это здесь есть, и на высшем уровне... Однако теперь я сама заболела. Как по наследству.

– Что случилось?

– Теперь и я, как и мама, всего боюсь. Боюсь одиночества, которое неотступно приближается. – Её глаза увлажнились. – Мама ведь меня предупреждала. У неё хотя бы была я. А у меня?

– Ну... – Болотаев не знал, как её утешить, потом ляпнул: – Ты ведь вроде замуж вышла.

– В том-то и дело, что «вроде». Ладно. Времени в обрез. Давайте о ваших делах. Но прежде вопрос: вы звонили в банк по телефону, который зарегистрирован

на фирму, которая косвенно аффилирована с вашим бывшим боссом, Голубевым.

— Он меня здесь встретил. Я даже не ожидал.

— Удивительно. С каких пор? Вы вновь стали на него работать?

— Я на него и ни на кого не работаю! — вскипел Тота. Он вкратце стал рассказывать свою историю, как Амёла вскрикнула чуть ли не на весь зал:

— Вы там работаете?! В департаменте нефтянки?.. Как?

— Сказали, что ты лично так хочешь.

— Я? В первый раз слышу. — Она аж покраснела от возмущения. — А почему не позвонили?

— Звонил, и не раз. В банке не соединяли.

— Да. Это я виновата. Как узнала, что вы женились, дети... В общем, в порыве ревности вписала вас «в отказ». И забыла исправить.

— Но я и домой звонил.

— Мы ведь переехали... Вот вы попали, Тота. Они вас подставят. Этот ваш босс, так называемый босс, как говорят в России, всех кидает... Он плохо кончит... Впрочем, чёрт с ним. А вы давно там?

— Полтора, почти два месяца... Но я как приеду, сразу же уволюсь.

— Что, страшно стало?

— Не страшно. А противно... воруют миллиардами.

— Да, — задумалась Амёла. — Воруют. Россия очень богатая страна! Бездонная и безграничная во всех отношениях.

— Да, — подтвердил Тота и повторил: — Я уволюсь.

— Уволитесь? Думаю, что просто так вас не отпустят.

— Ты о чём, Амёла? — встревожился Болотаев, а она как бы про себя спрашивает:

— Тота, интересно, как они вас, чеченца, когда идет, и не первый год и не первый раз, война между Россией и Чечней, посадили на такое стратегическое место?

— Не знаю.

— Тем более что вы к налогам до этого дела не имели.

— Не знаю.

— Впрочем, вы ведь специалист по нефтянке. — Она отпила глоток чая. — А сколько нефти добывают в России?

— Вопрос двусторонний, — отвечает Болотаев. — С одной стороны, добывают нефть гораздо больше, чем по официальным данным. Процентов тридцать — левая нефть. А возврат НДС... — Болотаев не стал уточнять, только как бы в удивлении помотал головой. На что Ибмас засмеялась:

— Кошмар! Россия — удивительная страна. За день можно стать миллионером, а можно также вмиг всё потерять. — Она задумалась и после паузы продолжила: — Самое страшное в России, что договоренность с легкостью и безответственностью нарушается и это считается почти что нормой. — Тут зазвонил её мобильный телефон.

Она коротко поговорила на немецком, а потом вдруг спросила:

— В Москве, в России, почти каждую ночь взрывают огромные дома. Столько жертв. Говорят, что это чеченцы взрывают.

— Неправда! — выпалил Болотаев.

— У нас тоже такое мнение, — согласилась Ибмас.

— «У нас» — это у кого? — поинтересовался Болотаев.

— Это нельзя говорить, но вам — в нашем банке есть русский отдел. — Она испытующе смотрит на собеседника и продолжает: — Тота, мы с вами давно знакомы. Мы близкие люди и прочее, прочее, прочее, что недопустимо при моей работе. — Здесь она покраснела. — В общем, я не могу молчать, и у меня чисто служебный вопрос.

Она сделала паузу, следя за его реакцией.

— Задавай, — твёрдо сказал Болотаев.

— Положение чеченцев в сегодняшней России, скажем так, незавидное. И вдруг на такой стратегический пост, на такую должность назначают вас.

— И что? — не выдержал Тота.

— Вопрос. Исходя из опыта и закономерности.

— Какой?

— Либо вы такой специалист, что вытащили и пригласили из враждебной Чечни, либо...

— Либо чекист и стукач? — процедил Тота.

— Ну, я так не сказала... Но сами трезво, со стороны, постарайтесь оценить ситуацию.

— Я тебя понял, Амёла. — Теперь и Тота стал пунцовым. — Всё! Я уже уволился. Никаких дел, просьб и заданий.

Он салфеткой вытер рот, демонстративно бросил её в тарелку и, уже улыбаясь, сказал:

— Как говорится, нет худа без добра. По крайней мере одна польза от этой работы есть — тебя увидел. — Он как-то иначе глянул на неё и, перейдя на иной тон, произнёс: — Амёла, давай снова в горы рванём!

— Ха-ха, — рассмеялась она.

Её лицо резко изменилось, как бы разгладилось, даже помолодело. Но это было лишь мгновение. Вновь она стала очень грустной, задумчивой. Вновь меж бро-

вями пролегла, как господствующая над судьбой, ложбинка.

Она нервно сжимала в руках салфетку, словно последняя была виновата во всём.

– Постоянно вспоминаю те дни, – вдруг выпалила она. – Так жалею, что не удержала вас здесь либо сама не улетела с вами. – Глаза у неё увлажнились. – Хотя куда лететь? У вас мать, у меня одинокая мать. Судьба.

– Амёла, успокойся. – Тота осторожно хотел было дотронуться до её руки, но она отвела её и тихо прошептала:

– Я хочу вам сказать... нет... – Амёла совсем расстроилась.

– Да что случилось? Говори! – стал упрашивать Тота.

– Нет. Нельзя... Я обещала. Ладно. В следующий раз. Официант, принесите, пожалуйста, воды.

Отпив несколько глотков, Амёла успокоилась.

– Давайте о делах, – поменяла она тему.

– Я уже уволился.

– Не будьте так наивны. – Её голос и лицо стали непроницаемы. – Это не та служба и у вас не та должность и роль, чтобы можно было просто так по собственному желанию уволиться... Разве вы это ещё не понимаете?

Болотаев склонил голову.

– Ха-ха-ха, – вновь засмеялась Амёла. – Представляю, если бы сейчас рванули в горы. Нас бы прямо за Цюрихом русская мафия во главе с вашим боссом задержала и вернула назад, чтобы отрабатывали «оказанное доверие».

– Кажется, ты права.

— А как иначе? На кону огромные богатства... И сто процентов за нами сейчас следят. Ха-ха-ха. — Она вновь засмеялась. — Только не надо по сторонам смотреть — не увидим. И следят не только ваши, но и наши, и другие. Ха-ха-ха!

— Неужели это так? — удивился Болотаев.

— Конечно! Деньги — это власть и интересы. За них борются... Разве не об этом вас учили на политэкономии и научном коммунизме?

— А ты откуда об этом знаешь, Амёла?

— Мы все учились понемногу чему-нибудь и как-нибудь. — Она теперь улыбалась. — Что будем на десерт?

— Я уже сыт, не хочу.

— Надо, — постановила Ибмас. — Мы о главном не поговорили. Ваше дело. Кратко.

— Два офшора, — сказал Болотаев. — Только не пойму, почему именно здесь, у тебя? Вроде и у нас, даже в метро, эти услуги есть.

— Это медвежьи услуги, — усмехнулась Амёла. — Те офшоры — капканы спецслужб и бандитов. А у нас всё чисто, почётно и даже дивиденды есть. Или вы, Тота, об этом забыли?

— Уже забыл. И вряд ли вспомню.

— С вашей-то нынешней должностью?!

— Какая должность! — воскликнул Тота. — Даже командировочные не дали. Наоборот, заявление об увольнении попросил Егоров написать.

— Вот это да?! И из кармана деньги не дал? Вот как страхуются. А вас подставляют.

— Но я ведь заявление уже написал, — смеется Болотаев.

— Сейчас это смешно. Но ведь это несправедливо и неправильно.

— По-европейски — да, — согласился Болотаев.

— А по-человечески?

— И по-человечески. — Он стал очень серьёзным.

— У вас ведь дети, семья. Кормить надо.

— Надо, — совсем стал грустным Тота.

— А я по всему вижу, что дела-то у вас не очень.

— А как же, — согласился он. — Война. Разруха. Я в Грозном. В театре. Кому нужен театр во время чумы?!

— А на каких условиях вас хотя бы взяли?

В двух словах Тота рассказал о мимолетной встрече с министром.

— Понятно, — подвела итог Амёла. — Вам надо помочь. Вас надо спасать.

— Да не сгущай краски, — засмеялся Тота.

— Пойдёмте в банк.

Они встали, и тут Тота сказал:

— А могу я твою маму увидеть?

— Мы переехали... Если она нормально себя будет чувствовать, то я хотела бы, чтобы вы пообщались.

Ехали на такси. За городом, в очень живописном месте, небольшой да основательный, видно, старинный дом, вокруг ухоженный парк-сад.

— Это ваш дом? — удивился Тота.

— Да, — улыбается Амёла. — Вот, видите, напротив дом — это клиника неврологии, где мама часто лечится. Как-то, глядя в окно палаты, она сказала мне, что ей очень нравится этот дом... К счастью, дом был выставлен на продажу. Я приложила усилия. Мама была так рада.

— Молодец, Амёла, — с восторгом прошептал Тота.

— Да, молодец, — поддержала его сама Амёла. — Вроде всё наладилось, всё есть. Однако здоровье маме

не купишь. Так она и не избавилась от большевистского гнёта. — И, тяжело вздохнув, добавила: — Лишь бы мама хоть такой, но была.

А была старушка в тот день очень плохой. Дышала через аппарат. Вроде спала.

— Будить не надо, — говорит сиделка. — Сегодня кризис был. Врача вызывали. Вряд ли она вас узнает.

Обратно вновь ехали на такси.

Амёла стала смотреть в окно, словно видит Цюрих впервые. И вдруг встрепенулась, говорит:

— Как и мать, всех и вся боюсь. Боюсь надвигающегося, как тёмная ночь, как могила, одиночества.

Её настроение резко переменилось.

— Вам и всем советы даю, а сама... — Она вновь уставилась в окно и, когда уже машина стала тормозить, как итог, постановила: — Как хорошо, что вы приехали. Буквально взбодрили меня, всколыхнули.

На вид небольшой, элитный банк, где работала Амёла Ибмас, был в самом центре, в пешеходной зоне Цюриха. Амёла, как всегда, пошла очень торопливо. Неожиданно у самого входа остановилась и ткнула пальцем в грудь Болотаева и, словно внушая, сказала ему:

— Спасение утопающих — дело рук самих утопающих. Так в России говорят?

— Так, — согласился Тота.

— Вот так и будем действовать и работать с вашими партнёрами. — Она сделала паузу и добавила: — Отныне и навсегда. Но только с вашими, Тота, так называемыми партнёрами.

— Что значит «так называемыми»? — удивился Болотаев.

— Эх, Тота, Тота, не знаете вы деятельность этих русских чиновников и олигархов.

— Теперь знаю.

— Не знаете. Подноготную не знаете.

— Знаю. Для чего они войну в Чечне вновь затевают?

— Да, — согласилась Амёла. — Вчера ночью вновь в Москве дом взорвали.

— Да?! — Тота от неожиданности даже остановился. — Был в дороге — не слышал. Ужас!.. Небось вновь на нас повесили?

— Да. Объявили — чеченские террористы.

Они уже подошли к банку, и Амёла сказала:

— Тота, в банке всё видно и слышно. Только о деле. И прошу вас — делайте, как я говорю.

— Я так всегда и делал, — возмутился Тота.

— Отныне будет не как всегда, — твёрдо сказала Амёла. — Понятно?.. Ваше дело, когда будем в кабинете для встреч, чётко высказать всё то, с чем пожаловали.

— Так проще этого ничего и нет! — усмехнулся Болотаев.

— Вот и прекрасно. Пойдёмте в банк, там мы на «вы».

Этот банк, как и само здание, очень старый. Здесь витает дух Средневековья, словно вечность застыла, и в то же время, судя по оборудованию и аппаратуре, всё здесь ультрасовременно и при этом ни души не видно — всё видно в камеры.

— Это переговорная. — Амёла приглашает Тоту в небольшой кабинет. — Господин Болотаев, — она перешла на официальный тон, — дайте, пожалуйста паспорт.

Вернулась она не скоро. Уже было около четырех.

— Кстати, а дочь Егорова должна была быть здесь? — с ходу поинтересовался Болотаев.

— Да, я как раз с нею занималась, — говорит Ибмас. — Очень непросто. Непростая мисс. Сейчас я её

приведу. А вас хочу предупредить. Открывается компания, то есть просто счёт, через который из России потекут значительные суммы. Распределителем кредитов будет эта девушка, а основным бенефициарием должны были стать вы. Вроде за гонорар.

— Да вы что? — удивился Болотаев. — Зачем мне это?

— Я тоже так думаю. Потому что деньги отмоют, а, чтобы концы в воду, бенефициария «замочат». Разве мало в России заказных убийств?

— Вот это да?! — удивлён Тота, а Амёла говорит:

— Уважаемый господин Болотаев, это тенденция. И не значит, что и в данном конкретном случае был бы такой итог. Однако бережёного Бог бережёт. — Она широко улыбнулась и продолжила: — Мне кажется, я в данном случае выбрала идеальный вариант... Сказала, что нам не рекомендовано особо сотрудничать с чеченскими клиентами — потенциальными террористами, как заявляет Кремль и Москва.

— Браво! — тихонько похлопал Тота. — Значит, я к этой компании и их делам отношения более не имею.

— Абсолютно... Сейчас я приведу дочь вашего замминистра Егорова.

Тота был в шоке. Развязная, юная девчонка в очень коротком платье. У неё два мобильных телефона в руках и столько же пейджеров. Она говорит по-русски с акцентом:

— Папа пишет на пейджер, чтобы я вообще эту тему с ним никак по связи не обсуждала... Ах, это вы подчиненный папы — Болотаев?

— Да, я Болотаев.

— Очень приятно. Как там в России? Как папа? Он так много работает. Ведь правда?

— Да, очень, — подтверждает Тота, а она:

— Папа сказал, что Болотаев должен быть основным бенефициарием. А я ещё юна. Мне нет восемнадцати.

— Я вам всё по поводу Болотаева объяснила, — отвечает ей Амёла. — Поговорите с отцом. Предложите другую кандидатуру... Да и вы не очень юны. И у вас ведь только американское гражданство?

— Слава Богу.

— Конечно, — улыбается Амёла. — А когда вы сможете с отцом всё обсудить?

— Ну, раз я сюда, в Европу, прилетела, то он на выходные может вылететь на Кипр, и я туда полечу.

— Вот там всё и решите и дайте мне знать, — продолжает Амёла. — А господин Болотаев сделал для вас самое главное — рекомендовал и даже поручается за вас.

— Странно, — отвечает Егорова. — Вас не понять. С одной стороны, чеченец-террорист и дома в Москве взрывает. А с другой — поручитель и рекомендатель.

— Всё верно, — смеётся Амёла. — В глазах Москвы — чеченец-террорист и дома в Москве взрывает. А в глазах нашего банка и Швейцарии — надежный поручитель и рекомендатель.

Амёла Ибмас встала, как бы давая понять, что пора уходить, а напоследок говорит:

— По крайней мере, он ваше дело, очень важное и щепетильное дело, сделал.

— Ну да. — Юная гостья тоже встала. — Всё-таки подчиненный... Прощайте. Папе привет!

Проводив юную гостью, Амёла Ибмас вскоре вернулась.

— Так. Твой пожизненный босс уже ждёт здесь. Явно нервничает. По правде, если бы не ваша рекомендация, ему в этот банк вход был бы закрыт.

— Да вы что?! — вновь удивлен Болотаев.

— Да. За ним, по нашим данным, длинный шлейф финансовых махинаций. И в России он теперь боится показываться.

— Вот это да?! — Тота от удивления аж встал. — Амёла, а может, вы не будете из-за меня... — Тут он замялся.

— Нет-нет, — говорит Ибмас. — Вот здесь как раз всё наоборот. Вот здесь вы как раз и выступите бенефициаром. И запомните. Он вас на эту работу направил? Он или кто иной вам конкретную долю от риска обозначил? Гарантировал?

— Нет.

— Вот! А спасение утопающих, как мы уже знаем, — дело рук самих утопающих.

Она походила по кабинету.

— Я думаю, и это будет справедливо, а для них лишь копейки, и они даже не заметят, — каждый месяц на ваш личный счёт сто тысяч.

— Сто тысяч?

— Сто тысяч долларов.

— Долларов! — испуганно прошептал Тота. — В месяц?! Так у меня зарплата «генерала» всего семь тысяч рублей.

— Это специально сделано для чиновников в России, чтобы был стимул, а главное, оправдание казнокрадства, взяточничества и воровства!

По-ораторски продекламировав эту фразу, она уже вполголоса продолжила:

— Это как бы оправдывает и нас... Хотя в чём мы виноваты? Просто у сильного всегда бессильный виноват... Сейчас я приведу сюда нашего уважаемого Рудольфа Александровича. Но до этого я хочу провести одну интересную процедуру.

Она раскрыла папку.

— Вот названия зарегистрированных офшорных компаний. Выберите, какое нравится.

— Какая разница? — сказал Тота.

— Тем не менее. Посмотрите.

Болотаев было пробежался по списку и вдруг улыбнулся:

— Вот эта — Маршалловы острова, компания «Маршал».

— Я так и знала. — Амёла встала. — И я так тоже хотела... Напоследок станцевать с вами «Маршал»!

— Почему «напоследок»? — возмутился Тота.

— Это так, к слову, — улыбнулась она и затем: — Пойду за Голубевым.

В этом небольшом кабинете очень крупный, толстый Рудольф Александрович выглядит неуклюжим и неуверенным.

— Тота Алаевич, здравствуйте, — подаёт он свою пухлую влажную руку.

— Да-да. Господин Болотаев оказывает вам поистине неоценимую услугу, — говорит Ибмас.

— Согласен. Согласен, Амёла. — А она поддерживает его:

— Я поражена. Вы не нашли другого специалиста, а главное, настолько доверенного человека, что буквально упросили Болотаева приехать на работу в Москву.

— Да-да. Так оно и есть.

— А что, в Москве больше специалистов не было?

— Ну, — развёл руки босс.

— Понятно, — сказала Амёла. Стала рассматривать бумаги, а потом как бы невзначай: — Кстати, вы в курсе, что если бы не рекомендации Болотаева, то наш банк... И не только наш...

— Это недоразумение. — Пот выступил на лбу Голубева. — В России всегда не любят богатых и деловых. Нищеброды! Борщи! Им бы лишь лаптем щи хлебать... Посмотрите, какого алкаша они выбирают в президенты.

— Давайте не будем о политике, — перебивает его Амёла.

— Конечно, не будем, — соглашается Голубев, но через секунду: — А что этот алкаш творит в Чечне! Какой ужас!

— Да, это ужасно, — соглашается Ибмас, а Голубев с азартом продолжает:

— Теперь этот кошмар распространяется на всю Россию. Уже и в Москве, и в других городах дома взрывают. Ведь они, чеченцы, очень мстительные.

— А эти дома чеченцы взрывают? — спрашивает Амёла.

— Ну, говорят.

— И про вас в России говорят... Вроде уголовное дело на вас завели.

— Что?! Это ложь! Неправда!

— Уже заявка в Интерпол есть, — твердо говорит Амёла. — Вы ведь в курсе, Рудольф Александрович?

— В курсе! — Он вскочил, как ужаленный. — Эта несносная страна! Рабы! Холуи!

— Успокойтесь, Рудольф Александрович! — говорит Амёла. — Выпейте воды... Садитесь, пожалуйста.

Босс Болотаева неуклюже садится. Он ещё более вспотел, сопит:

— Всё! Я уже отказался от российского гражданства. Завтра же утром улетаю в Америку или Лондон. У меня американское гражданство.

— А компанию на какой паспорт оформим?

— Э-э, — задумался босс, а Амёла говорит:

— Если на американский, то там с налогами и офшорами...

— Нет-нет, — вскинул босс руки.

— Тогда, получается, на российский.

— У меня ещё паспорт Белиза есть... Пойдёт?

— Нашему банку более двухсот лет. И наши клиенты и репутация...

— Я понял. Понял. — Голубев залпом осушил стакан воды. — Амёла, дорогая, ну подскажите, помогите... Как правильно и надежно? Я думаю, я заверяю — это последний транш. В России грядут плохие времена. Чекисты дорвались до власти. Нам, честным бизнесменам, дышать не дадут...

— Рудольф Александрович, давайте без политики. Рабочий день заканчивается. Вы завтра улетаете. Болотаев сегодня. — Она искоса посмотрела на Голубева. — Давайте конкретно. Фирма уже зарегистрирована, название «Маршал», Маршалловы острова.

Рудольф Александрович рассматривает документы.

— Всё как обычно. Надежно, — сухо говорит Ибмас. — Вот реквизиты, они будут у вас и у Болотаева.

— У Болотаева? — удивился Голубев.

— А кто у вас исполнитель?

— Болотаев, — прошептал Голубев.

— Печати оставите у нас, как прежде, или заберете с собой?

— Как прежде.

— Кто бенефициарий? — Амёла почему-то стукнула кулаком по столу. — В такой ситуации, раз иных нет,

я предлагаю вариант, когда вы – основной бенефициарий, а Болотаев, как положено в таких случаях, резервный.

– Болотаев?!

– Вы не доверяете ему? Не доверяете банку?

– Конечно, доверяю.

– Тогда, как и прежде, за труды и риск пропишем в условии договора сто тысяч долларов в месяц Болотаеву.

– Сто тысяч? – изумился босс.

– Вы хотите поменять прежние условия бенефициариев?

– Ну, – замялся Рудольф Александрович. – Не слишком ли много?

– Это ваша прежняя ставка или, – тут Амёла усмехнулась, – для чеченца многовато?

– Да нет, что вы? При чём тут нации... Просто с ним министр договаривался. Разве не так, Тота?

– Да, так, – согласился Болотаев.

Наступила пауза.

– Вам обоим виднее, – сказала Амёла. – Но я думаю, исходя из прошлой практики. Для верности – раз через три-четыре месяца вы фирму ликвидируете, то сто тысяч в месяц при таких суммах...

– Амёла! – перебил её Рудольф Александрович. – Ну зачем столько подробностей?

– Подробности? – теперь уже Ибмас в удивлении. – Вы его пригласили, ему сами всё доверили. Он исполнитель и бенефициарий, и он не должен знать? Хорошо. А как вы хотите?

– Я согласен. Согласен. Но без лишних подробностей. Ведь меньше будешь знать – дольше будешь жить. Правильно, Тота Алаевич?

— Так точно.

— Вот и хорошо, — обрадовалась Амёла. — Словом, оформляем так же, как прежде, только меняем фамилию — Болотаев.

— Отлично! — хлопнул в ладоши Голубев.

— Тогда подписи обоих, где галочки... Поздравляю с открытием компании «Маршал»!

Когда они втроём вышли из банка, было уже темно.

— Мне надо торопиться в аэропорт, — сказал Болотаев.

— Тота, дорогой, — воскликнул Рудольф Александрович, — я бы с удовольствием проводил тебя, но мне самому надо собираться. Утром рейс, а дел, сам знаешь.

Они по-родственному обнялись.

— Смотри, не подведи нас, — говорил на ухо Голубев. — Видишь, какие бабки тебе отваливаем.

— Я постараюсь, постараюсь, — улыбался Тота.

— До встречи, — сухо попрощался Голубев.

— Я его провожу, — предложила Амёла.

— Ах да! — развёл руки Рудольф Александрович. — Тота для Амёлы Ибмас — Бог и царь... Позвольте откланяться. — Он церемониально поцеловал руку Ибмас. — Надеюсь, нас ещё ждут великие дела. — Он опустил затемненное стекло лимузина, помахал рукой.

...Вечером в Цюрихе пробки. Впритык прибыли в аэропорт. Всё делали бегом. Перед самым паспортным контролем сухо, по-деловому попрощались. Оба застыли. Вдруг она прильнула к нему, обеими руками схватила лацканы его пиджака:

— Тота, вы ведь в старости будете мне помогать? Не забудете? — Слеза покатилась по её щеке.

— О чём ты говоришь?! Какая старость? Нам ещё жить и жить.

— А мне кажется, что мы больше никогда не увидимся.

— Конечно, увидимся. У нас ещё столько дел!.. Всё хорошее у нас ещё впереди.

— Правда? Тота, и я ещё увижу ваш танец «Маршал»?!

— Да я и сейчас для тебя станцую... А ну, давай похлопай чуть-чуть. Поддержи меня!

— Тота, перестаньте. — Она от неожиданности прикрыла рот, но, увидев, как он, словно на сцене театра, вдруг встал на носки, во всю ширь раскинул руки и, как горный орёл, в этой завораживающей позе на мгновение застыл, она от восторга, позабыв обо всём, громко ахнула и стала хлопать. И под этот ритм Тота, стремительно гарцуя, двинулся в танце к жёлтой линии контроля —аж пограничник привстал...

* * *

По мнению Болотаева, во всём, если здорово поразмыслить, есть свои плюсы. Даже в тюрьме. Вот прожил бы он всю жизнь — всё время в суете, в мелких делах и заботах — и так бы не задумался о жизни, о том, что видел и пережил... А вот в тюрьме всё поминутно можно вспомнить, проанализировать.

...Ведь летел Тота из Цюриха в Москву, был уже поздний вечер, темно, а самолет взлетел, и такое чудо — прямо перед ним высоченные вершины Альп в лучах уходящего, усталого солнца они тоже побагровели, так загадочны и манят к себе. А ведь у него есть не менее величественные, а главное, родные горы — горы Кавказа. И Казбек, и Эльбрус даже выше Мон-

блана, выше и по-родному краше даже, чем Альпы, однако, к его стыду, он фактически не бывал в своих горах. Да и в Чечне он мало был – то учился, то работал, то защита – одна-вторая. А теперь там мать, дети, семья. Там такие же прекрасные горы... И там снова начинается война. Подряд вторая война. И на сей раз к ней ведут по-другому. С идеологической обработкой, пропагандой и агитацией. И другого способа не придумали – стали в Москве и других городах России целые дома с жильцами по ночам взрывать. Всё на чеченцев списывать.

В такой атмосфере жить в Москве, тем более работать, чеченцу нелегко. А Тоте Болотаеву не хочется. Если бы кто знал, как ему тяжело в это госучреждение на работу ходить.

И самое интересное, он даже сам себе не может объяснить: почему он испытывает эти чувства в этом здании, на этой работе? Ведь по идее работа вроде бы на зависть. А после поездки в Цюрих и встречи с Амёлой многое, даже по цифрам, прояснилось, прояснился его гонорар, который гарантирует не министр, которого он более и не видел, а Амёла Ибмас, и она – гарант. И за такой гонорар – сто тысяч долларов в месяц – всё что угодно можно и якобы нужно делать. Однако, видимо, глоток швейцарской свободы сказался и одиночество Амёлы подействовало – ему очень захотелось домой, к семье, в Грозный. А для этого он на следующее утро пораньше явится на работу, заявление уже написано; так что заберет трудовую, сдаст удостоверение и – домой. Домой!

Почему он так не поступил? Ведь знал. Ведь чувствовал, что всё вокруг неладно. Что найдут козла отпущения. И раз взрывы домов в самом центре Москвы

устраивают, и на чеченцев сваливают, то и здесь эти миллионы и миллиарды на него повесят... И даже пограничник, узнав, что он чеченец, бесцеремонно попросил его пройти в отдельный кабинет. Всё очень строго. И полковник буквально начинает допрос:

— Цель поездки? Для чего и к кому?.. Почему так быстро вернулся? Что в карманах? Где багаж?

Болотаев протянул удостоверение. Внимательно прочитав, полковник аж встал:

— Вы заместитель руководителя департамента? А какого департамента?

— По работе с крупными налогоплательщиками.

В это время зазвонил телефон:

— Да-да. Здесь, — отвечает полковник. — Всё. Понял. Есть! — Он с неким трепетом возвращает удостоверение. — Вас встречают. Я вас провожу по отдельному коридору... У вас нет багажа? Вы простите, пожалуйста. Впредь пользуйтесь дипломатическим коридором. И вот мой телефон на всякий случай.

От такого поворота событий Болотаев был приятно удивлен. А тут, прямо на выходе, его встречает помощник Егорова:

— Тота Алаевич, Тота Алаевич, с приездом, дорогой... Давайте ваш портфель... Шеф от вас в восторге. Такое дело мигом провернули. Оказывается, у вас такие связи в Швейцарии. Вот что значит чеченская мафия!

Тота даже не знал, как реагировать, что отвечать. А они уже вышли к стоянке, и помощник первого замминистра докладывает:

— Вот ваш служебный «мерседес». Не совсем новый, но напичкан — высший пилотаж! Двенадцать цилиндров... Во дворе вам выделено место для парковки. А сейчас вас шеф на работе ждёт.

— Прямо сейчас? — Болотаев посмотрел на часы — половина первого ночи.

— Прямо сейчас! Сами знаете, какая у нас служба.

Ночью здание министерства как чудовище, в чреве которого с трудом переваривается дань с батраков. Для улучшения «пищеварения» на ночь принимаются «слабительные» — это всякие коммерсанты, бизнесмены, иностранцы, да и просто блатные, которых вызывают по ночам, чтобы простой, служивый люд из налоговиков особо не возмущался.

Болотаев знает об этой практике, и он не решил, что ответит Егорову, если тот в данный момент попросит его какое-либо дело срочно на возврат НДС запустить (пока власть в стране не поменялась — как шеф не раз шутил).

К удивлению, на сей раз всё иначе. Первый замминистра даже вышел в приемную навстречу Болотаеву:

— С приездом, брат! — Он перешел на ты. — Такое дело вмиг провернул... Но и мы в долгу не останемся. У тебя есть наш мундир — генеральский?

— Нет.

— Срочно найти! По его размеру найти. Нужно фото... Президент Ельцин присвоил тебе звание — государственный советник налоговой службы второго ранга!.. Браво, товарищи!

— Браво!

Приемная битком забита. Все встали.

— Где шампанское? — кричит Егоров. — За Болотаева! Ура! Ура! Ура!

Вот так всё снова завертелось, понеслось словно по накатанной. Объем работы просто колоссальный. И всё срочно, в первую очередь или сверхсрочно для администрации президента, либо Думы, или Совета Федера-

ции, в том числе лично от премьера или его тёщи. Тут же в очереди всякие блатные, шоумены и даже цыганские бароны.

Болотаеву проходу нет. Его всюду поджидают, упрашивают, даже в карман десятитысячные банковские пачки долларов суют. Домашний телефон он вовсе отключил. На пейджер и мобильный тоже не отвечает.

Каждый день, с девяти до девяти, как минимум, он на работе. А бывает и до полуночи. В субботу – до трех. И только воскресенье – выходной. Просто налоговая полиция их в здание не пускает. Никого не пускает.

За один выходной Тота не может отоспаться. И он теперь понимает, почему в России так любят праздники и выходные... И вдруг всё остановилось. Всё просто замерло, словно в колесо велосипеда палку сунули... Министра уволили. Всё моментально встало. А Тота стал высчитывать: двух-трёх дней не хватает до обозначенного бывшим министром срока – каждый квартал (три месяца) он, так обещал, сам будет рассчитываться с ним. Делать нечего. Тота ждёт. Назначают нового министра. Человек никому доселе не известный. Тоже со стороны. То ли из Мордовии, то ли из Бурятии.

Тут же назначается руководитель департамента – очень молодая, длинноногая, симпатичная девушка. Для неё выделен отдельный кабинет на элитном третьем этаже. И она первым делом вызывает Болотаева.

– Тота Алаевич, – она курит, – у меня к вам две просьбы: не могли бы вы освободить место парковки. Нашему департаменту выделено только одно место. Не обижайтесь, пожалуйста.

– Нет-нет, всё понятно.

— «Майбах» на дороге не бросишь... А ваш «мерседес» сдайте, пожалуйста, в общий отдел... Это распоряжение министра.

— Да-да, конечно, — говорит Болотаев. — Что ещё? Вторая просьба?

— Ах да... Мне надо на прежней работе свои дела закрыть. Это назначение для меня такая неожиданность.

— А где вы работали? — вырвалось у Тоты.

— Ну, скажем так, в модельном бизнесе. В сфере услуг.

— А, простите моё любопытство.

— Ничего, ничего. Всё объяснимо... Я привыкла. Как говорится, красота требует жертв... А вы продолжайте работать в том же духе... Мне сказали, что вы очень ценный и ответственный работник. И даже вами надо до-ро-жить, — с филигранным кокетством выдала она. — Так что продолжайте, продолжайте работать.

Без прежнего рвения, но Тота продолжал работать. И вот как-то утром он проводил очередное совещание, когда неожиданно Августина Леонидовна перебила его. Болотаев насторожился. После конфликтов в первые дни Тота так загрузил работой эту пожилую работницу, к тому же показал ей и всем её нетрудоспособность и законодательную отсталость, что она более не пыталась выступать и даже всячески угождала и подлизывалась Болотаеву. А тут вновь вызывающий тон.

— Что вы сказали? — удивился Тота.

— Я вас спросила, где вы были вчера ночью?

— Вчера ночью? — Болотаев задумался. — Так... Как где? Мы ведь с вами до двух часов ночи вчера отчет для нового министра готовили.

— Да-да, было такое.

— А почему вы спросили?

— Да вчера ночью вновь дом взорвали.

Наступила гробовая тишина. Все опустили головы.

— На что вы намекаете? — процедил Тота Алаевич.

— Ну, понимаете, — у Августины Леонидовны голос прорезался, — это сделали чеченские террористы. Кто-то ведь их финансирует.

Пауза.

— И что? — Теперь и у Болотаева голос прорезался.

— А вы, Тота Алаевич, оказывается, недавно в Швейцарию на день летали. В Цюрих.

— А что, нельзя в Швейцарию летать?

— Конечно, можно, раз наши денежки на счетах проверить надо.

— Какие «ваши» денежки, какие счета? — вскипел Тота. — Какое ваше дело куда и зачем я летаю?

— Мне-то плевать! — также повысила голос и она. — Вот только не надо нашу Москву взрывать. Не надо! Сталин был прав!

— Молчи! — ударил Тота по столу кулаком, в гневе вскочил. — Если бы не твоя толстая задница — не пролезет, я бы вышвырнул тебя в это окно! Вон отсюда! — И вслед — матом.

— Разве можно так с пожилой женщиной, ветераном труда? — возмущенный голос.

— Можно и нужно! — крикнул Тота. — Когда твой народ безвинно истребляют, бомбят, уничтожают. А теперь и террористами обозвали. Сами свои дома взрывают! Мы знаем, кто это делает. И вы знаете, но, как рабы, молчите!

— Вам не стыдно?

— Нет, мне не стыдно. — Он вновь ударил кулаком по столу. — Вам должно быть стыдно. Сталина вспомнили! Сталина вновь получите!

С этими словами он покинул зал для совещаний и пошёл в генеральское кафе, где просидел до обеда.

Во второй половине дня, по графику, надо было ехать на совещание в Министерство финансов, а потом были дела в Минтопэнерго. После этого его ждали на работе. Однако уже было темно, к тому же у него очень разболелась голова, и Тота поехал домой. Всю ночь не мог заснуть, мучился, только под утро отключился, поэтому на следующий день опоздал на работу.

Всё было как обычно. Только вот его подчиненные в этот день на его приветствие еле среагировали. Все головы опущены, словно исполняют работу. А вот толстой спины Августины Леонидовны не видно.

Быстрой походкой Болотаев прошел к своему кабинету, и, встав на ступеньку, как обычно, потянулся к ручке и тут заметил накрест опечатанную дверь, сверху коричневая сургучная печать: «Не входить! 1-й особый отдел».

Тота глянул на своих подчиненных. Никто не поднял головы. Тишина. И он у них ничего не спросил, не сказал ни слова. Также торопливо покинул помещение.

Первым делом он пошёл на четвертый этаж к своему непосредственному шефу, который требовал, чтобы Болотаев в любое время к нему заходил. Однако на сей раз, увидев его, секретарь Егорова, бросилась навстречу, преграждая путь.

– Шеф занят... Вам, Тота Алаевич, надо пройти в отдел кадров.

Отдел кадров был закрыт. Болотаева потянуло в генеральское кафе. Обычно здесь его все приветствовали и приглашали за свой столик... Но на сей раз случилось невероятное – словно появился прокаженный, все, от-

водя взгляды или даже прикрывая лица салфеткой или платком, выскочили из кафе. Лишь официантка оказала ему внимание, принесла кофе и пирожное...

Через тридцать минут он вновь был в отделе кадров.

— У меня нет никакого приказа, и я не могу вам выдать трудовую книжку.

— Мой кабинет опечатан.

— Я в курсе. И министр в курсе... Зайдите попозже.

Болотаев вышел из здания, походил по городу, заходил в дорогие магазины. Через час вновь был в отделе кадров.

— Вот ваша трудовая. Вы уволены по собственному желанию. Я не видела, но где-то, говорят, есть ваше заявление.

— Спасибо. — Болотаев даже не ознакомился с записью, а спросил о своём: — Последнюю зарплату и выходное пособие когда я получу?

— По этому вопросу обращайтесь к своему земляку. — Она назвала известную чеченскую фамилию.

— А при чём тут он? — крайне удивился Болотаев.

— А вы не в курсе? — в свою очередь удивилась начальница отдела кадров. — Впрочем, мои функции на этом закончились. — Она посмотрела на часы. — Обед.

Болотаев уже выходил, как услышал за спиной:

— А что вы ожидали? Вы ведь не из нашей системы, и очень было странно, как вы сюда попали.

Болотаев обернулся:

— Да, я не из вашей системы.

— Ой, — вдруг спохватилась кадровичка. — Совсем забыла. Ваше удостоверение? При себе? — Она развернула документ. — Вам эта фотка нужна?

— Нет, — ответил Болотаев.

Тогда кадровичка грубо сунула удостоверение в такой же утилизатор бумаги, как в кабинете первого замминистра. И если в кабинете Егорова брошюра «Налоговый кодекс Российской Федерации» ликвидировалась со звуком шинкования капусты, то удостоверение налоговика стало издавать такой душедробильный скрежет, что у Болотаева аж скулы свело.

А начальник отдела кадров влажной салфеткой тщательно вытерла руки и выдала:

– Только зря бланк испортили.

Болотаев оцепенел. А она словно вспомнила:

– Кстати, вы должны быть благодарны. Всего за три месяца работы, и то не полных, вам президент России Борис Николаевич Ельцин почему-то присвоил государственный чин налоговой службы второго ранга. Я эту запись сделала в вашей трудовой. При выходе на пенсию пригодится.

– Да? – Болотаев лишь теперь раскрыл трудовую. – Зачем вы сделали эту запись?

– Так положено.

– М-да. – Артистично щёлкнув каблуками, Болотаев вдруг выправил стать и демонстративно, постранично стал рвать свою трудовую книжку.

– Что вы делаете?

– Зря испортили мой бланк, – весело выдал он.

– Так это бы вам пригодилось при выходе на пенсию.

– В России, при президенте Ельцине, чеченцы до пенсии не доживут. Замочат... Где у вас урна? Простите и прощайте.

По пустынному длинному широкому коридору он двинулся к лестнице и, чувствуя, что кадровичка провожает его взглядом, напевая себе, стал на ходу вытан-

цовывать лёгкую джигитовку, а у самого угла выдал фирменный пируэт; оказавшись к ней лицом, он вознёс руки и негромко воскликнул:

— Маршал! — после чего вытянув в её сторону указательный палец, тем же голосом произнёс: — Это значит — свобода!!!

— Дикари! — эхом по коридору вслед.

* * *

Есть в жизни моменты, о которых после очень сожалеешь. За которые очень стыдно и не хочется вспоминать. Сожалел ли Тота Болотаев о содеянном в тот последний день? Нет. К тому же все основные события оказались впереди.

...Единственным островком некоего успокоения в этом здании для Болотаева было генеральское кафе. И почему-то напоследок его туда понесло. Кафе битком. Был обед. Тем не менее вновь всех как ветром сдуло. Даже давка образовалась у двери. Только один, совсем молодой паренёк-армянин Карен — его коллега, тоже из очень крутого департамента, алкогольной и табачной продукции, остался на своем месте. Что-то доедая, он исподлобья уставился на Болотаева, словно последний голым зашёл.

— Тота Алаевич, — в это время подбежала официантка, — у нас обедов нет. Всё закончилось.

— Я обедать не хочу... Мне, пожалуйста, кофе, конфетку и сто грамм коньяку.

— Так вы ведь никогда не пили.

— Сейчас хочу. Можно?

— Конечно, можно. Только побыстрее. У вас ведь удостоверения уже нет?

— А вы уже знаете?

— Служба! — развела она руками, быстро принесла заказ. Также быстро Болотаев залпом всё поглотил. Официантка подошла, стала собирать перед ним посуду, а он:

— Можно напоследок повторить?

— Вам, Тота Алаевич, можно... Только жалко, что «напоследок». И, если честно, вы не из этой среды. Видели, как ваши коллеги и братья по разуму отсюда рванули... Как свиньи нажрутся, братаются. О миллионах болтают, а на чай рубль не дадут.

Официантка ушла за прилавок, а Болотаев видит, что к нему, словно по минному полю, осторожно подходит его коллега Карен и шёпотом спрашивает:

— Тота Алаевич, а вы в курсе? — Он руками показывает крест.

— В курсе, а что?

— Просто у вас лицо, глаза...

— Что лицо, что глаза?

— У вас лицо и глаза всегда были грустными и печальными. А сегодня...

— Что сегодня?

— Вы сегодня просто сияете от счастья.

— Правда? — усмехнулся Болотаев. — Это, видимо, от коньяка.

— Да нет. Это и до коньяка было видно... Вы сегодня резко изменились, помолодели.

Болотаев засмеялся. Хлопнул бывшего коллегу по плечу. Положил на стол деньги.

— Удачи тебе, друг... А официантке скажи спасибо и что я тороплюсь.

Он действительно очень торопился. Торопился покинуть это здание, собирающее с людей дань. А оказавшись на улице — а день был пасмурный, холодный, — он

почувствовал такое удовольствие от жизни, что чуть ли не вприпрыжку побежал до ближайшего метро «Охотный Ряд», в вестибюле которого есть авиакасса, где он купит билет домой.

С такой блаженной мыслью он вскоре оказался на Театральной площади, где сердце Москвы и России — Большой театр. Несбывшаяся мечта его жизни! Несбывшаяся мечта его матери! Но это тайны души, а душа ликует! И в этом состоянии он оказался на фасадном парапете Большого театра. Здесь пустынно, и, думая, что за громоздкими колоннами его никто не видит, он и здесь, может, претворяя свою мечту, прошелся в джигитовке от края до парадного входа. Под конец выдав своё коронное па, как бы про себя воскликнув «Маршал» и уже по ступенькам сбегая в сторону сквера с фонтаном, чуть громче крикнул: «Свобода!», был уже у метро, когда ему преградили путь:

— Ваши документы, гражданин! — Трое милиционеров стали вокруг него.

Москва — режимный город, но, имея такое удостоверение в кармане, Тота паспорт с собою не брал. Он назвался и признался, что чеченец.

— А хулиганить зачем?

— Я хулиганил?.. Это танец. Театр. Радость.

— Вы радуетесь террору в Москве?

— Да вы что?!

— Пройдёмте. Для выяснения личности и обстоятельств.

Если не считать потерянного времени, то остальное было более-менее. И как итог:

— Есть за вас кому поручиться?

— В смысле? — поинтересовался Болотаев. — Паспорт привезти?

— Ваш паспорт мы уже изучили... Штуку. Зеленых.

— Тысячу долларов? За что?

— Мордой не вышел... Или...

— Понял. Можно позвонить другу?

Довольно быстро приехал Бердукидзе. Уже была ночь, когда он отвозил Тоту домой.

Ехали молча.

— А Москва сияет, — выдал вдруг Болотаев.

— Да, — подтвердил Бердукидзе и добавил: — Кстати, а ты сам-то от чего сияешь?

— А я сегодня уволился.

— Точнее, тебя уволили, — поправил его друг.

— Да, уволили, и я счастлив.

— Ну и дурак... Впрочем, может, это и к лучшему.

— Мне деньги нужны, — сказал Тота.

— Деньги всем нужны.

— А где босс?

— Босса нет.

— Как нет? — поразился Тота.

Позже, во время следствия, от него требовали рассказать всё, что он знает о Голубеве. Получилось всё наоборот: Болотаев узнал, что его бывший босс — известный в мире олигарх, с юных, комсомольских, времён был стукачом, работал на КГБ, а после — на ФСБ. А когда его миллиарды основательно осели на Западе, вслед за ними и олигарх попросил американского убежища, что было удовлетворено, с трудоустройством в ЦРУ.

По официальной версии, Рудольф Александрович умер от инфаркта в номере отеля Нью-Йорка. А Бердукидзе сказал, что, по словам дочери, перед смертью его пытали, потом придушили. Но служба охраны сверхдорогого отеля, местная полиция и даже наня-

тый частный детектив и адвокат подтвердили версию – инфаркт.

Эта новость от Бердукидзе очень встревожила Тоту. Наверное, поэтому, когда он в ту ночь, расставшись с товарищем, вошёл в свою квартиру, он тщательно защёлкнул все замки. И тут же вдруг звонок в дверь.

Тота прильнул к дверному глазку. Вроде незнакомый молодой человек – улыбается.

– Тота, это я, Идрис, меня твоя мать прислала, – сказал он по-чеченски.

Тота открыл дверь... Дальше всё было, как в тумане...

...Когда очнулся, услышал несколько мужских голосов. Один явно чеченец с характерным акцентом. Но не он здесь главный, понятно по голосу.

– Ну всё. Всё, что надо выяснили, – это чёткий командный голос. – Всё записано?.. Интересно, как он о Голубеве узнал?

– Да об этом уже все знают, – это чеченец.

– Надо завтра об этом материал в газету дать... Только согласуйте... Ну а вам, Гилани, огромное спасибо... Правда, он нам ничего толком и не сказал.

– Мы ещё с ним поработаем, – это вновь чеченец.

– А куда ещё с ним работать?! Всё выжали. Он просто исполнитель. А куда конкретно двести лимонов уплыло, он не знал и знать не мог.

– Голубев знал, но его нет, – это ещё один голос.

– Вот эта банкирша из Швейцарии. Как её? Амёла?

– На неё надо выйти.

– И что ты ей скажешь? И как ты ей скажешь?

– Через этого.

– Ладно. Закругляемся... Тебе, Гилани, спасибо.

— Да что вы?.. Общее дело делаем. И я рад служить и стараться.

— Похвально, Гилани. Похвально. Я доложу. Хотя вот этот твой кадр — плясун.

— Да при чём тут я?! — оправдывается чеченец. — Я его знать не знаю. Это Голубев его откуда-то откопал.

— Может, это и так. Но за доверенное тебе место. Тем более такое место — надо бы быть поответственнее.

— Больше такого не будет.

— Конечно, не будет. Не допустим.

— А с этим что делать?

— В принципе, с ним всё понятно: козёл отпущения. Но за оскорбление старого чекиста, а тем более лезгинку перед Большим... К тому же всё о свободе грезит... Я думаю лет пятнадцать—двадцать за поддержку терроризма ему светит.

— Но позвольте, — засмеялся чеченец, — какой же из него террорист. Это ведь артист! И всё выдал. Нет там ничего.

— Ха-ха-ха, ты прав, Гилани... И всё же какая же у вас, чеченцев, солидарность! Ты его вроде знать не знаешь, а всё равно выгораживаешь.

— Ничуть. Просто он ведь нам нужен на эту швейцарку влиять.

— Это есть... Ну ладно. Мы пошли. А ты исправляйся...

— Непременно... Я, как велели, смотаюсь в Чечню. А за этим мои пацаны посмотрят.

— За этим, — последовала пауза. — Уже смотрят. А ты занимайся поручением. Честь имею.

Тишина. Болотаев хочет открыть глаза. Не может. Шум. Шаги.

— Эй, Петрович, когда он проснётся? — вновь голос чеченца.

— Да пора уж.

Болотаева слегка бьют по лицу. Прыскают в лицо водой.

— А ну, поднимайте веки. Поднимайте. Просыпайтесь. Гражданин, подъём... А! Вот и всё... Как вы себя чувствуете? — Тота видит перед собой пожилого мужчину. — Ну всё. Я пошёл.

Тота посмотрел ему вслед, потом осмотрелся. Вроде это его квартира. Перед ним стоит этот известный чеченец. Поодаль ещё один. Кажется, тот, что в дверь звонил.

— Проснулся? — спрашивает у Болотаева по-чеченски. — Меня зовут Гилани.

— Воды, — попросил Тота, а потом: — Что это за спектакль или сон?

— Скорее спектакль. Ха-ха, ты ведь артист.

— Я Тота Болотаев... Хозяин этой квартиры.

— Это понятно, — говорит Гилани. — А теперь слушай меня. Коротко. Ты попал. Ты под колпаком. Вот он будет тебя всем, что хочешь, обеспечивать. Понял?

— У-у, — промычал недовольно Тота.

— Я на пару дней слетаю домой, в Чечню. А ты за это время должен позвонить этой банкирше из Цюриха и позвать её в Москву.

— Какую банкиршу? — очнулся окончательно Болотаев.

— Ну, эту, Амёлу... Видно, классная баба. Ты от одного её имени... Ха-ха, — захохотал он. — В общем, ты понял.

— Мне надо домой, в Чечню. К маме, детям.

– Какая Чечня? У тебя и паспорта нет. Так что не рыпайся.

– Я под арестом?

* * *

Технический прогресс – не всегда благо. Например, чтобы сделать одну фотографию 50–60 лет назад, надо было специально идти в фотоателье со всей семьёй. И это была и есть фотография и история. Это запечатлённая на плёнке эпоха. Дух того времени.

А сегодня можно в день на камеру или тем более простой мобильный сделать сотни снимков. Однако они почти что не материализуются, теряются в памяти того же аппарата и с ним же физически исчезают.

Это умозаключение к тому, что если бы Тота Болотаев делал свои заметки на электронных носителях, то они бы, скорее всего, исчезли в мельчайшем чреве этих носителей. А Болотаев вёл свои записи по старинке; как бы письма издалека, и воспоминания, и размышления. Что-то вроде эпистолярного жанра. К сожалению, умирающего жанра. И, к сожалению, хотя бы потому, что если бы не эти «Записки Болотаева», мы бы многого не узнали, а скорее всего, даже не вспомнили бы Тоту Болотаева, а тем более не узнали бы о роли и сущности некоего Гилани, имя которого по понятным причинам пришлось изменить.

Вместе с тем предоставленный текст максимально соответствует оригиналу, и в данный момент необходимо отметить, что автор первоисточника был, по нашему мнению, всесторонне одаренным человеком. Чего только стоит последующий краткий философский и политэкономический анализ современного состояния дел в России. Впрочем, оцените сами, потому что после-

дующие две-три главы изложены практически так, как было в оригинале. И судя по почерку, шрифту, чернилам и, конечно же, бумаге, эти страницы Болотаев уже писал, будучи в хороших условиях. Правда, здесь следует отметить: чтобы не менять манеру повествования, мемуары, написанные от первого лица, были изложены как бы со стороны, от третьего лица.

Думаю, читатели простят эту авторскую вольность. Однако лучше, чем первоисточник, ничего нет, поэтому вернемся к «Запискам Болотаева», то есть к нашему повествованию...

Демократия по-российски — удивительное изобретение. Это некий полуфеодальный строй в XXI веке. Время, когда вроде бы царя, дворян и крепостных нет, но «во благо отчизны» выстроена строгая вертикаль власти, где каждый, кто у руля, руля любого уровня, считает, что это всё его и навечно. И задача подведомственного хозяйства — всемерно улучшать благосостояние хозяина.

Конечно, обобщать неправильно, но закономерность налицо, и кто не вписывается в систему — не член некоего кооператива, точнее команды, он не руководитель и тем более не государственник, ибо он, то есть руководитель любого ранга, обязан делиться, то есть отстегивать наверх, а если надо, он должен, так сказать, за «свои кровные» построить мост, дорогу, оказать благотворительность, содержать футбольную или хоккейную команду, если повезёт, даже в Лондоне или Нью-Йорке, но бывает, что и в Улан-Удэ. И ещё надо много-много чего — в зависимости от масштаба руководства.

Если начальник справляется — то рост и уважение, если нет, то... Словом, деньги, только деньги нужны.

И только тот, кто приносит прибыль, нужен. Понятное дело, что никто не хочет быть подневольным либо крепостным. И многие пытаются выбиться в высшее общество – в «графья» или «князья». И для этого некоторые готовы что угодно сделать, в том числе и родину продать.

Отчизна, точнее высшее руководство, таких энергичных всемерно должно поощрять. А как поощрять? По-разному. В зависимости от вклада, должности и рвения. Кому область, кому край или целое министерство. Можно фабрику или завод. А вот такому, как Гилани, за особый вклад, как за выслугу лет дали должность начальника отдела в министерстве сроком на десять лет, то есть до пенсии.

Должность не ахти, да и сам Гилани в налогах вовсе не разбирается. Так, поставил туда своего человека – доход небольшой, но стабильный, плюс кое-какая информация тоже нужна. А тут как-то на горизонте Голубев объявился. Последнему надо было одного конкурента с рынка прогнать. Обратился Голубев к своим друзьям – покровителям из спецслужб. Они рекомендовали неких «дерзких» и «неподконтрольных» чеченцев, кои были под контролем, то есть «шестерки» Гилани.

Вот так сошлись Голубев и Гилани. Однако у Голубева какой масштаб, влияние и хватка. Как узнал он про «выслуженную должность» в министерстве, быстро сообразил: вложились, то есть солидно доплатили и повысились в должности – заместитель руководителя департамента. А потом вошли в раж, понравилось. Вновь Голубев щедро вложился при назначении нового министра, и уже вся нефтянка под контролем: лишь толковый, честный, перед Голубевым честный, человек

нужен был. То, что Болотаев попал на эту должность, — роковая для него случайность. А о каком-то Гилани, что очень предприимчивый и богатый есть чеченец в Москве, Тота лишь краем уха слышал, а обо всём остальном узнал чуть позже, когда как заложник был перевезен в какой-то подмосковный дом.

Этот дом, видимо загородная дача, очень удобен; тем более что Тота лежит на огромной мягкой кровати и вокруг блестящая роскошь, как в индийском кино. А на антресоли ваза с фруктами и всякие деликатесы и напитки, как по заказу. Однако у Болотаева одна мысль — спасаться, бежать. Но как? Сделанные накануне уколы, особенно в мышцу бедра, очень болят. У него сонное состояние, так что голову не хочется поднимать, да и не может он её поднять. Болит. Всё болит.

Пришёл он в себя от грубого крика Гилани:

— Где этот кIалцIуола?*

Это Болотаева задело. Пересилив себя, он с трудом встал. В это время зашёл Гилани и он, как бы нивелируя все предыдущие моменты, по-чеченски справился у Тоты «могушпаргIат?»**. А потом пригласил в небольшую гостиную, где молодой чеченец уже накрывал стол.

— Тота, садись... Мы с тобой чеченцы, и нам, сам понимаешь, нечего делить. Тем более что родина в беде. Я только оттуда.

— Как там? — вырвалось у Болотаева.

— Плохо. Авианалеты, массовая гибель людей... Понятно, что русские натворят. Но виноваты мы сами...

* КIалцIуола *(чеч.)* — пренебрежение, артист — в плане неестественном.

** Дословно — здоровье, комфортно (жизнь, дела).

Подставились... Да и если этих главарей, этих бандитов не убрать — народ не выживет... Ты поешь.

— Да-да, спасибо.

— В любом случае этих гадов, что сейчас там рулят, надо убрать. А ты как считаешь?

— Я думаю, что всё надо делать без танков и бомб.

— А я думаю, наоборот, надо вытравить эту заразу на корню. Видишь, как они в Москве и других городах России дома взрывают.

— Так ты думаешь, что эти взрывы чеченцы устраивают? — от удивления у Болотаева даже голова болеть перестала.

— А кто же ещё?! — воскликнул Гилани.

Наступила гнетущая пауза. И хозяин её нарушил:

— Теперь не важно, кто это сделал. Важно, что на нас это повесили и теперь вовек нам от этого ярлыка не избавиться.

— Какого ярлыка?

— Бандитов. Убийц.

— Кто бандит, а кто убийца — решает время и суд.

— Какой суд, какое время? У сильного всегда бессильный виноват. Разве не так, артист?

— Может быть, и так, — исподлобья зло глядит Тота. — Только я уже давно не артист. А был танцором.

— Но-но, не обижайся. Просто имя у тебя странное — Тота. Ах да, Тота?.. Это хоть чеченское имя?

— Это древнечеченское имя.

— Ладно. Давай о деле. Времени в обрез... В общем, мы чеченцы, и поэтому давай по-честному, по-мужски... Двести миллионов долларов исчезли. Исчезли вместе с Голубевым.

— А кто Голубева убил?

— Не знаю... Вроде сам себя.

— С такими деньгами? С такой прытью и страстью жить и... в петлю? — усмехнулся Тота.

— Да, — согласился Гилани. — Столько было богатства. Миллиардер!

— А за что его?

— Кидала был. Жадный. Не поделился, видать... И меня напоследок кинул... Двести, как в песок!.. А ведь всё через тебя. Расколись. Десять процентов по-честному отдам... Говори!

— О чём говорить? Разве я не всё рассказал после ваших уколов?

— Вроде всё, — задумался Гилани. — Кстати, ты эту власть так разложил. А они всё записали.

— И что?

— Вряд ли они тебе это простят и тебя так оставят.

— А ты, Гилани, разве не с ними?

— Ты хочешь сказать, что я стукач?

Тота молча повёл плечами.

— Я бизнесмен! — постановил Гилани. — А этим приходится платить.

— А я думал, ты рэкетир, «крыша», сила, чеченец.

— Заткнись! — крикнул Гилани. Встал. Небрежно, сверху вниз глядя на Болотаева, спросил: — Слушай, откуда тебя этот Голубев откопал? Ты ведь до последнего времени в местном театре плясал.

У Тоты от злости скулы свело. Он отвёл взгляд, а хозяин вдруг спрашивает:

— А откуда ты эту Ибмас знаешь? Голубев навёл?

— Нет... Не помню.

— Да ладно. Всё ты помнишь. Всё разболтал, ха-ха-ха. А что, у её матери была кликуха Цыплёнок?!

— И это я рассказал?! — встрепенулся Тота.

— Ха-ха-ха! Всё рассказал. Ты точно — артист! Ха-ха-ха! Даже фокусник.

Тут лицо Гилани стало суровым.

— Слушай, Тота, — по-чеченски со злостью продолжил он. — Пропало двести миллионов долларов. Они прошли через тебя к Голубеву и исчезли. Как?

— Откуда я знаю? — развёл руки Тота. — Вы ведь меня укололи, и я вроде всё выболтал... Или не так?

— Не так!.. Слушай, вот эта фирма «Маршал». Ведь ты её недавно для чего-то открыл? Для чего-то ездил в Швейцарию?

— Ездил по поручению и просьбе первого замминистра Егорова. Открыл два счёта — для Егорова и Голубева. И ты, и вы все обо всём уже знаете после этих уколов. Что ты ещё хочешь знать?

— Что?! — возмутился Гилани. — Ты что это голос повышаешь? Евреям продался, меня кинул.

— Никому я не продался и никого не кинул.

— Ладно, — пошёл на попятную Гилани. — Вот эта фирма «Маршал». Она прошла через тебя.

— Нет. И не могла. Технически и юридически не могла участвовать даже в закупках нефти... Деньги из казны не просто так разворовываются. Это целая процедура во времени, где участвуют лица госучреждений под крышей твоего ФСБ.

— Что?! — процедил Гилани. — Болтаешь ты много. Видно, от наркоза ещё не отошёл.

— Видно, не отошёл.

— А ты знал, какие фирмы принадлежали Голубеву?

— Могли знать только министр или Егоров. Они ставили резолюцию. Я исполнял.

— Мог бы исполнять повнимательнее. — Гилани встал, походил по комнате и неожиданно спросил: — А вот эта Ибмас. Давай с ней поговорим.

— Я её телефона не знаю.

— Не знаешь?! — Гилани захохотал. — Ты так про неё болтал... А телефон её наизусть знаешь... Ха-ха, теперь и я знаю. — Он полез в карман, достал записную книжку. — Сейчас я её номер наберу. Говорить будешь ты.

— О чём?

— Надо встретиться.

— Сюда она не приедет. Не сможет.

— Сюда и не надо. Мы с тобой полетим в Цюрих. О'кей?

Гилани стал набирать номер. Послышались гудки. Потом прозвучало «sorry» и что-то автомат ответил на английском и немецком языках.

— Что они сказали? — спросил Гилани у Тоты.

— Не знаю.

— Ай! Ахмед! — крикнул он. Тут же зашёл молодой чеченец. — А ну, набери номер и переведи.

— Говорят, что наш номер не определяется, закодирован. И на такие звонки они не реагируют.

— Вот козлы, — постановил Гилани.

— Узнали, что звонит фээсбешник, — усмехнулся Тота.

— Ты ещё поболтай, — процедил Гилани.

Обматерив Тоту, он угрожающе подошёл к нему, как зазвонил его мобильный.

— Да, я слушаю, — чуть ли не по стойке «смирно» застыл Гилани. Тишина. А Тота слышит чётко выверенный офицерский голос, который он слышал накануне после уколов:

— Вы были в Чечне?

— Конечно. Конечно, был. Только прилетел.

— Ну и что?

— Я не смог его найти. Никак не смог. Видно, он в горах. Связи там нет.

— Видно, вы не особо искали. Быстро вернулись.

— Да. Но там ведь очень опасно теперь

— На войне как на войне, — жёсткий тон. — А вы не выполнили приказ.

— Я поручил... Мои ребята всё сделают.

— Когда?

— Вот-вот

— Да? Посмотрим... А вы где?

— Я в пути. В город.

— А этот плясун где?

— Э-э... Я его в одно место отвёз, чтобы надежнее было.

— Да? Смотри, он нам нужен... Очень нужен.

— Понял. Есть!

Гудки. Гилани озабочен. Задумчив.

— Скотина, — прошептал он, а потом с возмущением: — Понимаете, «он нужен»! Очень нужен им этот плясун, как он выразился, Тота Болотаев.

Гилани, нервничая, ходил по комнате.

— А знаешь, почему ты нужен? Может, они полюбили тебя? Ха-ха, — злобно засмеялся он. — Сейчас ты всем нужен — плясун.

— Я не плясун, — вполголоса выдал Болотаев.

— Что?! Ха-ха! А знаешь, что тебя вскоре ожидает? А я знаю. Предчувствую... Всё дерьмо на тебя, как пособника боевиков, повесят, все деньги на тебя спишут и лет двадцать—двадцать пять, а может, и пожизненно дадут.

Болотаев грустно свесил голову. А хозяин всё ходит по комнате, переживает:

— Двести миллионов! Двести миллионов, как в песок! Мрази. Они специально Голубева замочили, чтобы концы в воду.

— Гилани, — словно прозрел Болотаев, аж глаза заблестели, — а что ты так мучаешься? Что я знаю — теперь весь мир знает, и понятно, что я ничего не знаю. А вы вот эти укольчики Егорову или бывшему министру сделайте — они ведь всё знают, всё расскажут и не только про твои с Голубевым двести миллионов, но и про весь мир... Ха-ха! Как тебе идея? Что молчишь, Гилани?

— Умолкни! — с презрением.

— А что, разве плохая идея?.. Что, боишься? Видать, Егоров и министр тебе, мелкому стукачу КГБ, не по зубам. Или их ЦРУ и МИ-5 с Моссадом крышуют?

— Ты замолчишь, урод?! — гаркнул хозяин. Тенью навис над Болотаевым и после паузы вдруг спросил: — Слушай, земляк, ты там давеча сказал, что Голубев и Ибмас тебе гарантировали сто тысяч долларов в месяц.

— И это я проболтал?

— И не только это. А это, в смысле двухсот тысяч, отдашь мне. Понял?

Болотаев как бы кивнул, а Гилани продолжил:

— Удивительное дело, за что тебе сто тысяч в месяц? А? — небрежно ткнул Тоту коленом в бок. От этого Болотаев словно проснулся.

Снизу вверх он уставился на хозяина и спросил:

— Дорогой Гилани! Двести тысяч долларов я не видел и вряд ли увижу, и вряд ли они на моём счете есть, и вряд ли у меня счет в Цюрихе есть.

— Есть! — перебил Гилани. — Ты сказал, что эта Ибмас забирала твои паспорта, а потом ты на каких-то бланках расписывался.

— Понятно. Что я ещё болтал?

— Всё, что нам надо.

— А ты мне одну загадочную вещь раскроешь? — Гилани молча смотрел. — Скажи, пожалуйста, это сколько надо стучать, кое-что лизать, чтобы должность в таком министерстве дали плюс двести миллионов бонус получить?!

— Что ты сказал, плясун? Сын артистки!

Последнее током ударило в сознание Болотаева.

— Сам ты козёл и сын козла, — вскочил он.

Они жёстко сцепились, как дикие звери, тяжело дыша друг другу в лицо. И в это время совсем рядом раздалась автоматная очередь.

— Всем лежать! Вашу мать! — крик во дворе, разбиваются стёкла.

— Все на пол! Лежать! — Автоматчики в черных масках вломились в дом.

— Лежать! Руки за голову!

Болотаева повалили, вывернули за спину руки. Перед его глазами огромный вонючий сапог, и он слышит голос Гилани:

— Что вы делаете?! Достаньте удостоверение из моего внутреннего кармана.

— Молчать! Включай камеру!.. Захвачена группа бандитов, финансирующая чеченских террористов, взрывающих в России дома.

* * *

— Don't cry for me Argentina!

...В последние дни Тота Болотаев эту знаменитую композицию слышал не в первый раз.

— Её кто-то заказал? — спросил он у стюардессы.

— Что вы имеете в виду?

— Эту мелодию.

— А... Нет. Она в репертуаре... Может, убрать?

— Нет-нет.

— Может, шампанское, кофе, виски?

— Нет. Спасибо.

— Полет до Москвы пять часов. Что вам на обед приготовить?

— Ничего... Мне холодно. Можно одеяло?

Самолёт резко стал набирать высоту.

— Don't cry for me Argentina! — лилась трогательная, нежная мелодия вокруг него. А он, хотя в салоне один, с головой закутавшись в одеяло, оставшись как бы сам с собой, как в одиночной камере, впервые, как эту новость услышал, стал безудержно плакать...

Как он мечтал! Как он верил и этим жил, что Всевышний услышит молитвы его мамы и его вот-вот освободят. И он побежит, полетит, помчится к своей маме. И его очень беспокоило то, чтобы мама не увидела его худым, изможденным, слабым. И он всегда много-много раз представлял, что обязательно, чтобы мама не заметила его страдания, он, увидев её, как умелый артист, просияет лицом и обязательно выдаст свой фирменный пируэт из финала танца «Маршал», который его мать очень любила. И тем самым он докажет своей дорогой маме, что её сын ещё есть. Он рядом! Он её защитит... Не защитил.

Совсем рядом. Рядом с домом и её театром, на пересечении улиц Мира и Красных Фронтовиков, здание Главпочты, там переговорный пункт, куда мать Тоты пошла позвонить Даде в Енисейск. Новости были хорошие. Скоро, совсем скоро Тоту должны освободить.

Радостная Мариам Болотаева поторопилась к внукам домой, и тут в 14 часов 25 минут 21 октября 2000 года ракета «земля—земля» поразила цель. Как потом сообщат в сводках новостей, ещё одна банда боевиков-террористов ликвидирована.

Буквально двести метров разделяло Главпочту и театр. Прямо на перекрёсток улиц Мира и Красных Фронтовиков попала ракета, и, видимо, мать Тоты перекрёсток прошла — её сумочку и фрагменты швырнуло волной к родному театру.

Здесь же, напротив театра, через дорогу был сквер Полежаева. Там, рядом с развалинами гостиницы «Нефтяник», какие-то люди в тот же вечер наспех захоронили останки...

...Однако, следуя записям Тоты Болотаева, мы забежали несколько вперёд. А в тот памятный для Тоты день, то есть 21 октября 2000 года, с утра у него случился конфуз.

Надо было сделать выбор.

Как профессиональный финансист, Тота понимает, что наилучшая ситуация в экономике, да и в жизни, когда у человека есть выбор. Да тут такая очень деликатная ситуация, а его торопят, и надзиратель в окошко кричит:

— Так, Болотаев, ты ещё долго будешь выбирать?

А как ему выбрать?

Он так мечтал их обеих увидеть. А они, Дада и Амёла, одновременно оказались здесь в Енисейске. Более того, в одной гостинице поселились, а другой нет, и вот, вопреки всему, вдруг начальник зоны дал добро на свидание — 30 минут 22 декабря в 10.00. С кем? Заявку подали Болотаева Дада и гражданка Швейцарии Амёла Ибмас.

— Болотаев, выбирай, — матерясь, рявкнул караульный.

— А с двумя нельзя? — спросил с ехидцей кто-то из сокамерников. Раздался дружный хохот.

— Нельзя, — в том же тоне ответил надзиратель, — он с двумя не справится. Бабы дородные!

— А вы одну себе возьмите, а ещё лучше — нам.

Тут Болотаева «заклинило». Вначале он кинулся с кулаками на сокамерников, а потом, когда вошли надзиратели, чтобы их разнять, он и их обматерил. После такого бьют, бьют нещадно, и сажают на пару недель в карцер, который явно укорачивает жизнь на пару лет, если не навсегда.

Однако после появления адвоката из Швейцарии ситуация вокруг Болотаева кардинально изменилась. Даже ситуация в самой зоне изменилась. Стало спокойнее, тише, кормить стали лучше. И, самое главное, начальник зоны преобразился, стал тише, степеннее, не орёт и постоянно трезв. Именно сам начальник ожидал Болотаева, когда его вывели из камеры в коридор.

За время отсидки Тота уже достаточно изучил всю зону, однако на сей раз его повели совсем не туда, где карцер и бьют. Небольшая, но чистая камера. Видно, что здесь только что наводили порядок.

— Болотаев, — говорит начальник, — роль нищего бедолаги ты отлично сыграл.

Тота молчит, не понимает, а начальник закурил и как бы вслух размышляет:

— Понимаешь, я жену твою увидел — это Дада со шрамом, в твою басню окончательно поверил. Но вдруг в этой дыре — вся Швейцария, твоя подружка иль кто она тебе? А этот адвокат?! Слушай, он, наверное, и президента нашего знает?

Начальник замолчал. Докурил. Бросил окурок в коридор и продолжил:

— Болотаев, я тридцать лет в этой системе и последние двадцать именно здесь. Я вижу всех зэков как сквозь рентген, но ты?! Ты настоящий артист.

— О чём вы, товарищ начальник?

— О бабках... Представляю, сколько их у тебя!

— А я не представляю, о чём вы?

— Ха-ха. Да ладно. Теперь мы в одной лодке.

— В какой лодке, товарищ подполковник?

— Не подполковник, не подполковник, а вот, — начальник достал из внутреннего карманы погоны, — уже полковник! Приказ уже в крае, в Красноярске... Ты знаешь, — он по-панибратски хлопнул Тоту по плечу, — я даже не ожидал и не верил, что этот твой швейцарский адвокат такое сможет.

Он вновь закурил и вдруг выдал:

— На тебя тоже в край уже бумага пришла.

— Какая бумага? — встрепенулся Болотаев.

— Секрет... Но уедем отсюда вместе. — Он широко улыбнулся. — Жена всю жизнь пилила — сибирский валенок. А меня в Москву. В главк... как ценного специалиста, полковника! Понял?

— Так точно, гражданин начальник!

— То-то. Ты ещё в моих руках. И дело ещё не сделано...Да и до последнего я не верю вам и этому адвокату.

— А что не верите, ведь полковника дали?

— Полковника я так и сяк через год-полтора бы и без помощи этого швейцарского жида получил бы.

— А вот тут вы не правы, товарищ полковник, — делая ударение на последнем слове, выдал зэк. — Адвокат-то русский, к тому же сибиряк. И вроде из этих мест. Просто вы об этом не знаете.

— Знаю. Всё знаю и обязан знать, — жестко отрезал начальник. — Ладно. Хватит сюсюкаться. С кем завтра свидание? Через неделю только можно второе.

Вновь Тота задумался. Ему по делу надо встретиться с Амёлой. К тому же Амёла Ибмас ведь не может здесь столько времени быть, а к ней все вопросы, и он твердо сказал:

— Выпишите пропуск Даде Иноземцевой.

— Иноземцевой нет. Есть Дада Болотаева.

— Болотаева? Вот ей и выпишите... Вначале ей.

Полковник внимательно вгляделся:

— Ты что, плачешь?

Он плакал. Он вспомнил мать... Защемило сердце. Невероятная боль... Это был вечер 21 октября, а в Грозном уже обед. Матери уже не было. Он это ощутил. И поэтому захотел увидеть вначале Даду... Однако Даде в гостиницу позвонили. В ту же ночь она выехала в Красноярск, в аэропорт. На следующее утро, на заре, вслед за ней в Красноярск умчалась и Амёла. Тота об этом ничего не знал. Для него эта ночь была длиннее прошедшего года. Эти десять часов утра никак не наступали. И его заранее должны были как следует перед свиданием подготовить, подчистить.

Ничего нет. В этом отсеке зоны — гробовая тишина. И как бы медленно время ни шло, оно неумолимо. В десять часов вдруг зашипел динамик:

— Don't cry for me Argentina!

Что угодно Тота ожидал, но только не это. Он вспомнил Амёлу Ибмас. Альпы. Санкт-Мориц, Швейцарию. И в этот момент раскрылось окошко в камеру.

— У меня свидания не будет? — бросился Тота к двери.

— Послание, — именно так почему-то сказал надзиратель и быстро закрыл окно.

По деловому строгий конверт швейцарского банка:

«Дорогой Тотик!

Я так написала, потому что ваша жена Дада только так вас называет и ваша мать, она говорит, так вас зовет. Но для меня вы отныне и навсегда Тота Алаевич.

Накануне вечером Дада срочно выехала в Красноярск, оттуда в Чечню. Был звонок. Вроде дети заболели. Простудились. Но вы не волнуйтесь. Дада — замечательная женщина, и как только она долетит, всё станет нормально.

К сожалению, я не смогу с вами увидеться. Тоже позвонили из банка. Срочно должна вылететь. Вот-вот за мной должна приехать машина.

Знаете, Тота Алаевич, до сих пор моя жизнь делилась на две части. А знаете, где водораздел? Был водораздел. Помните Альпы? Снег. Много снега. Мы в высокогорной небольшой гостинице. Вихрь, ураган чувств унес нас на вершину блаженства. Лавина перекрыла дорогу, снесла электростолбы. Мы застряли. Света нет. Тепла нет. Воды нет. Даже чая теплого нет. И так двое суток... И вдруг посреди ночи включился свет и из радио в маленьком фойе нашей гостиницы послышалась мелодия «Don't cry for me Argentina!».

Нас, вместе с работниками, было человек десять в этом отеле. И мы все разом, словно было воззвание, вышли в холл и хором стали подпевать: «Don't cry for me Argentina!»

Казалось бы, что такое двое суток в горах?! Однако для нас с вами это были не простые сутки: я не пред-

упредила одинокую, больную мать. Ничего не сказала в банке и нарушила планы вечеринки в Санкт-Морице.

У вас ситуация была ещё хуже. Война! Во всех смыслах война. Но мы плюнули на всё... Однако мы, точнее я, до конца не пошли. Я испугалась. Вас испугалась! Ибо я знала, все мне говорили, какая я бесшабашная, рискованная, смелая. Но вот рядом с вами мне было очень приятно, но страшно. И когда вы меня, и не один раз, позвали с собой, звали замуж, я испугалась. А вернее, сослалась на одинокую мать — не могу бросить.

А когда я приехала домой, проводив вас в аэропорту, мать меня спросила:

— Почему ты с ним не уехала?

— Там война... А ты?

И тут моя мать тихо, как бы про себя, сказала:

— Если бы ты с ним в Чечню улетела, то моя пожизненная война закончилась бы триумфом моей победы!

— Ты о чём, мама? — бросилась я к ней. Она заплакала.

С тех пор и я, как услышу «Don't cry...», начинаю плакать... Отныне плакать не буду. Потому что судьба распорядилась справедливо. Дада — твоя жена. Настоящая жена и женщина. Я бы на её месте, в таких условиях войны, никогда бы не справилась. Даже не представляю себе. А Дада — твоё счастье! И твоя мать её очень любила, сама слышала, как они по телефону общались.

Кстати, мы с Дадой сначала поругались и даже подрались. Она очень сильная. Это её среда, и она мне жизнь спасла.

Простите, за мной уже приехала машина. Меня здесь сопровождает консул посольства Швейцарии. Иначе я бы сюда не приехала и не пустили бы.

О делах. У Дады.

Тота, Россия — замечательная страна, если много денег. Любите Россию! Но жить и учиться ваши дети должны в Швейцарии.

P.S. В отличие от поездки в Альпы сюда, в Сибирь, я приехала по благословению моей мамы, поэтому у меня, кажется, всё получилось и вы скоро по решению суда выйдете на свободу.

А ещё, после бесед с Дадой у меня исчез страх одиночества. Так что, Тота Алаевич, главное в жизни Свобода — Маршал! И я ещё увижу, как вы танцуете «Маршал»! И я всё знаю и не плачу, и вы не плачьте.

Don't cry... Chechnya!

Don't cry!»

* * *

В жизни случайностей не бывает. Всё закономерно и предопределено. Это я к тому, что именно в тот раз, когда Тота Болотаев летел после заключения в Чечню, этим же рейсом летел и я.

Я бы его сразу и не узнал — так он постарел, осунулся, стал каким-то маленьким и щупленьким. Только по его вечно застенчивой, даже виноватой улыбке и голосу, точнее своеобразному смеху, я его узнал.

И было бы у него нормальное имя — Ахмед, Магомед, — имя бы не вспомнил. А вот Тота — такого ни у кого не было. И как ни странно, у нас почти у всех были всякие прозвища, особенно у меня, а вот Тота склонять своё имя не позволял. И это не оттого, что он был какой-то крутой, просто он сумел так себя поставить, преподнести.

Мы жили в самом центре, учились в одной школе в параллельных классах, но Тота никогда с нами не водился. Был сам по себе. Нас называли «центровые». Мы всегда кучковались в сквере Полежаевского (сейчас это пересечение бульвара М. Эсамбаева (пр. Революции) и улицы Мира, напротив Россельхозбанка. А тогда там были обком комсомола и редакция молодежной газеты «Комсомольское племя»).

По тем временам, это восьмидесятые XX века, да и по нынешним, мы были весьма независимы и нагловаты. Кто нам не нравился, тому мы спуску не давали. А вот Тота тоже не вписывался в наше миропонимание, но мы его не трогали.

Мать Тоты была артисткой. Вроде бы известная артистка. Мы знали, что Тота не её родной сын, но это никогда не обсуждалось, хотя было видно и невооруженным глазом.

Мать была низенькая, смуглая, горбатенькая, но всегда с таким апломбом, словно она королева красоты и прочее. Она и одевалась как-то вызывающе, в смысле всяких цветных бантов и кружев. Также оригинально всегда одевался и Тота, и было видно, что он не от этой женщины — Тота по-мужски был очень симпатичным. Высокий, тонкий, пластичный. Он всегда улыбался, даже когда танцевал. А танцевать он умел и любил это делать. Он был создан для танца.

В Грозном был Дом культуры имени Ленина, рядом со стадионом имени С. Орджоникидзе, и в этом ДК имени Ленина диск-жокеем был наш друг Алик Маркарян из «Барского» дома. К нему в ДК мы часто ходили на дискотеки, и считалось, что повезло, если в тот вечер там появлялся Тота Болотаев.

Когда появлялся Тота, все расходились. Все! И не потому, что выглядели на его фоне циркулями, а потому, что хотели его танцы смотреть.

Мне кажется, что Тота дома или ещё где репетировал новый танец, а потом оценивал реакцию публики. Мы ему аплодировали. Ему это нравилось. Помню, как-то на дискотеке появилась какая-то полупьяная публика (рядом был ресторан «Терек») и какой-то колхозник крикнул: «А лезгинку могёшь?»

— Алик, поставь лезгинку, — просили мы. И это была лезгинка!

Мы все ему завидовали, потому что девчонки по нему сохли, но он их вроде избегал.

Ещё помню, как однажды мой друг Саид, мы его нарекли Смит, попросил Тоту научить его танцевать лезгинку. Тота позвал его в театр. Со Смитом пошёл и я.

— Ганс, ты даже не пробуй, — сказал он мне

А Смита он учил, и я на всю жизнь запомнил его слова: «Лезгинка — это не шейк. Лезгинка — танец на вершине горы! Орёл! Спина, таз, голова — на одной линии, строгая вертикаль. И никаких кривляний. Лишь строгость, грациозность, ритм». Но более всего запомнилось другое. В начале восьмидесятых в Грозном построили большой театрально-концертный зал, а напротив — светомузыкальные фонтаны. Там никто никогда не танцевал — только Тота. Иногда, видимо, как ему захочется, он туда приходил. И в этом полумраке музыки, капель воды и ночных полутонов он выдавал очередной танец.

Никто к нему близко не подходил, потому что знали: любое приближение — и он исчезал. Именно исчезал, ибо он как-то незаметно появлялся и также растворялся в потемках переулков.

Мартал

После школы я изредка видел Тоту в Грозном, а потом я и сам уехал в Москву учиться, и долгое время, может лет пятнадцать, я его не видел, и вот поздняя осень 2000 года. Аэропорт Внуково. Я лечу в Чечню. Там безвыездно живут мои родители. Там вновь идет война, более кровожадная и жестокая, чем первая. В Грозный летают только военные борта, нагруженные бомбами и ракетами. Ближайший гражданский аэропорт – Слепцовская. Регистрация на этот рейс в сторонке. Понятно, что летят домой чеченцы, отношение к их документу, как у Маяковского, – плёвое.

Это я к тому, что Тота Болотаев всегда пытался быть в стороне от людей, точнее толпы. Он, впрочем, как и я, очень изменился. Его некогда густые ярко-каштановые кудри явно поредели и поседели. На его исхудалом, очень бледном лице – глубокие морщины. И одет он очень странно, не по размеру, обвисший, но очень дорогой, новый костюм, белая сорочка под ним, а ботинки – грубые, как у лесоруба; нам такие в стройотряде выдавали.

В нём всё изменилось, кроме главных его черт. Это стать, грациозно-горделивая стать, которая не прогнулась и не искривилась, и когда я к нему подошёл – это его пожизненная, какая-то добродушно-застенчивая улыбка, которую он теперь попытался неухоженной, грубой рукой скрыть – у него не было пары зубов. Он шепелявил и отводил взгляд. Я понял, что он явно из мест заключения и не хочет общаться.

Самолет маленький, полупустой. Издали я заметил, что Тота зашёл последним и сел в бизнес-классе. Самолет взлетел. У меня, как, наверное, у многих на этом

борту, были свои печали, связанные с войной... Точнее, войнами. Словом, я о Тоте забыл, а он, очевидно, покинул борт первым.

Меня встречал двоюродный брат Хусейн. Долго ждали выдачи багажа. Когда выезжали, привокзальная площадь была почти пустой: всего один рейс в день. И вдруг, уже на трассе, у обочины стоит Тота.

— Останови, — попросил я брата. — Ты что здесь делаешь? — через окно спросил я у Тоты.

— Э-э, — замялся Болотаев, — таксисты боятся меня везти. У меня паспорта нет. Только справка... На блокпостах будут проблемы.

— Садись, — сказал я.

До границы — блокпост «Кавказ» — ехать недолго. Напряжены. Тота сидит сзади.

— На этом блокпосту регистрируют всех, — нервничает мой брат.

— Хусейн, ты местный. Решай, — сунул я ему деньги.

— Понял, — отреагировал брат. — Эти федералы ведь сюда на шабашку приехали... Просто если без паспорта, то могут так наехать... Даже вновь посадить.

— Только не это, — сказал я.

Болотаев сзади тяжело вздохнул.

— Тогда надо иначе. — Хусейн резко развернул машину, и мы помчались обратно.

Брат знал, что делал. В центре Слепцовской он загрузил в багажник ящик водки и ещё кое-что, так что даже в салоне запахло курочкой-гриль.

На блокпосту была очень длинная очередь. Мой брат внаглую, по обочине, погнал машину прямо к КПП.

— Ты куда?! Куда, я сказал?! — рявкнул здоровенный омоновец.

— Я привёз всё, как просили, — выскочил Хусейн из машины.

— Кто просил? Что просил?

— Вот! — Хусейн шустро раскрыл багажник.

После этого до Грозного было ещё пять-шесть блокпостов, но они уже местного значения, мы успокоились, и я только тогда справился о его матери.

— Мамы нет, — тихо произнёс Тота.

Мы высказали соболезнование, и я сказал:

— У тебя была замечательная мать. Как она о тебе заботилась!

Я хотел у него о многом спросить, но, обернувшись, увидел, что он плачет. Долго ехали молча. Тота первым нарушил молчание:

— У меня в Москве есть фотка, где мы втроем — ты, я и Адам Ахмадов.

— А где Адам?

— В первую войну убили.

Мы разговорились. Вспоминали общих знакомых. Время и войны всех разбросали, некоторых уже нет. И вдруг я спросил:

— Слушай, Тота, а где Тамара Кобиашвили? Что с ней?

Наступила пауза.

— Мы с ней после школы поженились. В Тбилиси... Скоро развелись. Она уехала в Таллин. Вроде там вышла замуж. Больше я о ней ничего не слышал.

— Очень хорошая была девушка, — сказал я, потому что посчитал, что я должен про неё что-то доброе сказать. Эта тема, как и в годы юности, вновь породила между нами какое-то напряжение.

К тому времени мы уже ехали среди руин родного города. Было очень больно. Разговаривать не хотелось.

Казалось, что всё наше счастливое детство, юность и молодость, что прошли в этом прекрасном и светлом городе, погребены под этими руинами.

— Ты где живёшь?

— Напротив театра. Прямо над «Спорттоварами».

— Это пересечение Мира и проспекта Революции!

— Да-да, там, где арка, — говорил Тота.

— А дом сохранился?

— Не знаю.

Мы проехали по разбитому до неузнаваемости проспекту Победы (ныне проспект Путина) до руин Дома моды. Здесь многолюдно — таксисты, базар. Свернули на улицу Мира, и тут, как Тота и сказал, у арки во двор стоит, явно кого-то выжидая, высокая статная женщина.

— Тота, это не тебя ждут? — спросил я.

— Меня. — Он не мог даже в голосе скрыть свою радость.

— Тотик! — Она плакала то ли от радости, то ли от горя. — Тотик! Дорогой! Миленький! — по-русски шептала она.

— Перестань, — по-чеченски грубо отрезал Тота.

Мы все вышли из машины. Как положено, теперь высказали тоже по-чеченски соболезнование жене Тоты. Она также по-чеченски поблагодарила нас.

Надо было расставаться. Да оказывается, и у меня, и у Тоты осталось столько недосказанного, что уже здесь стали что-то вспоминать, даже смеяться стали. И, наверное, мы бы ещё некоторое время постояли, да жена Тоты просто прилипла к нему. Плачет.

— Ладно, давай, Тота, через день-два я приеду.

— Да-да. Обязательно. Я или в театре, или квартира двадцать шесть... А может, зайдём?

— Да, давайте зайдём. Горячий чай, — это уже жена.

— Нет, нам ещё до Шали ехать, — сказал Хусейн.

Мы тронулись. Они нас провожали.

У Главпочты огромная воронка. Зловещий хвост ракеты ещё торчит. Не объехать. (Тогда мы ещё не знали, что там мать Тоты погибла.)

Мы развернулись, и когда проезжали мимо арки, оба посмотрели в ту сторону. Обхватив Тоту за плечи, жена уводила его во двор.

— Кажется, она не чеченка, — сказал я.

— Кажется, нет, — подтвердил Хусейн. — Да только наши с тобой чеченки с нами так трепетно никогда бы не возились.

— Да, — согласился я.

...В ту поездку я в Грозный более не поехал, не смог. Это было непросто и небезопасно. Через два-три дня я улетел в Москву... Больше Тоту Болотаева я не видел и лишь гораздо позже подробности узнал из письма Тамары Кобиа-гар и «Записок» Тоты.

* * *

Дом. Родной дом! Что может быть лучше этого слова, этого чувства, этой радости?!

Оказывается, может. Даже тюрьма... Такая мысль пришла Болотаеву в первую же ночь в Грозном.

Как он мечтал, как он хотел быть дома. Семья, мама, дети, Дада. Дом!!! А вот прибыл. Какой дом?! Сколько проблем? Сколько забот?

На зоне. Ужин. Что дали — поел. Отбой. Вытянул ноги и спи в тепле. Утром будет подъем. Утренний туалет. Завтрак и далее по гарантированному распорядку. Это всё было двое суток назад. И проблема была лишь одна — выйти на свободу и домой.

Какая свобода?! Какой дом?! И главное – сразу же столько печали, горя, что у него голова трещит. И как Дада со всем этим справляется?

То, что в городе картина ужасная, как-то переносится. Ещё люди есть, машины шумят, а главное, какая бы серость и грязь ни были вокруг, зато небо ещё не в решёточке.

А вот Дада, встретив, завела его в подъезд. Разве это подъезд? Даже перил нет. И бетонные марши в дырах. И благо что этаж лишь второй. А вот дверь в квартиру законная, как в тюрьме.

– Это я с той квартиры, из микрорайона, перевезла, – говорит Дада. Стучит. – Малика, открой. Это я. Мы.

Дочку не узнать, выросла. И сын уже бойко бегает. Дети отца не узнают, сторонятся.

– Тотик, проходите, проходите, – суетится Дада.

– А ты что, детей одних оставила? – удивлён отец.

– Да. А что? Малика уже большая. И Батака – джигит. Знаешь, как они танцуют? Даже твой танец «Маршал» умеют. Мама научила. Дети, ваш дада приехал.

– Дада ведь ты?! – удивилась дочка.

– Меня они Дадой называют.

– А мама где? – хором спрашивают дети. – Когда наша баба Мама придёт?

– Придёт, придёт. Скоро придёт, – говорит Дада.

– Её убили? – спрашивают дети.

– Как убили? Конечно, нет. И что вы говорите?! – возмущается мать.

– А эти страшные, бородатые дяди с автоматами всех убивают.

– И нашу бабу Маму убили. А то бы давно к нам пришла.

— Что вы говорите? Она на гастроли поехала. В Москву.

— В Москву? Она и нас к папе обещала повезти. На Новый год.

— Вот папа Дада сам к вам приехал.

Дети с опаской посматривают на Тоту и говорят:

— С бабой Мама не было страшно... А папа Дада, кажется, сам боится.

— О чём вы говорите? А ну, идите к себе играть.

В этот момент Тота почему-то вспомнил своё детство. Комнату в общежитии, где так же стоял шкаф, за которым была его детская территория. Теперь вроде у его семьи три квартиры, даже в Москве. И эта большая, четырёхкомнатная, но жизнь загнала их обратно в эту одну комнату, где почти что тот же шкаф, а вместо старого кожаного дивана деревянные нары... В итоге — их было двое, стало четверо. Однако самого главного, самого жизненного нет. Мамы нет, маму убили... За что? И он в это поверить не может. Он жить не может. Он жить не хочет. Так жить не может и не хочет. И дети правильно сказали: он боится. Без мамы боится.

Когда мама была, а она была. И не просто так была, а ничего, даже войны, не боялась.

— Я у себя дома, это счастье, — говорила она. — А война закончится, мы будем танцевать «Маршал»!

И даже по телефону она говорила сыну:

— Всё-таки я горжусь тобой. Доктор наук. Профессор. Двое детей.

— Я ещё не профессор.

— Будешь. Должен стать... Но главное твое достижение — это чисто национальная хореография твоего танца «Маршал». Это чеченский дух! Это свобода!

— Спасибо, нана, спасибо! — всегда отвечал Тота, а мать продолжала: — Надеюсь, на мой юбилей ты прилетишь и исполнишь.

— Конечно, но до этого жить и жить.

— Время летит, а готовиться надо загодя... Мы отметим сразу два события — 75-летие Махмуда Эсамбаева и мой юбилей... Столько будет гостей.

— Нана, это когда?

— Через пару лет. В 1999-м... В Грозном будет такой салют! Весь Кавказ озарит.

...Озарил. Огненное зарево над Чечнёй. Нефть горит. Дома горят. Сердца горят.

Эсамбаева никто не вспомнил.

Где-то в апреле, в тюрьме, Тота получил от мамы письмо:

«Махмуда не стало. 7 января в Москве умер. Ни слова... А сколько он трудился. Сколько помогал... Не то чтобы танцевать, а просто своё мужское тело с таким достоинством и грациозностью все годы сохранять мало кто сможет... Лишь курдюки отъедят и ворчат на всех. А война, к счастью, скоро закончится. Закончится потому, что у этих бандитов, с обеих сторон, просто закончатся ракеты, бомбы, пули. Этого оружия было так много, что эти варвары в течение нескольких месяцев, круглые сутки стреляли, стреляли, стреляли по нам, по нашей земле. И надо же столько оружия изобрести?! А по логике драматургии раз ружьё висит, то оно стрельнет. А как же иначе, если их, а точнее, наш режиссёр, драматург, то есть главнокомандующий — в запое. И тогда, помнишь, мы в Москве смотрели спектакль «В ожидании варваров» по Джону Кутзее. Вот что творится. А все молчат. А если не молчат, то кто кого слышит?! Услышали бы только такого, как

Махмуд Эсамбаев?! Но его уже нет! Да и когда был, кто его здесь признавал? Что только про него не выдумывали и не выдумывают наши и не наши невежды. Вот и устроили мрак!

А что ещё могут устроить эти алчные нувориши, которые ни одной книги не прочитали и презирают тех, кто читает.

Впрочем, кажется, что письмо матери с линии фронта единственному сыну, который находился в неволе у противника, должно быть совсем об ином, и вообще, могло ли быть, если бы эта линия фронта была на самом деле? Разве это не абсурд? Но это не абсурд, это самая жестокая и кровопролитная война, когда я пойду на блокпост федералов и попрошу русских солдат закинуть моё письмо на их воинской базе в ящик почты России, где адрес получателя — колония строгого режима, а получатель — уголовник, крупнейший мошенник, пособник чеченских террористов — боевиков, взрывавших в Москве дома.

Какой писатель-фантаст мог бы это придумать?

...Тота — ты чеченец. Твои предки вынесли и не такие лишения. Будь стойким и терпеливым. Всё пройдёт. За нас, за детей не волнуйся. Хоть и ужас кругом, но мы у себя дома. И война всё равно закончится — просто бомбы на складах закончатся, но невежды никогда не одумаются...

Махмуд Эсамбаев был гений! Но этот гений был востребован и выпестован иным временем и иным обществом. Жизнь во мгле возвеличит лишь мракобеса... Просто жалко детей.

P.S. Кстати, как-то зашёл в театр какой-то Гилани из Москвы. Стал говорить о тебе, да тут такая началась канонада, прямо под носом. Мы-то привыкли, а он от

страха резко убежал. А потом пришли его родственники. Оказывается, этот Гилани только отсюда уехал, а на каком-то блокпосту его повели на досмотр и он пропал...

В общем, береги себя. Всё будет хорошо. О нас не переживай. Я как выросла сиротой в детдомовской ссылке, так и старость встретила в бомбоубежище. Судьба! Но я счастлива. Такие славные внуки! Как бы их вывезти отсюда... Навсегда! Хотя и стыдно мне это говорить. Вот мой итог жизни, вот мой вывод! Хотя и не хочется этого признавать. Но это от постоянной нужды, страха и безысходности.

Я готовлю, вопреки всему, два концерта или один объединенный. Первый — юбилей Махмуда «Я буду танцевать!». А второй — юбилей твоего ансамбля «Маршал» под девизом «Мы будем танцевать «Маршал» — Свобода!».

Что бы я делала без Дады?!

Дала Іалаш войла хьо!»*

Это письмо Тота вспомнил, увидев в длинном коридоре очень большие рулоны.

— А что это такое? — пнул он их ногой.

— Это рекламные баннеры. К 75-летнему юбилею Махмуда Эсамбаева и 10-летию «Маршала».

— А что так много?

— Всего шесть — по три. В разных местах города хотела развесить... Бедная мама, — продолжает Дада. — Здесь мастерских нет. Поехала, рискуя, во Владикавказ. Трижды ездила. Вон перед театром новые большие рекламные щиты поставила. Говорила, что проведет грандиозный концерт памяти Махмуда. Все гости приедут. И тогда Кремль войну закончит.

---

* Да хранит тебя Всевышний!

— Нана. Узнаю, — печально выдохнул Тота, ещё печальнее окружающий быт, и он говорит: — Надо срочно, прямо рано утром, чтобы ты с детьми уехала в Москву.

— А вы?

— Я позже. Кое-что здесь сделаю и — следом.

— Только вместе. Теперь только с вами, — говорит Дада.

— Ты мне перечишь? — возмутился Тота.

— Нет, — отвечает жена. — А у нас деньги есть?

Прикрыв рукою опущенную голову, Тота надолго замолчал, а Дада полушёпотом сказала:

— Странное дело. Все твердят, что мы очень богатые. Что вы миллиардер.

— Я устал.

— Да-да. Конечно. Такой путь. Сейчас я постелю. — Дада суетится вокруг него и вдруг выдает: — Кстати, вот эта дамочка... как её?

— Какая дамочка?

— Из Швейцарии.

— Амёла?

— Ах да, Амёла или Амёба. — Тут Дада уже тяжело дышит. — Она вроде тоже намекнула, что вы очень-очень богаты.

— Да, «очень, очень богаты», — передразнил её Тота. — И может, где-то что-то и есть, даже квартира в Москве. Но посмотри в мои карманы.

— Да, я знаю. С голоду не помрём, — говорит Дада, а потом вновь: — А что у вас с ней было? С этой Амёбой?

— Ничего не было, — разозлился Тота. — Что ты о ней сейчас вспомнила?

— Просто она назвала одного вашего друга — партнёра, грузина, и что через него мы можем перейти в Грузию, а там она дальше всё организует.

— Какого грузина? — встрепенулся Тота. — Может, Бердукидзе?

— Во-во, точно Бердукидзе. Три-четыре дня назад сюда пришёл один чеченец. Назвал эту фамилию и сказал, что организует наш переход в Грузию через Аргунское ущелье.

— А ты что?

— Сказала про маму. Про вас. И куда мне идти?

— М-да, — удручён Тота. — А контакт оставил?

— Нет. Сказал, что через несколько дней вновь зайдёт.

Тоте несносно. Столько проблем.

— Вы не голодны? Тогда давайте спать уложу, — вокруг него вьётся жена.

— А воду где берёшь? — вдруг спросил Тота.

— Питьевую на базаре, тут, у Дома моды, покупаю. В бочке привозят. А так на Сунжу с флягой хожу. Каждый день.

— Это ведь далеко, да и опасно.

— Живём, — улыбнулась Дада. — Вот если бы мама... — Она села на край нар, заплакала.

— Мама Дада, — бросились к ней дети. — Ты почему снова плачешь?

— Всё. Всё. Сейчас кашу покушаем и спать, — говорит Дада.

...Ночь. Конец ноября. Холодно. Клеёнка, которой закрыто окно, иногда от порывов ветра о чём-то шепчет. А так — тишина. Гробовая тишина. Дети сопят. Дада спит с ними. А Тота на нарах мамы. Эти нары пахнут мамой, и он воочию видит, как его мать, уже постаревшая, поседевшая, сгорбленная, идёт босая по тем же железнодорожным путям в пустыне Кызыл-Кум и плачет, зовёт на помощь свою мать... Не его — род-

ного, единственного сына, а свою мать... И он плачет. Тихо-тихо скуля, плачет, боясь, что его стоны услышат дети и жена, а родной город Грозный уже его не слышит. Наш город к слезам привык.

* * *

Далее в «Записках» только эти последние слова аккуратно выведены рукой Тоты Болотаева: «Мамы нет! Одиночество. Пустота. Мрак в могиле её... и вокруг».

А дальше приписки, сделанные, по всей вероятности, уже женской рукой. Да, почерк разный, очевидно, двух женщин. Кто писал? Гадать не будем. Хотя подсказки есть в самом начале. Однако суть не в этом, а в том, что, несмотря ни на что, жизнь продолжается и будет продолжаться всегда.

И мы, следуя «Запискам», продолжим. Амин!

...Детский крик разбудил Болотаева. С удивлением и даже с неким испугом он высунул голову из-под одеяла. Осознал, что, оказывается, в мире есть места, где гораздо тяжелее находиться, чем на зоне строгого режима... И это родина, и твой дом родной, о котором ты так в неволе мечтал. А прибыв сюда, от количества навалившихся проблем стало так тяжело, что Тота попытался вновь залезть под одеяло — забыться, поспать. Однако дети уже заметили, что он проснулся, бросились к нему.

— Дядя проснулся, — крикнул сын.

— Это не дядя, это наш папа — Дада-папа. Понял? — поправляет младшего дочь.

— А где мама? — Тота понял, что спать не дадут.

— Дада-мама пошла за водой на Сунжу.

— Что? — удивился Тота. — А она и раньше, когда выходила, вас одних оставляла здесь?

— Да. Мы всё закрываем и сидим тихо, как сейчас. Никому дверь не открываем... А вот ваш завтрак.

— А когда Дада-мама придёт? — Тота встал. Из-за холода он спал в одежде.

Только эта одна комната обогревается с помощью кустарной дизельной печи, от которой больше вони, чем тепла. В этой квартире в целом Тота прожил недолго. Он решил осмотреть её. Все окна разбиты. Только в санузле и на кухне ещё поддерживается жизнь, а в остальных комнатах хаос, ветер гуляет. В крайней комнате Тота обратил внимание на старый чемодан отца Дады. Почему-то из всего имущества, теперь уже хлама, Тота выбрал именно этот чемодан, понёс в ванную, как мог почистил и занёс в жилую комнату.

— О, наша крепость! — увидев чемодан, заорали дети, стали стучать по нему руками и ногами.

— Так это не крепость, — возразил Тота и, чтобы дети больше не били старый чемодан отца Дады, затолкнул его, как когда-то в Москве, под нары, на которых спал.

В этот день у Тоты одна забота — перезахоронить по-человечески на кладбище свою мать.

— Я пойду с вами, — говорит Дада. Она так и не смогла перейти с ним на ты.

— Нет. Детей одних оставлять нельзя, — строг Тота.

— А как вы будете передвигаться — кругом блокпосты. А у вас даже паспорта нет... И денег нет.

— Деньги будут.

— Но у вас и пальто, и куртки нет.

— Снимай ватник. А где это? — Он стал щупать рукава в поисках заточки.

— «Этого», — она засмеялась, — давно нет. В Сунжу ещё тогда выбросила, как вы помните.

— Помню, — усмехнулся Тота. — Нана рассказывала, как ты, и не раз, с этой штукой фокусы устраивала... Так где она?

— Нету... Как дети появились — всего боюсь.

— И я стал бояться за них, — выдал Тота. — В этих условиях держать детей... Надо срочно их вывозить.

— У нас денег нет, — села на нары Дада.

— Нет, — заходил Тота по комнате. — А базар есть? Там что есть?

— Базар есть. Там же. И всё есть, лишь бы деньги были.

— А где у нас документы на квартиру?

Дада полезла на шифоньер. Достала металлическую коробку.

— А зачем вам документы?

— На деньги обменять. — Тота внимательно рассмотрел все бумаги. — Сиди с детьми... Детей одних не оставляй. Я скоро.

Он действительно вернулся скоро. С ним двое довольно упитанных чеченца, на груди у них табличка «Скупаю золото, ценности и т.д.».

— Вот, смотрите, шикарная квартира. В самом центре города... Почти целая. И сегодня жить можно, и мы живём... Для вас, сельчан, — находка. Базар рядом. Завтра война кончится, и она будет стоить десятки тысяч долларов. А сегодня я прошу триста долларов. Всего триста долларов.

— Тота, — прошептала в испуге Дада.

— Молчи, женщина, — скомандовал Тота. — Сделка простая, и вам очень выгодна. Сегодня конец ноября 2000 года. Если я вам до 15 января не возвращаю

500 долларов, то квартира ваша... За триста долларов такая квартира!

— Тота, — вновь заскулила Дада.

— Замолчи! — прикрикнул Тота и, обращаясь к пришедшим, произнёс: — Не согласны — других найду.

— Двести, — подали скупщики голос.

— Ладно. Торговаться не люблю и не умею. Последнее слово — двести пятьдесят.

Они пожали руки. Вместе ушли. Скоро Тота вернулся. На нем уже приличное пальто. Кепка.

— И твой любимый ватник не выбросил, — бросил он пакет на нары.

— А как же, Тота... Я в ватнике родилась. Видимо, и умру.

— Никак нет! — артистизм в его голосе. — Ты жена миллионера! — Он достал большую пачку денег.

— А-а! Деревянные?! — засмеялась Дада, а потом резко стала серьезной. — А если, вдруг?

— Никаких «вдруг»! — крикнул Тота. — Эти деньги нам нужны на два-три дня, чтобы выехать с детьми из этого ада. Понятно? А до этого лишь одно — маму перезахоронить.

— Я с вами, — вновь взмолилась Дада.

— А дети? — развёл руки Тота. — Сейчас они важнее всего. Разве не так?

— Тота, послушай хотя бы мои советы. Как себя здесь вести.

— Как? — прислушался Тота.

Инструктаж был короткий.

— В башне нашего дома — угловой подъезд: на крыше федералы. Снайперы. Стреляют всех, кто комендантский час нарушит. Стреляют и днём, если напьются. Стреляют, если кто для них подозрителен. Так что

к вечеру иди домой со стороны Дома моды, дворами и всё время к домам прижимайся.

— Понял, — торопится Тота.

— Погодите. Это важно. В этом же доме...

— Это ведь наш дом, — перебил Тота.

— Именно. Мы как бы по центру. А с другого края, где в подвале было фотоателье, — там боевики. Ночью они здесь хозяйничают.

— И как они уживаются?

— Иногда грызутся, бывает, и до крови, чтобы война да полевые, боевые и наградные не отменили. В общем, у нас не первая война, мы уже знаем, что командир у них один...

— И он в Москве, — продолжил Тота.

— И нам от этого не легче, — подвела итог Дада.

По правде, она даже не ожидала от Тоты такой решительности.

Три окна их квартиры выходили на проспект Революции, и из этих окон, особенно из кухни, очень чётко был виден свеженький небольшой бугорок, возле которого долго стоял Тота.

Было промозгло. Моросил мелкий дождь. Дада видела, как Тота быстро, не обращая внимания на грязь и большие лужи, тронулся в сторону базара по улице Мира.

Вернулся Тота не скоро. С лопатами. С ним был один коренастый пожилой мужчина религиозного вида. Совершив Дуа*, они осторожно стали копать. В это время случилось то, чего Дада больше всего боялась. Выпуская густые клубы черного дыма, на огромной скорости к углу руинам гостиницы «Не-

* Дуа *(араб.)* — молитва.

фтяник» примчались два БТРа. Несколько военных соскочили с машин, вразвалку двинулись к эксгуматорам.

Тут Дада не выдержала, крикнув детям, чтоб сидели смирно, она бросилась к выходу. Не прошло, наверное, и пары минут, как она домчалась до места, а конфликт, точнее грубый мат, на всю улицу.

— Я не понял! — кричит один военный. — Что за дела? Я не понял! Где разрешение коменданта? Военного коменданта? Руки, вашу мать! Руки поднять!

— Ой, солдатушки-братишки! Родненькие! — подскочила Дада в своем полувоенном ватнике. — Родные вы мои. Я тоже сибирячка. А тут моя мама покоится. Так получилось. Вот, попросила перезахоронить почеловечески.

— А ты-то как сюда попала? — задали ей вопрос.

— Вот так! Судьба! Замуж вышла... А моя мама — заслуженная артистка.

— А откуда ты из Сибири? Сибирь-то большая.

— Из Новосибирска. Новосибирское военномедицинское училище окончила. Так по распределению сюда и попала.

— А, ну ладно... Может, помочь?

— Нет-нет, спасибо, родные!

Когда копоть и рёв бронетехники исчезли, товарищ, точнее мулла, у Тоты спросил на чеченском:

— А это кто? Жена? А там, — он показал на могилу, — кто?

— Там моя мама, — ответил Тота.

— И моя тоже, — по-чеченски сказала Дада.

— Я совсем запутался, — произнёс мулла. — Но она нас выручила. Могло быть по-всякому... Надо торопиться, а то вдруг другие нагрянут...

Мать была небольшого роста. С возрастом стала совсем маленькой. А тут, после взрыва, – два пакета. Наспех чуть-чуть зарыты.

– А сколько здесь, в Грозном, даже так не захороненных трупов? – сокрушался мулла.

Даду отправили домой. А Тота и мулла с пакетами двинулись к стоянке такси.

Весь в грязи, промокший и усталый, Тота вернулся домой очень поздно. Было уже темно. Дети спали.

– Что случилось? – суетилась Дада. – Так задержались. Комендантский час.

– Всё нормально... Ездил чурт* покупать. Ждали мастера, чтобы имя на камне высек. Не дождались...

– Вы, наверное, голодные, устали. Промокли насквозь.

– Да, столько грязи принёс.

– Ерунда. Снимайте.

– А я детям шоколадки принёс.

– Да! Мама их всегда конфетами баловала... Я так волновалась. А как без паспорта на блокпостах? Тем более в ночь?

– Знаешь, – засмеялся Тота. – Не зря ты с мамой столько лет прожила – тоже артисткой стала... Какую сцену ты сегодня у Полежаевского разыграла.

Дада тоже рассмеялась:

– Знаете, Тотик, мама всегда говорила, что эту драму надо воспринимать как цирк, с юмором, иначе с ума можно сойти от происходящего вокруг.

– Вот так я и делал сегодня, – подхватил её тон Тота. – Помню, я ещё в институте, в спектакле, блатного играл. А нынче и опыт есть. Для пущего пон-

---

* Чурт *(чеч.)* – надгробный камень.

та я купил папиросы. И вот на очередном блокпосту наше такси становится в длинную очередь потока машин. Я выхожу, закуриваю папиросу. Этот прикид – кепка набекрень и беззубая ухмылка. И вот такая походка.

Тота вальяжно прошёлся по комнате.

– Тота! Тотик! – засмеялась Дада. – Вот это вы даёте! Ну точно Челентано!

– «Паспорт», – говорят мне. А я не повязан, а коронован. Но для вас ксива есть. А они ведь сплошь бандюги, по рожам видно. И сразу на жаргон. Ну а я сразу же по свежаку начинаю грузить «Енисейск – строгач». Все знают. И в ксиве печать стоит. А ещё пару известных кликух озвучиваю. Мол, в одной дыре сидели. И тогда обязательно спрашивали срок.

– А ты что? – не выдержала Дада.

– В пятнадцать лет грабёж с мокрухой. За юность лет вместо вышки четвертак дали. От звонка до звонка отмотал.

«Да вы что?! – удивлялись они. – Так ты, получается, при Брежневе сел, а при Путине вышел».

«Как видишь, братан!» – говорю я и так далее в этом духе... В общем, срабатывало.

– Вот это да! Давно так не смеялась, – радостна Дада. – А можно ещё раз эту походку?

– Как Челентано? – Он тоже смеётся.

Повторный его проход был ещё более впечатляющим, так что Дада от смеха упала на нары. И только тут она заметила, что дети от их шума проснулись и выглядывают из-за шифоньера.

– А ну спать! – прикрикнула мать.

– Нет, идите сюда, – позвал Тота. Дети тут же подбежали к нему. – Я вам шоколадки принёс.

— Ура! — хором закричали дети. — Нам баба-мама всегда приносила конфеты... А ещё баба-мама всегда говорила, что наш папа самый лучший танцор в мире.

— Даже так? — восхищён Тота.

— Да, — говорит дочь. — А мы тоже умеем «Маршал» танцевать. Нас баба-мама каждый вечер учила и такие же вкусные конфеты давала.

— Может, покажете? — попросил отец.

— Нет, уже поздно, — сказала мать.

— Танцевать никогда не поздно, говорила наша баба-мама, — постановила дочка.

— Вот это точно, — поддержал её Тота. — А ну, давайте.

— Погодите, — согласилась Дада. Она отодвинула с середины комнаты маленький столик, стулья. Зажгла ещё одну керосиновую лампу. Поставила перед собой табурет. — Барабанщиком всегда выступала мама, теперь постараюсь её заменить.

Дада неумело начинает бить по табурету. По заученной программе дети стали танцевать.

— Нет, у меня не получается, — сдаётся Дада. — Тотик, вы, пожалуйста, покажите класс.

— Да я тоже век не занимался этим делом. — Он всё-таки поставил перед собой табурет. — Начали с самого начала... Ритм надо соблюдать. Слушаем ритм. Раз, два, три, четыре... Нет!

Тота встаёт.

— Первым выходит мужчина, — руководит он, а теперь уже и сам показывает. — Вот так, а затем так... Понятно? Повторим. — Он садится. Начинает барабанить. Бросает: — Нет. Так не пойдёт... В танце всё должно быть идеально. Особенно звук. Табурет

и лезгинка – даже по духу несовместимы. – Он стал оглядываться. – О! – воскликнул он. – Ведь у нас есть испытанный временем чемодан. – Тота полез под нары.

– Это вы его занесли сюда? – удивилась Дада.

– Я... Так, сначала пошли.

Большой чемодан отца Дады, как вполне приличный барабан, задал нужный тон и колорит. Тота и дети вошли в раж.

– Тотик, может, не надо так громко?! – жалобно попросила Дада.

– Надо! Надо! Вот так! Ритм! Быстрее!

Дети подхватили:

– Хорс-тох! Тох-тох-тох– Маршал!

– Ай, молодцы! – воскликнул отец. – Только концовку надо делать вот так. – Вновь Тота вскочил и стал проводить мастер-класс, как будто они в репетиционном зале. – Так! – сел Тота на прежнее место, поправил чемодан. – Вновь с третьей позиции. Концовка – здесь бешеный ритм. Начали!

На всю округу застучал чемодан. На переходах ритма, с хоровым возгласом «Маршал», Тота особенно яростно бил в импровизированный инструмент. Вдруг, словно струна оборвалась, звук удара куда-то провалился. Тота замер. Все замерли.

– Что это? – удивился отец семейства.

– Может, чемодан устал? – предположила дочка.

– А что в нём? – спросил Тота.

– Даже не помню, – пожала плечами Дада.

Тота ловко бросил чемодан на нары, раскрыл. Тишина. Дада догадалась.

– Двойное дно, – прошептала она.

Кто-то, скорее всего зэки, сделали так называемое двойное дно в чемодане. С нескрываемым любопытством и изумлением, понимая, что это жизненно важный клад, Тота и Дада, уже как бывалые зэки, с полувзгляда поняли всё. Детей сразу же уложили спать. Ещё раз проверили засовы на дверях. Толстым одеялом занавесили окно. Перешли на шёпот.

В чемодане были деньги. Советские и даже немецкие марки. Штук десять казначейских облигаций госзайма, на которые обманывали весь советский период советских людей, и два письма: в Карлаг на имя Самбиева Лёмы. Текст короткий: «Всё нормально. Жду. Люблю». Без имени отправителя.

Но самое главное – три фотографии. Самая большая, с рельефными краями, сделана в фотоателье. Дата: март 1968. Алма-Ата. Стоят мужчина в кепке и женщина средних лет. Между ними на стуле – симпатичная девочка.

– Это мой отец, – шепчет Дада. – Я его таким и помню. Значит, это я... А это, получается, моя мать... Её я не помню.

– Зато я, кажется, помню и знаю.

– Что-о-о?! – изумилась Дада.

Тота рассматривает две другие фотографии. На одной группа мужчин, по центру – отец Дады. Другое фото – любительское. Самбиев Лёма в тюремной робе, а рядом та же женщина. Она тоже явно в казенной одежде. На обратной стороне было что-то написано синими чернилами, но со временем всё расплылось, не разобрать. Однако Тота узнал:

– Это мать Амёлы Ибмас, – твердо сказал он.

* * *

Как на зоне приучили, Тота проснулся рано. Керосиновая лампа уже догорает, фильтр мерцает, а Дада все также сидит, плачет и смотрит на фотографии.

– Ты не спала?

– Немного убиралась. – Одежда Тоты почищена, висит аккуратно на стуле, но сейчас Дада спрашивает о своем: – Тота, вы вчера мне дали два телефона по памяти. Вы не ошиблись?

– Дада, я тебе уже десятый раз повторяю. Рабочий телефон Амёлы я точно помню. А вот домашний – не уверен.

Тота стал одеваться, а Дада как бы про себя говорит.

– Наша мама рассказывала, что ей всегда снился сон, как она шла по железнодорожному полотну в пустыне, а впереди её мать. Но она никак не может догнать её, как в воде, тяжело идти... Не поверите, Тота, только вам говорю, а более и некому было. С самого детства меня преследовал один сон, вернее кошмар. В ушах этот истерзанный крик «Дада, Дада!», что я кричала, когда убили отца. Так бывает тяжело... А вот в последние дни я вижу во сне маму. Образ расплывается, но она почему-то плачет и зовёт меня. Я так хотела её увидеть!.. И вот. Мама!.. Тота, скажите, какая она? Елизавета... Ещё раз. Прошу. Поподробнее расскажите о маме.

– Я тебе почти всё всю ночь говорил. Однако про одну вещь не сказал... Мы ведь втроем, я о нас и твоей маме, – зэки и знаем, что такое кликуха или позывной. Она дается в основном по характеру человека. Ведь так? Так вот, у твоей мамы, она сама мне сообщила, позывной был Цыплёнок...

— Почему был? — возмутилась Дада.

— Ну, я в том плане, что ныне она ведь повзрослела.

— У-у! — простонала Дада. — Когда же наступит утро? Когда откроют переговорный пункт?! Я услышу маму. Тота, дорогой, вы мне купите билет? Цюрих! Мама!

— Да-да, конечно, — обещает он.

— Боже, эта ночь длиннее, чем в карцере... Вы в карцере долго сидели? — И вдруг она меняет тему: — А Амёла и не похожа на мать, не правда ли?

— Да-да, — соглашается Тота. — Ты более похожа. Это факт.

— Хотя в милиции нам сказали, что мы похожи, как две сестры.

— В какой милиции? — удивился Тота.

— В Енисейске. Там всего одна захолустная гостиница, — вспоминает Дада. — И вот в эту дыру прибывает эта мадам! С такими чемоданами. Вся в парфюме. С прислугой. И говорит: «Где портье?» Ей, бедняжке, чемодан занести в номер надо. Вы представляете, Тота, я тогда и не знала, с ней ведь консул посольства Швейцарии был. Так он и потащил её огромный сундук на второй этаж.

— Так сундук или чемодан? — поддевает Тота.

— Какая разница? В эту сибирскую глушь — весь гардероб! — Дада встала. Подбоченилась. Продолжила: — Я как увидела её, сразу поняла, что эта мымра к вам примчалась.

— А как ты это определила?

— Ой, Тотик, а к кому же в это болото поедут?.. Твои кудри каштановые всех сводили с ума.

— Как видишь, теперь не каштановые, седые.

— Ещё краше... Вот она и примчалась, как будто меня не было и нет.

— Но ты на посту, — съязвил Тота.

— А как же, мать двоих детей!

— Твоя сестра. Оказывается.

— Вот я об этом... В общем, утром является эта мадам в ресторан на завтрак. Шведский стол. Ну, как в Сибири. Мне нормально. А она — что это такое? Где же местные, натуральные продукты — рыба из Енисея, грибочки, ягоды? Тут всё — китайский пластмасс.

— Может, она и права?

— Что права? Я ей и сказала — ешь, что Бог дал, и не выпендривайся.

— А она что?

— А она наглая. Вдруг послала меня. Мол, не твое дело.

— Тут тебя понесло, чуть стулом не пришибла.

— А вы откуда знаете?

— Местные чеченцы рассказывали.

— Да, хорошие ребята. Я, как в Енисейск прибыла, сразу их подтянула. Они-то меня из ментовки после той драки и вытащили.

— А Амёлу?

— А перед Амёлой эти менты ещё и извинились... Кстати, я это вспомнила потому, что, когда нас из гостиницы забрали, мы ведь там всю посуду побили, один мент-криминалист сказал: «А вы как две сестры, похожи».

— И ты её чуть не убила!

— Не велика потеря... Кстати, потом я её спасла.

— Это как?

— Представляете, эта мадам вышла на следующую ночь на балкон, покурить. Дверь не закрыла. А тут мошкара... Ночью в гостинице крик. Там всего с деся-

ток номеров. Мой рядом... Слышу, скорую не могут вызвать — водитель пьян. Я зашла к ней в номер. Смотрю, лежит, вся опухшая. Я поняла, что это малярийная аллергия. Могла задохнуться. Я в аптеку. А какая аптека в тайге. Позвонила землякам. Они аптекаря подняли. Я ей в одно место простой парацетамол с димедролом всадила. Утром пришла в ресторан как огурчик и мне сквозь зубы: «Мерси»... Правда, вас она вытащила... Я-то улетела, она осталась... С вами.

— Я её не видел... Мне надо ехать на кладбище. Чурт должны подвезти.

В обед Тота вернулся домой, а Дада всё также сидит, плачет.

— Что, не дозвонилась? — Она кивает. — А что плачешь?

— Две недели... Всего две недели...

— Что значит — две недели?

— Две недели назад моя мама умерла.

— Елизавета?

— Да. Её настоящее имя Катя. Екатерина Крюгер. Только после её смерти Амёла стала разбирать её дела и всё узнала... Как она меня искала! Сколько запросов сделала! — Тут Дада снова горько зарыдала. — А знаете, как меня зовут? Седа! Звезда! Я — Самбиева Седа Лёмаевна.

— Седа? — удивился Тота.

— А Амёла Ибмас знаете что? Читаешь задом наперед — Самби Лёма. Наш отец. Мой дада... Я рассказала Амёле, как нашего отца на моих глазах убили.

— А Амёла где родилась?

— Когда наша мама переходила границу, она была беременна. А я с отцом осталась в СССР. Нас не выпустили.

— Ладно, ладно, успокойся.

— Я вам главное не сказала. Через два-три дня Амёла вылетает в Тбилиси. К нам придёт проводник, до Шатили доведет. А там, в Шатили, уже на вертолете Амёла будет нас ждать.

— И вы это всё по телефону обсуждали? – рассердился Тота.

— Да... Нет. Нет. Амёла ведь умная девочка. Она так, полунамёками... А вообще-то она сказала, что всё уже под контролем.

— Да? – удивился Тота. – Впрочем, Россия в руках ворюг, а их деньги в швейцарском банке.

— Конечно! Да как она вас вытащила! – Дада уже не плачет, а даже смеется. – И знаете, нет-нет, а спросит – как Тота? Я с вами до сих пор на вы, а она тыкает. – Тут Дада стала серьёзной, но ненадолго. – Знаете, как она с Маликой быстро разговорилась.

— Так сколько вы разговаривали? У тебя столько было денег?

— Конечно нет! – смеется Дада. – Этот аппарат каждую секунду по монете глотает. Дважды меняла. Всё! А Амёла вдруг говорит. Я дома. Вы запомнили все её телефоны... Так вот. Она говорит, Дада, я через полчаса буду в банке, просто набери и сбрось. Жди в переговорном.

Дада от восторга хлопнула в ладоши.

— Диспетчер говорит – Болотаева Дада, она же Самбиева Седа кто? Первая кабина... Больше часа говорили. Я так её люблю. Так хочу увидеть.

— А о чём вы целый час говорили?

— Ой, о чём только не говорили! Как минута... А оператор подошла и говорит, что всего три аппарата.

Очередь. А Амёла, оказывается, как-то включила спецсвязь. — Дада засмеялась. — Представляешь, я о детях забыла. Дверь кабины закрыла, а они убежали на улицу играть.

Тота слушает, молчит, а она продолжает:

— Я вышла из кабины. На меня вся очередь смотрит: злые, недовольные. А я говорю: «Простите, люди добрые. Сегодня родную сестру нашла, впервые с ней разговаривала». Весь зал стал мне аплодировать, поздравлять!

Знаете, Тота, — продолжает Дада. — Переговорный пункт на углу Мира и Розы Люксембург. Я шла оттуда. Может, и погода такая. И мать не увидела. Но настроение у меня было сказочное. Я этих руин уже не видела... Знаете почему?

— Почему?

— Потому что мы с сестрой говорили о наших детях. Амёла сказала, что в Швейцарии лучшее школьное образование.

— Говорят, — подтвердил Тота.

— Так вот, Малика пойдёт в музыкальную школу. А Батака, как и ты, будет танцором!

— Ой, только не это, — возмутился Тота.

— А почему нет? — удивилась Дада.

Они стали спорить, словно они уже находятся в Швейцарии, как вдруг Дада вспомнила:

— Маме чурт поставили?

— Нет... Там зачистка была. Не подъехать, не подойти.

Замолчали, задумались. Дада нарушила тишину:

— На днях вроде будет проводник... Мы уедем?

— Однозначно! Вот чурт бы поставить... Кстати, у меня ещё одно желание. Даже обязанность.

Узнав о желании, Дада стала отговаривать мужа от этой затеи. Однако Тота небрежно отмахнулся: мол, ты ничего не понимаешь и это даже не твое дело, что заставило и Даду взяться за это дело с энтузиазмом.

Баннеры были не очень тяжелые, из легкой синтетики, но длинные. Они попытались вынести их через подъезд, а потом сделать крюк через весь двор и под арку. Однако Тота додумался чрезмерно сократить весь процесс доставки до рекламных щитов. Просто Дада в разбитое окно кухни выдвинула баннеры, а внизу на подхвате уже Тота стоял.

Покойная мама Тоты всё делала наспех, в условиях войны и на свои жалкие сбережения. Поэтому щитовые рамы всего в метре от земли, и, оказывается, всё по размеру подогнано. Так что даже Тота и Дада сами удивились: как они всё это быстро установили! Прямо на углу проспекта Революции и улицы Мира, со стороны руин национального театра. И такое расположение места, что яркое, заходящее к закату осеннее солнце щедро осветило эти праздничные плакаты.

На первом – грациозная фигура Махмуда Эсамбаева, «75 лет Великому Человеку!» и красным выведен лозунг или призыв «Я буду танцевать!».

На втором баннере – коллективный снимок труппы «Маршал», сделанный в концертном зале «Россия», в Москве. Здесь и Мариам и Тота Болотаевы. Написано «Юбилейный концерт», и здесь тоже ярко выраженный главный акцент: «Мы будем танцевать!»

Конечно, Тота понимал значимость этого поступка. Правда, такого эффекта даже он не представлял.

Через квартал, около Дома моды, – начало разросшегося центрального «Зеленого рынка», или просто базара, там же остановка общественного транспорта.

Вечер. До начала комендантского часа и просто темноты люди спешат разъехаться по домам, а тут кто-то пустил слух: «Будет юбилейный праздничный концерт! Значит, война отменяется». Именно этот термин «отменяется» применяют чеченцы к категории «чеченские войны», ибо чеченцы твердо знают, что эти войны не начинались и не заканчивались, эти войны планировались, назначались и, как только цели будут достигнуты, по приказу отменялись... По этим жизненным критериям, а базарные бабки всё знают, эти красочные лозунги не что иное, как смена политики власти.

Народ хлынул смотреть на это сверхжеланное, небесное чудо — наступление мира! Концерт. Праздник. Ловзар!*

— Да, мы будем танцевать! — кричали люди, и тут же не в одном месте, а сразу в нескольких местах организовались импровизированные кружки. Стали танцевать лезгинку.

Это был взрыв! Столько эмоций! Радости шквал! Но больше всего Тоту поразил один старик.

— Ты сын Мариам Болотаевой? — спросил он. — Я её знал. И видел, как ты танцуешь... Я уже полгода как из подвала не выхожу. Тут, по соседству, живу, существую. А тут такое! Махмуд! Юбилей! Знаешь, Махмуд, когда приезжал после гастролей, любил по этому проспекту поздно вечером гулять.

— Я это помню, — подтвердил Тота. — Обычно он гулял вместе с первым секретарем обкома КПСС Власовым.

— Точно! Точно! Махмуд брал его под руку, и они очень долго туда-обратно гуляли и всегда о чём-то очень живо говорили.

* Ловзар *(чеч.)* — игра, забава, свадьба, торжество.

— И никто их не охранял.

— Ну, в метрах пятидесяти бывал один человек.

— Да, — поддакнул Тота. — Но он скорее как помощник. Обычно пожилой человек.

— Да. Мирный. Очень мирный и красивый был тогда город Грозный. И, в частности, благодаря труду и таланту Махмуда.

— Я надеюсь, — сказал Тота, — когда-нибудь этот проспект назовут именем Махмуда Эсамбаева и тут будет стоять бронзовый памятник ему. А вдоль проспекта небольшие композиции, посвященные его различным танцам.

— Браво! Браво, молодой человек… Ты создал праздник! Я словно вернулся на тридцать лет назад. Словно побывал в иной реальности. Смотри, сколько радости, сколько жизни ты сегодня подарил людям!

— Спасибо вам, — говорит Тота.

— Это тебе спасибо. Ведь танец — это дух народа! Ты всколыхнул людей! Даже меня оживил.

— Неужели?!

— Конечно. Я очень рад, что такие, как ты, есть… Только смотри, будь осторожен, ни тем ни этим, — костылем показал он места дислокации вооруженных сторон, — это очень не понравится… Война — это мир злых людей. А танец — это торжество мирных людей. Мы будем танцевать, значит, мы непобедимы… Маршал! — воскликнул старик.

— Маршал! — подхватили весь проспект и вся улица Мира.

* * *

Поздней осенью погода очень изменчивая. После доброй, солнечной погоды днем, ночью задул резкий

ветер, так что клеёнка на окне, как слабо натянутый парус, всю ночь громыхала, не давая спать. Тем не менее Тота Болотаев очень рано встал, поехал вновь на кладбище.

Он обещал Даде, что, если оцепление с того района ещё не сняли, вернется очень быстро, в противном случае установит надмогильный камень и к обеду уже будет дома.

Как раз к полудню резко похолодало. Пошёл моросящий, мелкий, колючий дождь, уже напоминающий первый снег.

Даже к вечеру Тота не появился. Быстро сгустились сумерки, мрак. Комендантский час. Тишина. Только дождь всё гуще и гуще.

Занервничала Дада. Места себе не находит. День и так оказался тяжелым, а под конец...

К вечеру положено дверь на засов запирать и схорониться в квартире, как в норе, ибо вокруг соседей нет, а дети, видя, как их отважная мать расстроена, тоже тихо скулят.

Попытается Дада их чуточку успокоить — не получается, её тревожное состояние передается и им. Рискуя жизнью, бегает Дада не только во двор, но и под арку и раз даже до перекрестка Дома моды добежала. Ни души. Мрак. И ей страшно. Страшно за мужа, за детей. И она уже жалеет, что Тоту из тюрьмы выпустили.

Был уже девятый час. Для этого Грозного — время, когда ничего живое уже не шевелится. А Дада под аркой стоит, дрожит. Вдруг Тота — он ведь неместный, ненормальный, и всё у него всегда не как у всех — из-за угла появится. Не появился... Она побежала к детям, и тут гул, нарастающий гул мотора.

Нет, даже военная техника по ночам в Грозном не передвигается. Но этот шум приближается. Дада бросилась обратно к углу арки. Дальний свет, как язык пламени из пасти дракона, высветил скошенные, густые струи дождя на проспекте Победы.

Сердце Дады замерло. Прямо на перекрестке огромное, черное чудовище резко затормозило, развернулось на улицу Мира и понеслось прямо на неё. Дада укрылась под аркой и прямо перед ней машина затормозила и, словно брюхо чудовища, исторгнула из себя какую-то тень, швырнула в грязь. Испустив сизую, вонючую копоть и гарь, огненное чудовище, громыхая, умчалось.

— Тота, Тотик, — бросилась Дада к нему.

— Всё нормально. Нормально. — Он тяжело встал.

— А что случилось? — вопрос Дады, когда пришли домой.

— Да с утра всё было нормально. Такой хороший чурт мы маме установили.

— Ты завтра повезёшь меня туда?

— А дети? И опасно. — Они задумались, помолчали.

— А дальше что? — спросила Дада.

— Еду обратно с шабашником. Уже шёл сильный дождь. На Ташкале пост. Только я смотрю — иной контингент. С этими, я понял, за блатного не прокатишь, слишком строгие. Наши друзья-подельники — внутренние войска... Ну, я свою справку предоставил. Ведь ты её в целлофан, чтобы не испачкалась, завернула.

— Ну да, — подтвердила Дада.

— А этот старший прапор её развернул и под дождём полчаса изучает. Я ему говорю: «Бумажка промокает, уже чернила текут... А я без неё стану здесь бес-

правной скотиной». А он мне: «А ты и так скотина». На что я ответил: «Это ты свинья»... Очнулся я в какой-то камере. Никого и ничего. Только очень холодно. Зарешеченное окно без стекла. Стемнело. Вдруг включили свет. В дверях – огромный подполковник:

– Ты в Енисейске сидел? Только откинулся?.. Хм. Начальник там мой кум... Сейчас позвоню. Либо ты скотина и – в расход, либо как кум скажет.

– Хвала Всевышнему, – прошептала Дада. – Амёла опять спасла.

– Ты звонила ей? – переключился Тота. – Какие новости?

– Ой, столько всего в один день! – тяжело вздохнула жена. – Слава Богу, что всё так закончилось. Вы дрожите. Садитесь, сейчас вода подогреется, ноги попарим. Вам болеть нельзя. Нам предстоит тяжелый путь с детьми через перевал.

– А что? Проводник был?

– Боже, как он вовремя прибыл. Что бы мы без Амёлы делали?

У Дады всегда на печи подогревалась вода. Там она завозилась, а Тоту любопытство съедает:

– Так, расскажи, что было?

– Тогда по порядку... Тотик, вы не поверите. Ваши афиши такой произвели фурор. Столько людей. Особенно молодежи. Все фотографировались на фоне Эсамбаева. Стали танцевать, ведь дождя с утра ещё не было. И тут появились эти, наши бородатые «защитники», в том числе и арабы. Стали в воздух стрелять. Танец – грех! Танцевать, тем более женщине! А мужчина – только воин! В общем, всех разогнали, а афиши ножами разрезали.

– Не может быть?! – удивился Тота.

— Я это всё видела из окна. В это время в дверь постучали. Наш проводник. Хож-Магомед. Он сказал — послезавтра, в 8 утра здесь, около арки, нас будет ждать военный уазик. Водитель — русский. Он довезёт нас до Итум-Кали. Там уже чеченцы повезут нас дальше. На границе до Шатили дорогу федералы взорвали. К тому же там уже снег. Надо километра два-три идти с детьми пешком. Поэтому придётся взять с собой только самое необходимое — документы и тёплую одежду... В Шатили, на вертолете, нас будет ждать Амёла.

— Вот у тебя сестра, — засмеялся Тота.

— Слушайте, что было дальше... Проводник, сразу видно, человек непростой. Он мне коротко всё объяснил и только собрался уходить — грубый стук в дверь. Крики. Хож-Магомед знаками показал мне открыть, а сам прошел в дальнюю комнату. Открываю, а там эти наши бородачи из подвала фотоателье.

«Где твой муж, танцор? Нам и мать его надоела, а этот ещё и Эсамбаева притащил с собой». Этот пещерный дикарь, — продолжает Дада, — ещё что-то такое нёс, как неожиданно появился проводник.

«О! Хожик, а ты здесь, откуда?»

«Во-первых, я не Хожик, а Хож-Магомед. А во-вторых, я сейчас первым отсюда уйду. Вы — через тридцать секунд после меня. И сюда более нос не суйте и всячески их оберегайте от всего плохого. Понятно?»

«Понятно, Хож-Магомед, — выпалили бородачи, а когда он ушёл они у меня спрашивают: — А что он тут делает?»

— Вас ожидает, — отвечаю я.

Тут Дада и Тота рассмеялись. Немного сняли стресс, и Дада продолжает:

— Теперь, Тотик, и о приятном. Сегодня тоже с Амёлой говорила.

— Снова целый час?

— Даже больше, — смеётся Дада. — Как одна минута пролетает время.

— Так о чём вы говорите?

— Боже мой! Сколько хочется сестре сказать. Ещё больше спросить... Но сейчас не об этом. Тотик, Амёла сказала, что для порядка нам нужно заключить брак. Вы не против?

— А как? Тут есть ЗАГС?

— Есть. Я уже договорилась... Утром нам выпишут бланк, а в час, как обычно, у нас с Амёлой переговоры. Я по факсу вышлю ей наше «Свидетельство о браке»... Теперь и юридически я стану вашей женой.

— Нам бы детей целыми-здоровыми вывести отсюда, — о главной заботе говорит Тота.

— Да, — соглашается Дада. — Один день. А послезавтра мы уже будем в Тбилиси, дай Бог... Я Амёлу в объятиях задушу.

— Я устал, — прошептал Тота.

— Да-да, сейчас уложу, — захлопотала Дада. — Только одна просьба — обязательная! На могилу мамы мы с детьми должны поехать.

— С детьми — нет! Опасно. Сама знаешь.

— Тогда меня. Одну... Детей у знакомой оставим.

— Посмотрим, — уже засыпая, прошептал Тота.

* * *

1 декабря 2000 года

Зима пришла по календарю. Ночью ударил первый, легкий мороз.

Тота проснулся рано. Видит в полумраке – Дада сидит перед печкой, обхватив голову двумя руками

– Что не спишь? Тебе плохо?

– Ой, Тотик, опять этот сон. Этот кошмар... Всю ночь я кричу: «Дада! Дада!» Аж в ушах больно.

– Потерпи. Ещё только день.

– Поскорее бы... На душе так тревожно... Вот здесь, – она сжала платье на груди, – всё горит. Жжёт. Болит.

– Успокойся. Полежи немного.

– Сейчас дети проснутся. Завтрак приготовлю. Потом в ЗАГС надо побежать.

– А где здесь ЗАГС? – поинтересовался Тота.

– Там же, по нашему проспекту Революции, приспособили стол, стул, печать!

...Это управление республиканского ЗАГСа на проспекте Революции находилось тоже возле арки, напротив «Грознефти». Эта арка более масштабная, красочная, в стиле послевоенного декора.

От арки во двор, где живут Болотаевы, до арки ЗАГСа всего метров двести – двести пятьдесят по прямой. Однако этот путь полностью просматривается из угловой высотки их дома, где на чердаке и последних этажах расположились снайперы и связисты, контролирующие весь прилегающий район.

Дабы лишний раз не мозолить глаза и не попадаться на мушку наведенного прицела, Дада постоянно ходит потаенными тропинками через дворы... Это заняло время, а потом и начальница ЗАГСа вовремя не пришла. Словом, этот недалекий поход занял не пятнадцать минут, а в три раза больше. И если бы Дада вернулась напрямую, то она бы, наверное, прекратила бы этот процесс. Но Дада пошла кругами. Около «Образцовой

парикмахерской» остановилась у прилавка — детям сладости купить. Потом со знакомой посплетничала. В итоге, когда она раскрыла входную дверь квартиры, её ожидала потрясающая картина. Её легко одетые дети в этот мороз выглядывают в разбитое окно кухни.

— Что вы там делаете? — бросилась к ним Дада и сама в ужасе застыла. На прежнем месте уже красуется яркий баннер с Махмудом Эсамбаевым «Я буду танцевать!», и Тота уже повесил и укрепляет второй баннер «Мы будем танцевать — Маршал!».

— Тотик! — в ужасе прошептала Дада, а он, словно услышал, крикнул на весь проспект:

— Ну как, дети мои? Будем танцевать «Маршал»?

— Будем! — дружно, хором ответили дети.

— Хорс-тох! — выдал он первый пируэт лезгинки, стал в позе орла, застыл...

— Тота, не смейте! — крикнула Дада, но это ещё более, кажется, его раззадорило, и он, крикнув:

— Я буду танцевать! Мы будем танцевать! — как никогда ранее, как в юности, с азартом и бешеной страстью выдал свой фирменный танец и под конец такой в прыжке пируэт, что даже дети крикнули:

— Маршал!

— Свобода! — поддержал их отец.

— Тота! Перестаньте! — заорала Дада. Она рванула к выходу. Под аркой она встретила Тоту. У него глаза блестят. Дада знает это бесшабашное состояние супруга.

— Тотик, успокойтесь, всё хорошо. Вы всё правильно сделали... Мама вами гордится.

— Да? — тряхнул он поседевшими кудрями. — Я хочу поехать к ней... Я не хочу отсюда уезжать. Дада, я никуда не уеду! Я не уеду! Понятно тебе?

— Понятно. Понятно... Тогда и мы не поедем.

— Нет! Ты обязана исполнить мою волю! Разве не так?

— Так, Тотик, так... Пойдёмте домой.

И дома возбужденное состояние Тоты не унималось.

— Раскомандовались здесь! У себя дома запрещают нам теперь танцевать, — возмущался он. И тут Дада предложила:

— Тотик, напоследок повезите меня на могилу мамы.

— Да, — как бы очнулся Тота.

Они быстро собрались. Детей отвели в соседний двор, к знакомым мамы. На удивление очень быстро доехали до кладбища. Дада долго приводила могилку в порядок. А после этого, как по заказу, пошёл густой пушистый снег, который белым, легким одеялом прикрыл гарь и горечь войны.

Также спокойно Тота и Дада вернулись в центр. Забрали детей и, купив им сладости, пошли домой.

Вроде бы всё было нормально. Дада занималась детьми, как вдруг заметила, что Тота, и без того очень бледный после тюрьмы, как-то совсем почернел лицом, посуровел. Повалился на нары.

— Всё нормально? Тотик, ничего не болит? — поинтересовалась Дада. — Тогда я сбегаю на переговорный, факс отправлю... За детьми присмотрите.

Перед выходом из квартиры она заметила, что в разбитый проем окна кухни щедро заметает снег. Она подошла к окну и в ужасе застыла. На двух афишах написаны и нарисованы всякие непристойности: «Вот вам «Маршал» — Свобода. Вы не будете танцевать!»

Дада задумалась. Не дай Бог Тота увидит. Она вернулась в обогреваемую комнату:

— Тота, может, вы пойдёте на переговорный, а я за детьми присмотрю и в дорогу собираться надо.

— Да, — с готовностью вскочил супруг, а Дада, провожая его, делала всё, чтобы он не смотрел в сторону кухни. К счастью, путь его лежал в противоположную сторону. И как только он вышел, Дада этот проём тщательно заложила фанерой, которую она до этого использовала, когда оставляла детей дома одних.

А Тота в это время уже заказал Цюрих:

— Тота, это вы? А где Дада? У вас всё нормально? Я сегодня вылетаю в Тбилиси.

— Амёла, спасибо тебе... Ты меня прости за всё.

— О чём вы, Тота? Давайте так: кто прежнее помянет — тому глаз вон.

— Ха-ха, — засмеялся он. — Давай, Амёла... Однако я шёл сюда на переговорный среди этих руин и почему-то вспоминал, как мы с тобой возвращались из Альп. Помнишь?

— Помню.

— А помнишь, как я, поддевая тебя, напевал «Don't cry for me Amela!»?

— Помню... А к чему вы это, Тота?

— Да так, вспомнил... Спасибо тебе, Амёла. «Don't cry for me, good bye!» — повесил трубку.

Он вышел из переговорного. Серое небо. Шёл пушистый снег. Под ногами слякоть. Перед ним базар. Много людей. Шум. Грязь. Вонь. По улице Мира, по разбитым трамвайным путям, он пошёл домой. Автоматически прошел мимо арки. Стал на углу банка «Терек». Напротив эти испоганенные, как его жизнь, афиши. Он их из квартиры сразу же увидел и боялся,

что Дада тоже увидит. Все увидят это издевательство и позор.

В кармане ещё оставалась недокуренная пачка папирос. Даже в тюрьме он не курил, а здесь, в Грозном, пристрастился.

Курил уже вторую или третью папиросу. Думал. Точнее, думать не мог... Просто вся жизнь проносилась перед глазами... Этот Полежаевский сквер. На углу – парикмахерская и тут же автоматы с газировкой. А в банке «Терек», обкоме комсомола – красивые девушки. Под их квартирой единственный магазин «Спорттовары»: купить чешки для гимнастики и танцев – мечта. Мечта танцевать, как Махмуд Эсамбаев, а оказалось – ты козёл. Даже хуже... И это висит в центре города, его города. И это никто не рвёт, никто кинжалом не режет... Там наведен прицел.

И почему-то в этот момент Тота вспомнил, как мама дала ему почитать «Обещание на рассвете» Ромена Гари. Через день-два забрала обратно. Потом Тота понял почему. Но всё же он этот роман и тогда, и после ещё раз перечитал. И вспомнил, как мать автора писала сыну на фронт: будь мужественным. А мать Тоты писала ему с линии этого самого фронта и просила: будь стойким и терпеливым.

И почему-то Тота вспомнил, что в автобиографическом романе «Обещание на рассвете» этого, конечно же, нет, но мать автора и позже сам Ромен Гари покончили жизнь самоубийством...

А как, оказывается, хорошо, что он матери так и не рассказал про то, как встретил в Париже Хизира... Кому он отомстил? Что он сделал? Его мать, его несчастная мать, так мечтала хоть раз в Париж, в Европу поехать. Завтра они поедут. А его мать здесь исчезла.

Просто какие-то фрагменты, вроде бы его матери, он захоронил.

И зачем он эти афиши повесил?

Для того чтобы напоследок надругались над матерью, над Махмудом и всей культурой? А не жалела ли мать о том, что когда-то взяла его (может быть, действительно, къута?) из полузабытого детского дома, всё делала для него и всё отдала ради него. И вот его сыновья благодарность?!

...Идет снег. Здесь прохожих почти нет. Из-за огромной воронки – жизнь матери – движения нет. Тишина. Вроде умиротворенность. И теперь Тоте кажется, что эти испоганенные афиши как раз вписываются в интерьер руин Грозного. Как закономерный итог.

– Нет! – процедил он. Оставляя на свежем снегу ровный след, он бросился к рекламным щитам.

– Эй, ты, урод! Пошёл вон! А ну брось! – как к скотине, пронеслось свысока по проспекту.

Именно как скотина, как хищник, Тота стал в бешенстве срывать оба баннера.

– Эй, ты! Мы будем стрелять! – ещё громче голоса, но Тота их не слышит, не хочет слышать.

Он наспех, кое-как установил во всю ширь третью, последнюю афишу Махмуда Эсамбаева и уже также торопливо устанавливал баннер «Маршал», когда с крыши раздалась грозная очередь крупнокалиберного пулемета. Он и тогда не обернулся, продолжал укреплять афишу, как услышал:

– Тота! Тотик! Родной!

Тут он обернулся. Дада и двое детей – в разбитом проеме окна.

– Тота! Тотик, что вы делаете? Оставьте! Идите сюда. Прошу.

— Уйди! Убери детей! — махнул рукой Тота.

— Бах-бах-бах! — громыхнул на всю округу пулемет.

Все замерли.

— Эй, ты, козёл! — голос сверху. — Возьми из канавы грязь и припиши «Мы не будем танцевать».

— Ха-ха-ха! — оттуда же дружный хохот.

— Тота, Тота, идите домой, беги-и! — закричала Дада.

— Уйди! Убери детей! — вновь крикнул ей Болотаев.

— Домой он не пойдет и не побежит, — голос сверху. — Лишь на карачках.

— Лучше по-пластунски, ха-ха-ха, — другой голос. — А вначале напиши «Не будем танцевать!»

— Будем! Будем танцевать! — Тота в ответ.

— Тота, не смей! — завизжала Дада.

Но он уже развел по-орлиному руки, крикнул:

— Танец «Маршал», что значит — Свобода! — и закружился в бешеном ритме танца, разбрызгивая мокрый снег. Вдруг, как скошенная трава, резко упал, схватившись за ногу.

— Тота, Тота, — кричала Дада.

Он с трудом встал. Вновь та же позиция орла, но взлететь уже не смог. Выстрела Дада не услышала, лишь увидела, как разлетелись веером его вьющиеся, поседевшие кудри.

— Тота, Тота! — заорала она, рванула через окно, повисла на подоконнике, спрыгнула со второго этажа. Хромая, побежала к мужу.

— Тота, Тотик, — упала перед ним на колени, схватила его голову. — Тотик! Не-е-ет!

Она вскочила! Разъяренная! Злая!

— Суки! Варвары! Идите сюда, если мужчины! — В её руках блеснула заточка. — Идите сюда, мрази... — Она со злостью вонзила финку в землю. — Идите сюда! — скинула тужурку.

— Дада! Дада! Мама Дада! — кричали её дети из окна.

— Мы будем танцевать! Мы будем танцевать! Маршал! Свобода! — И она стала, как Тота, в орлиную позу, закружилась в вихре танца. Пулеметная очередь... Она ещё дышала, и, как всегда, её и теперь преследовал этот крик: «Дада! Дада! Дада!»

* * *

В письме Тамары Кобиа-гар был абзац, который я, по понятным причинам, перенёс на эту страницу.

«...По словам той же Натали Морозовой, ей на руки попалась уникальная фотография. Вид сверху. Видимо, из логова снайперов. Сделана на следующее утро. Всё в белом. Только запорошенная снегом кровь, как на холсте художника, отделяет лежащие фигуры слабыми тенями. В вихре небесного танца они летят...

Эту фотографию у Морозовой на день-два попросил один местный журналист для репортажа. Пропала. Где похоронены и похоронены ли вообще Тота и Дада, неизвестно, но вы, Канта Хамзатович, может быть, сможете поставить им памятник, точнее, сохранить в памяти, используя эти «Записки» Тоты Болотаева».

* * *

— Простите, мадам. Вы прибыли из Тбилиси? Эти дети с вами? Я офицер пограничной службы Швейца-

рии. Пожалуйста, ваши документы и документы детей... Следуйте, пожалуйста, за мной.

— Так, пограничный контроль вон там. У всех.

— Мадам Ибмас. Я сожалею. У вас и у детей особый случай... Следуйте, пожалуйста, за мной.

— Пожалуйста... Батака, Малика, пойдёмте за дядей. И не бойтесь. Теперь мы в Швейцарии. Это не Россия, тем более не Чечня.

Тут же, в погранзоне, отдельный кабинет со стеклянными стенами.

— Добрый день. С приездом! О, какие милые дети! — их приветствует высокий, пожилой офицер. — Садитесь, присаживайтесь. Мадам, вы, видимо, не в курсе, но, пока вы летели, у нас здесь разразился международный скандал.

— И что случилось?

— МИД России выдвинуло официальный протест — обвинило нас в краже детей, граждан Российской Федерации.

— Ах, даже так?.. А почему МИД России и вся российская общественность не выдвинула официальный протест, когда на глазах у этих детей по-варварски, как зверей, издевательски уничтожили их родителей. Прямо в центре города. Средь этих руин. Напротив театра! Им запретили танцевать, жить, дышать! Ах! Вы смотрите?! А теперь гуманизм! Вспомнили о детях... Я этих детей лично отыскала, выкупила, вывезла!

— Успокойтесь, успокойтесь, мадам Ибмас, — ходит вокруг неё офицер. — Может, воды?

— Сестра Дады, — тронула Малика тётю. — Не плачьте, тут ведь не стреляют. И солдат без оружия.

— Ой, дети мои, — опомнилась Амёла. — Малика, Батака. Конечно, не стреляют. Здесь даже в лесу свиней

не стреляют. Поэтому свободно и счастливо живут... Садитесь, садитесь, дорогие мои. — Она завозилась с детьми и тут же обратилась к офицеру: — Так в чём проблема и вина этих детей и моя?

— Дело в том, что на выходе вас, точнее детей, ожидает посол России... Дело нешуточное.

— И что? — подбоченилась Амёла Ибмас. — Вы предлагаете мне на колени перед ним встать, а детей с повинной вернуть, в плен, в детдом, в колонию? Всё в ваших руках, господин офицер.

— Вы гражданка Швейцарии и этим всё сказано. Но дети?

— Это мои племянники. Их мать моя родная сестра, и это я докажу документально в суде.

— Ваши интересы как гражданки Швейцарии есть мои интересы. И это есть интересы Швейцарии. Вместе с тем есть некоторые протокольные вопросы: эти дети сироты? Кто у них опекун?

— Круглые сироты. Опекун отныне я.

— Вы в состоянии их обеспечивать, растить, учить?

— Я в состоянии... Но дети в этом не нуждаются. Им их отец оставил на счетах наших банков огромное состояние... На основании справки нашего банка эти дети как наследники получили визу и ВИП-приглашение.

— Да, я в курсе... А дети будут претендовать на гражданство Швейцарии. Они навсегда останутся здесь?

— Насчет гражданства — не знаю. Им решать, когда вырастут. Но я собираюсь дать им здесь хорошее образование, а потом обязательно я вместе с ними вернусь на Кавказ. Знаете, какие там красивые места, особенно красивы горы.

— Так у нас тоже Альпы.

— Там всё нетронуто, первозданно... Да и дети эти — россияне. Словом, вырастут, сами решат.

— Верно, — согласился офицер. — У меня к вам предложение. Может, чтобы не было скандала, а потом всё уляжется, мы вас вывезем через служебный выход? Там посол. Россия — большая страна.

— Россия — большой агрессор... И я выйду, как гражданка свободной страны, как и все, с этими сиротами через общий выход. И перед всеми, и этим послом всё расскажу.

— Да, кстати, там уже много, очень много корреспондентов. Даже из России.

— Прекрасно! — обрадовалась Амёла Ибмас. — Это я заранее раструбила ужас этой войны.

— Да. Бедные дети, — согласился офицер.

В это время зазвонил телефон. Офицер взял трубку. Коротко поговорил.

— Мадам Ибмас, — обратился к ней офицер, — хочу вам сообщить приятную новость. Видимо, испугавшись этих камер и скандала, посол России, скажем так, покинул территорию аэропорта. Так что выход для вас свободен.

— Что?! — возмутилась Ибмас. — Вы хотите сказать, что этот посол России мог оказать мне и моим племянникам здесь, в Швейцарии, какое-то препятствие?

— Конечно же нет! — встал по стойке «смирно» офицер. — Просто лишний шум. Да и безопасность. Всё-таки спецслужбы... — Он оборвал речь.

— Вы о спецслужбах России? — продолжила Ибмас. — Я вас понимаю... Но времена, по-моему, иные.

— Вы считаете?

— По крайней мере, скажу так как есть. Точнее, как было. А был большевизм. Моя мать, как и мать этих де-

тей, как и бабушка этих детей, в детстве все они были сосланы и воспитывались в советских детских домах... Моя мать как-то смогла из этого плена вырваться. Однако в детстве, ещё в детдоме, её нарекли, дали кличку Цыплёнок. Это оказалось пожизненным клеймом, как рабство, и оно — это клеймо — сжимало её горло, не давало жить. Потому что те, кто это клеймо поставил, а это не только русские, но и немцы, да-да, немцы, воспитанные в ГДР, регулярно ей об этом напоминали. Жить спокойно и свободно не давали и сами, я думаю, не жили... Теперь, мне верится, время иное. Для примера скажу по секрету. В отличие от советских времен этот посол современной России — очень богатый человек. Как он эти богатства заимел — не моё дело. И не моё дело, что он здесь имеет дворец, яхту и любовницу. Зато моё дело, что его дети растут и учатся здесь. И они уже граждане Швейцарии... Вы поняли, к чему этот пример?

— Э-э-э, не совсем.

— Не поняли? Потому что у вас иной образ мысли, и понимание, и воспитание.

— А бывает иначе?

— Бывает... Я вам сейчас деньги, взятку предложу, чтобы вы меня пропустили. Вы меня либо в дурдом отправите, либо в тюрьму посадите. Разве не так?

— Ха-ха-ха! Только так.

— А я из Чечни этих детей вывозила по приказу генерала-командира, и все всё знали, заинтересованы были. Но на каком-то блокпосту какой-то полупьяный военный направил на нас автомат и говорит: «Прапорщик Епифанов. Квартиры нет. Трое детей».

«А вам что, не звонили?»

«Плевать! Я здесь стою! Я хозяин... Трое детей! Сто долларов. Трое детей. Триста! И плюс жинка без шубы... Соображайте быстрее, бандиты...»

— Ужас! — выдал офицер. — Неужели это возможно?

— Возможно, — твердо сказала Ибмас, — если ваш кабинет не будет стеклянным.

— Сестра Дады, — дернул Амёлу мальчик, — я хочу пи-пи.

— Ой! — как ужаленная, воскликнула тётя. — Мы свободны?

— Офицер погранслужбы Швейцарии Иоган Шульц! — по стойке «смирно» стал офицер. — И семья есть, и дом есть, и двое детей есть! И кабинет всегда был и будет застекленным. И вас в обиду не дадим! Welcome!

— А где туалет? — засуетилась Амёла.

— Вам мужской или женский?

— Это мужчина, джигит! — Амёла ласково погладила мальчика по голове.

Когда все процедуры закончились и Амёла с детьми уже покидала погранзону, Йоган Шульц сказал:

— Мадам Ибмас, могу я вам задать один личный вопрос?

— Конечно.

— Я по долгу службы должен запоминать лица людей. У вас, впрочем, как и у ваших детей, особое лицо. И особый нрав. Мятежный.

— С чего вы это взяли? — удивилась Амёла.

— Точно время не помню, но год-полтора назад вы провожали молодого человека с каштановыми кудрями. Так он прямо на погранполосе такой танец выдал. Огонь!

— Боже! Тота! — прошептала Амёла, а офицер продолжил:

— Помню, как он границу прошёл и крикнул вам: «Don't cry for me, Amela! Don't cry...»

— Тота! — закричала Амёла, вся дрожа. — Почему я тебя отпустила?! Почему не уберегла?!

... Вызвали врача: нервное потрясение.

— Нет-нет. Всё нормально, — говорила Амёла. — Мы ведь в Швейцарии? И дети со мной... Пойдёмте, Малика, Батака.

— Может, вас на нашей машине отвезти? — беспокоится офицер.

— Нет-нет. Спасибо. Нас встречают... Боже, там ведь камеры, — обрадовалась Амёла. — Спасибо вам, господин Шульц... Кстати, — она остановилась, — этот танец вы увидели год назад. Здесь в аэропорту Цюриха... Уже начиналась вторая чеченская война. А он уехал. Его звали Тота. И это его дети.

— Вот это да?! — удивился офицер. — Он погиб? Такой танцор! Такой талант... Кстати, я понял, что это лезгинка, но, сколько ни искал, такого вулканического танца больше не увидел.

— А хотите увидеть? — загорелись глаза Ибмас.

— Конечно, хочу.

— Золотые мои! Болотаевы! Ну что, покажете, с чем чеченские дети в Европу приехали и за что воюют?!

Аэропортовская суета, хаос движений. Все холодны, озабочены, строги. И вдруг возглас Амёлы:

— Хорс-тох! Маршал!

Батака и Малика так закружились в танце, что весь зал встал, а потом вслед за Ибмас и офицером все дружно зааплодировали.

Танец был искрометным, завораживающим.

— Маршал! Маршал! Маршал! — поставили дети последнее па.

— А что такое «Маршал»? — спросил офицер у Амёлы.

— Маршал — это привет. И это же — свобода!

— Господа! — крикнул тогда офицер. — Это дети Чечни. Это дети войны. Вот с каким приветствием они к нам пожаловали. Маршал — это приветствие, это — свобода!

— Маршал! Браво! Свобода! — закричали все пассажиры. — Повторите на бис! Браво!

И снова дети начали танцевать и вновь воскликнули:

— Маршал!

И по огромному залу, и по всему миру разлетелось задорное «Маршал!!!». Свобода!

03.06.2020 г.

СОДЕРЖАНИЕ

Литературно-художественное издание

Проза нового века

Ибрагимов Канта Хамзатович

(Канта Ибрагим-гар)

МАРШАЛ

Роман

Выпускающий редактор *О. Солдатов*
Художественное оформление *Е. Амитон*
Верстка *И. Хренов*
Корректор *О. Бубликова*
Подготовка к печати художественного оформления *Д. Грушин*

ООО «Издательство «Вече»

Адрес фактического местонахождения:
127566, г. Москва, Алтуфьевское шоссе, дом 48, корпус 1.
Тел.: (499) 940-48-70 (факс: доп. 2213), (499) 940-48-71.

Почтовый адрес:
129337, г. Москва, а/я 63.

Юридический адрес:
129110, г. Москва, ул. Гиляровского, дом 47, строение 5.

E-mail:veche@veche.ru
http://www.veche.ru

Подписано в печать 25.12.2020. Формат 84 × 108 1/32.
Гарнитура «Georgia». Печать офсетная. Бумага офсетная.
Печ. л. 16. Тираж 1000 экз. Заказ № 8879

Отпечатано в типографии ООО «ТДДС-СТОЛИЦА-8»
Россия, 111024, г. Москва, ш. Энтузиастов, д. 11 А корп. 1
тел.: (495) 363-48-84
www.capitalpress.ru